KB196690

국가안보의 이해

조남진 저

조 남 진

저자 약력

1970년 육군사관학교 졸업
1988년 국방대학교 대학원 수료
1996년 동국대학교 대학원 석사
2004년 동국대학교 대학원 박사

1990년 28사단 82연대장
1991년 교육사령부 무기체계처장
1992년 BCTP(전투지휘 훈련)단장
1994년 육본 교육훈련처장
1995년 3야전군 작전처장
1996년 보병 1사단장
1998년 교육사령부 교리발전부장
2000년 국방개혁위원회 부위원장
2002년 국가비상기획위원회 상근위원
2007년 호원대학교 초빙교수

주요저서 및 논문

국가안보개론
북한 핵개발에 따른 한국의 군사전략 발전방안
북한 핵 위기관리 연구
한국의 위기관리발전방안

머리말

국가와 국민의 안전보장은 바로 국가가 존재하는 목적이자 이유이다. 인간은 약육강식의 자연 상태로부터 자신의 안전을 지키기 위해 국가라는 체제를 만들었고, 국가로부터 안전을 보장받는 조건으로 국가가 주어진 의무를 수행하는 것이다.
또한 국가안보란 국가를 받치고 있는 기반이며 이를 보호하는 방벽이다. 안보가 없이는 복지국가건설도 사상누각이며 국부의 축적도 물거품일 뿐이다.

우리나라는 1950년 북한의 기습남침으로 빚어진 6.25전쟁이라는 민족상잔의 비극을 경험하면서 국가안보의 중요성을 인식하였고, 계속되는 위기를 겪으면서 평소 대비가 없이는 국가가 매우 위태로워진다는 사실을 깨달았다.

6.25전쟁의 상처가 너무나도 컸고, 60년 이상 지속된 남북한 간 불신의 골이 깊었기에, 1990년대 초 소련이 해체되고 냉전이 종식된 후 20년이 경과하여도 한반도는 여전히 200만 명의 상비군이 상호 대치하는 마지막 냉전지대로 남아있다.

국제질서의 재편과 정보화의 거대한 조류 속에서 유럽지역 국가들은 병력과 군비를 대폭 축소하고 있으나, 남북한과 주변 국가는 지금도 핵무기를 비롯한 대량살상무기의 개발과 첨단무기위주의 군사력을 증강시키며 군비경쟁을 계속하고 있다.

민족의 분단과 동족간의 전쟁으로 세계 최빈국 대열로 떨어졌던 우리나라가 경이로운 속도로 경제발전을 이룩하여 현재 선진국과 어깨를 나란히 하고 있는 것은 국민의 투철한 정신무장과 굳건한 안보가 뒷받침했기 때문에 가능했다.

그러나 국민생활의 풍요가 지속되고 세대가 바뀌어가면서 어려웠던 시대의 기억은 점차 잊혀가고 안보의식도 나날이 해이해져 가는 현실은 실로 안타까운 일이다.

현재 우리 안보의 최대 근심은 북한의 핵개발과 한미연합사령부 해체이다. 세습되는 독재와 폭정으로 국제사회로부터 고립된 북한은 국가의 사활을 걸고 우리민족을 말살시킬 수 있는 핵무기 개발에 전력을 투구하고 있으며, 세계에서 가장 효율적인 연합작전을 수행해 오던 한미연합사도 한 시대를 주름잡던 어느 정치지도자의 굴절된 시각에 의해 몇 년 후면 해체될 운명에 처해있다.

안보문제는 국가의 존망을 결정짓는 국가중대사이다. 국가존망이란 바로 국민의 생사문제이다. 그러나 대부분의 국민은 잘살아보겠다는 경제에는 관심이 많으나 각자의 생사가 걸린 안보에 대해서는 관심이 희박하다. 그 이유는 안보란 개인이 담당하는 것이 아니라 국가차원이나 특정계층의 전문가들이 담당할 문제로 생각하기 때문일 것이다.

전쟁이나 재난이 발생하면 피 흘리고 상처받는 사람은 국민 각자이며, 피해를 보는 것은 개개인의 재산과 생활 터전이다.

따라서 국민 누구나 국가안보를 알고 그 중요성을 깨달아 스스로를 지켜야 하겠다는 확고한 마음가짐을 가져야만 자신과 가정을 보호하고 국가를 반석 위에 올려놓을 수 있을 것이다.

필자가 수년전 대학에서 안보강의를 담당하게 됨에 따라 강의할 교재를 선정하기 위해 서점가를 두루 섭렵하였으나 종합적이고 요약된 서적을 찾기 어려웠다. 따라서 대학 강의뿐만 아니라 일반국민이 이해하기 쉽도록 안보에 관련된 서적과 논문을 발췌하여 핵심적인 내용을 요약 정리하였다.

국가안보에 관심이 있는 사람들이 이 책을 읽고 안보에 대한 기본소양을 넓히고, 보다 깊이 연구하는 데 조그만 도움이 된다면 더 큰 기쁨이 없겠다.

2010년 3월

저자 조 남 진

목 차

제 1 부 국가안보의 개관

제 4 부 한국의 안보환경과 주요현안

제 1 부

국가안보의 개관

제 1 장
국가와 국가안보

제 1 절 국가의 본질

1.1 개요

국가는 인류 역사의 시작과 함께 존재해왔다고 할 수 있다. 인류가 공동사회를 이루고 살게 되면서부터 공동체의 이익을 위해 조직과 질서를 만들었으며, 이러한 조직이 점차 커지며 국가로 발전하게 되었다. 국가의 형성은 특정 영토 내에서 다양한 정치집단과 다투며 독점적 지배권을 확보하기 위해 도전하는 경쟁세력을 체계적으로 제거해 나가는 일련의 과정이었다. 국가의 형성단계는 문화권마다 차이는 있지만 통상 씨족사회로부터 부족국가, 부족연맹, 고대국가의 단계를 거치며 발전하였다.

국가가 무엇인가에 대한 개념은 수많은 학자들이 다양하게 정의하고 있으나, 일반적으로 사회의 공동이익에 맞게 국민들의 활동을 조직하고 지휘하는 포괄적인 정치조직이라고 할 수 있다. 즉 국가는 사람들이 공동생활을 하면서 각 개인과 공동사회전체의 안전과 풍요로운 삶을 영위하기 위해 필요한 체계와 법규를 만들어 국민을 지도하고 규제하는 강제력을 가진 조직인 것이다.

독일의 사회과학자 Max Weber는 “독점적 강압력(coercion), 통일적 권위,

그리고 제반 법률적·행정적 장치를 기초로 일정한 영토와 그 영토 내의 주민을 배타적으로 지배하는 정치적 조직 혹은 공동체"[1] 라고 하였고, 미국의 학자 Poggi는 "근대국가는 통치를 위한 제도적 장치의 복합체이며, 통치는 공직자들의 계속적이며 규제된 행동을 통하여 수행되고, 공직자의 총체로서의 국가는 영토적으로 한정된 사회에 대한 통치업무를 전담한다" [2] 라고 하였다.

국제법상에는 국가를 "일정 영토 내에 거주하는 국민에 대하여 이를 지배하는 정부조직을 가지는 법적주체"로 정의한다. 국가는 물리적 폭력[3]의 유일하고도 정통한 독점주체이며, 또한 어떠한 정치적 권위에도 복종하지 않는다.

국가가 행사하고 있는 특별한 권위는 영토 내에로 제한되고, 국가 내에 거주하는 사람들은 그 권위에 복속하며, 국가는 영토 내에서의 관할권을 행사하고, 국가의 권위는 강제력에 의해 지탱되는 것이다.[4]

1.2 국가의 구성요소

1.2.1 국민

국가구성의 3대 요소는 국민, 영토, 주권이며 오늘날 학자들은 정부도 포함시키고 있다. 국민은 소재지와는 관계없이 원칙적으로 일정한 국법의 지배를 받는 국가의 구성원을 말한다.

국민의 개념은 종속이나 민속과 반드시 일치하는 것은 아니다. 종속은 유전적 특성을 함께 가진 사람들의 모임으로 자연과학적 개념이며, 민족은 문화적 요소를 기준으로 한 사회학적 개념이다. 이에 비해서 국민은 국내법이 정하는 요건에 따라 그 지위가 주어지는 법적 개념이다. 국민은 국가 존재 이유의 근거가 되며, 국민 없는 국가는 존재의 의미가 없고 존립할 수도 없

1) Max Weber,"Politics as a Vocation," in H. H. Gerth and C. Wright Mills (ed.), From Max Weber: Essays in Sociology (London: RKP, 1948), pp. 77-78,

2) Gianfranco Poggi, The Development of the Modern State (London: Hutchinson, 1978), p.13~15

3) 주로 경찰력과 군사력을 뜻한다.

4) 이종은,조현수 역, 「현대정치이론」(서울; 까치.2006).pp.111-112.

는 것이다. 국민은 국가의 구성원임과 동시에 국가의 주인이며, 국가를 통하여 그의 존재를 보호받고 나아가 자아실현과 행복을 추구할 수 있다. 또한 국민이란 인종과 민족을 초월하는 인간의 공동체이며, 민주국가에서는 주권의 주체로서의 의미도 갖는다.[5]

중세 봉건사회에서는 다원적인 신분제만 있었을 뿐 국민이라는 포괄적 개념이 없었으나, 신분제의 타파로 시민계급이 정치에 등장하고, 통일국가가 확립되면서부터 국민이라는 개념이 생겨났다.

국민이라는 개념이 생기기 전에는 신분적 구속이 없는 자유로운 지위에 있는 사람을 가리키는 '시민'이라고 하였으며, 군주국가에서는 '백성'이나 '신민(臣民)'이라고도 하였으나, 오늘날에는 주권자로서의 자각을 지닌 국가의 주인이라는 지위를 명확히 인식하는 의미에서 국민이라고 한다. 국가와의 관계에서 국민은 국권의 지배를 받는 객체일 뿐만 아니라, 국권의 담당자 또는 국권의 주체가 되기도 한다.

1.2.2 영토

영토는 토지로써 구성되는 국가영역을 말한다. 지구의 평면을 국제법상으로 분류하면 국가영역과 그 밖의 부분으로 나뉘는데, 국가영역은 영토·영해·영공으로 구성된다.

그 중 영토는 국가영역 중에서도 가장 핵심적인 부분이다. 왜냐하면 영토의 연안을 기준으로 영해가 설정되며, 영토와 영해를 기준으로 영공이 설정되기 때문이다.

영토는 국민이 살아가는 삶의 터전이며 생활의 공간이다. 영토라는 공간은 주권이란 이름의 통치권이 적용되는 가운데 국가라는 인간 공동체가 형성되는 곳이다. 영토는 국토라고 불리어 지며, 국가의 최고 지배권이 독자적으로 행사되는 국민의 생활 기반을 형성하는 공간인 것이다.[6] 우리 헌법 제3조는 영토에 관한 조항으로 "대한민국의 영토는 한반도와 그 부속도서로 한다"라고 명시하고 있다.

---

5) 장용운, 「군사학 개론」 (서울: 양서각, 2006), p.18.
6) 장용운,(2006),p.18.

영토문제는 국가 간에 발생하는 분쟁의 핵심을 이루고 있다. 한 치의 땅이라도 더 확보하는 것이 국가의 활동영역을 넓히는 것이기 때문에 영토문제는 국가 생존적 차원에서 다루어지고 있는 것이다. 독도에 대한 일본의 끈질긴 영유권 주장이나, 제주도 남방에 위치한 이어도 주변에 대한 중국의 영해권 주장 등은 영토문제에 관한 한 주변국가로부터 어떠한 양보도 기대할 수 없는 국제관계의 현실을 보여주는 대표적 사례이다.

1.2.3 주권

국가의 의사를 최종적으로 결정하는 최고의 권력으로 국가권력의 대내적 최고성과 대외적·자주성·독립성을 의미한다.

주권이라는 용어는 여러 가지 뜻을 내포하고 있다. 첫째, 국가권력의 최고성·독립성을 뜻하며 주권국이라는 용어는 국제법상으로 다른 어떠한 국가의 권력에도 복종하지 않는 국가라는 것을 의미한다. 둘째, 국가의 최고의사를 뜻하며 국가의사의 원천 또는 국가정치형태의 최고결정권을 의미한다. 군주주의란 군주라는 지배자가 주권을 행사하며, 민주주의란 국민이 주권을 행사하고 있다는 것을 예로 들 수 있다. 셋째, 국가권력 또는 통치권 그 자체를 가리킨다. 여기서 주권은 총체적 의미로서의 국가권력 또는 단일의 근원적·고유적·불가항적·불가분적인 국가권력을 의미한다. 설사 많은 인구와 넓은 영토를 가지고 있더라도 이를 지배하고 통치할 수 있는 주권이 없으면 국가라고 할 수 없는 것이다.

또한 주권은 내적주권과 외적주권으로 구분한다. 내적주권이란 국가의 대내적인 업무와 국가 내에 있는 최고 권력의 소재를 지칭하며, 외적주권은 국제질서에서 국가의 위치와 다른 국가와의 관계에서 국가의 독립성을 지칭한다.[7]

우리나라 헌법의 제1조 2항에는 "대한민국의 주권은 국민에게 있고 모든 권력은 국민으로부터 나온다"라고 명시하고 있다.

---

7) 이종은, 조현수 역, 「현대정치이론」(서울; 까치. 2006),pp.133-137.

1.2.4 정부

정부란 입법, 사법, 행정의 삼권을 포함하는 국가전체의 통치기구를 뜻하지만 좁은 의미로는 행정부를 뜻하기도 한다. 여기서 의미하는 정부는 국가전체를 통치하는 기구를 가리킨다.

정부는 대외적으로 국가를 대표하며 대내적으로는 공권력 행사를 통해 국가의 기능을 수행한다.

현대국가에서는 국가의 구성요소에 국민, 영토, 주권에 추가하여 정부를 포함시키고 있다. 정부는 국가목적을 실현하고 국가를 발전시키는데 필수적인 요소이며, 국가의 기능이 다양해진 현대에서는 그 기능을 주체적으로 책임지고 수행하는 정부의 존재를 반드시 필요로 하고 있다.[8]

1.3 국가의 기능

기능적 관점에서 국가에 대한 정의는 "국가란 법을 제정하고, 법과 질서를 유지하면서, 국민들에게 조세 등 일정한 형태의 부담을 부과하고, 그것을 지출함으로써 해당사회를 유지하고 재생산하는 기능을 유지하는 기구" 라고 한다.[9]

20세기에 접어들면서 두 차례에 걸친 세계대전과 경제공황 등, 일련의 역사적 사건을 경험한 후 '최소의 정부가 최선의 정부'로 인식되던 국가의 역할이 개개인 국민생활로부터 국가전반에 이르기까지 적극적으로 개입하게 되었다. 이와 같이 행정권이 강화된 국가, 즉 입법부에 비해 행정권이 우월한 지위에 있는 국가를 행정국가라고 하며 행정의 기능 증대로 행정부는 준입법, 준 사법기능에서 정책입안까지 하게 되었다.

국가의 1차적인 기능은 대외적으로 외침으로부터 국가를 보호하는 국가안보기능과 대내적으로 법과 질서를 유지하면서 국민생활의 평화와 안전을 보장해주는 치안유지기능이다.

2차적인 기능은 국가경제 발전을 기획하고 관리하는 경제관리기능과 국민이 풍족하고 편안하게 살도록 하는 사회복지기능, 환경문제나 국민생활의 질 향상을 위한 환경 및 인구통제기능 등이다.

---

8) 장용운, (2006),p.20.
9) 우명동, 「국가론」(서울 : 해남,2005), p.4.

1.4 국가의 유형

1.4.1 단일국가

단일국가는 통치권이 중앙의 단일정부에 집중한 국가를 말하며, 대부분의 주권국가는 일반적으로 단일국가 형태를 취하고 있다. 단일국가는 그 국가를 대표하는 하나의 중앙정치권력을 가지며, 국가의 권력이 중앙정부에 집중되어 있는 형태의 국가를 일컫는다. 중앙정부와 지자체는 수직적 권력관계임으로 단일국가의 지방정부는 자주적인 조직과 권한이 없고, 국가의 기본법에 의하여 주어진 지위와 권한만을 가진다.

1.4.2 국가연합과 연방국가

국가연합(Confederation)은 2개 이상의 주권국이 공통된 이익의 달성을 위하여 국제법상의 조약에 의하여 결합하고 공동기구에 의해 주권을 공동으로 행사하기도 하는 국가형태이다. 그러나 국제법상으로 하나의 국가로 인정되지 않는다. 대표적인 사례는 독립국가연합(CIS)[10]과 유럽연합(EU)을 들 수 있다.

연방제(Federation)는 두 개 이상의 주나 자치국이 결합된 국가형태로서 국가의 권력이 중앙정부와 지방정부에 동등하게 분배되어 있다. 연방제를 실시하는 국가는 연방국가라고 불리며 연방헌법을 가지고 있다. 연방헌법은 중앙정부와 지방정부의 관계를 정의하며, 그 국가의 어떠한 법보다 가장 중요하며 높은 위치를 차지한다. 연방제에서 지방정부는 외국과의 조약 혹은 외교관계를 맺을 수 있는 권한이 없거나 중앙정부보다 훨씬 적은 권한을 갖는다. 대표적인 국가는 미국과 스위스 등이다.

국가연합과 연방국가의 차이를 보면 국가연합(Confederation)은 연방국가(Federation)보다 약한 결속력을 가지고 있다.

국가연합의 경우는 그 기관의 권한이 직접적으로는 구성국에만 미치는데 반해 연방제의 경우는 구성국 국민에게까지 그 권한이 미친다.

10) 독립국가연합 Commonwealth of Independent States):1991년 12월 31일 소련(소비에트사회주의공화국연방:USSR)이 소멸되면서 구성공화국 중 11개국이 결성한 정치공동체를 가리킨다

1.4.3 영연방국 (Commonwealth)

영국을 중심으로 한 영연방은 앞에서 기술한 연방제(Federation)와는 전혀 다른 독특한 성격을 갖고 있다. 영연방은 영국 본국과 구 영 제국 내의 식민지에서 독립한 나라들로 구성된 연방체를 말한다.

영연방 구성국은 영국 본국과 대등한 지위에 있는 주권국가이나 구성국은 구 영국제국의 식민지에서 독립한 나라이기 때문에 다른 독립국가에서는 볼 수 없는 특수한 관계로 맺어져 있다. 구성국 중에는 영국의 국왕을 국가원수로 받드는 국가도 있으나 국가별로 국왕이나 대통령을 두고 있기도 하다.

영연방 즉, 코먼웰스는 국제법상의 국가연합이나 연방이 아니며 기존개념과 완전히 다른 국가그룹이다. 그 결합은 매우 느슨하기 때문에 우호협력관계와 실리를 기초로 하는 클럽과 같은 존재에 지나지 않는다. 각국 사이에 정치적 통합보다는 비정치적인 국제협력과 경제협력이 주를 이루고 있다.

1.5 대표적인 국가관

1.5.1 개요

국가사상은 동서양을 막론하고 고대로부터 현대에 이르기 까지 역사의 변천과 더불어 발전되어 왔다. 동양에서는 고대 중국의 춘추전국시대로부터 유가(儒家), 법가(法家), 도가(道家) 등의 제자백가들이 무수한 전쟁과 국가의 흥망을 목격하고 국가사상을 정립하였으며, 그 중 대표적인 것은 맹자의 민본사상과 왕도주의, 묵자의 겸애설 등이 있다.

서양에서는 고대 그리스로부터 국가에 대한 개념과 사상이 발전되어 왔으며, 특히 플라톤의 이상국가론이 그 원조라고 할 수 있다. 그 후 아리스토텔레스와 같은 수많은 학자들이 국가에 대한 나름대로의 사상을 발전시켰다.

고대부터 근대에 이르기까지 많은 사람들로부터 찬사를 받고 있는 공화정치의 꽃을 피운 로마제국이 멸망한 후, 중세기에는 기독교 질서 속에서 토마스 아퀴나스(Thomas Aquinas)와 같은 신본주의 사상가들이 "국가는 신의 존재에 근거를 두어야 한다"고 주장하기도 하였다.

인본주의 사상이 싹튼 문예부흥 이후 근대의 국민국가 출현과 자유주의

사상이 대두되면서 홉스, 로크, 밀 등의 국가 사상가들에 의해 본격적인 국가이론이 정립되었다.

고대로부터 현대에 이르기까지 수많은 국가사상이 등장하였으나 그중에서 대표적인 몇 가지만을 소개하고자 한다.

1.5.2 플라톤의 이상국가론

플라톤 철학의 궁극적인 목표는 선과 정의의 이데아를 국가 안에서 실현하는 것이다. 플라톤 국가론의 형이상학적 기초는 인간의 영혼의 세 부분을 국가의 구성계급에 비유하였다. 즉 영혼의 지적인 부분에 해당되는 통치자와 용기의 부분에 속하는 수호자, 감각적이고 쾌락적인 부분의 생산계급으로 구분한 것이다.

이들 계급은 각자에 합당한 덕이 있으며, 이 덕목들이 국가 내에서 조화를 잘 이룰 때 정의로운 이상국가가 된다고 한다.

수호자 계급은 국가를 수호하는 막중한 임무를 수행하기 때문에 선발 조건은 예리하고 재빠른 동작과 강한 힘, 용감하고 기개가 높은 정신의 소유자여야 한다. 통치자 계급의 경우는 수호자 계급에 속하는 사람 중에서 가장 덕망이 높거나 올바른 이성과 지혜를 지닌 철인을 선발하는 것이 바람직하다. 남녀양성에 차별은 없으며 부녀자도 신체적 조건이 허락되면 수호자 계급에 들어갈 수 있다.

또한 플라톤이 가장 이상적으로 생각했던 국가상은 바로 철인왕이다. 국가의 정의를 실현하는데 통치자의 기능이 중요하기 때문에 통치자가 철학을 배우든가 철학자가 통치해야한다는 것이다. 각 계급에 속하는 사람들이 맡은 바 임무를 잘 해냄으로써 올바른 국가를 형성해 나가는 것도 너무나 당연한 얘기다.

그의 이상국가의 목적은 어떤 한 계급에만 행복을 편중되게 하는 것이 아니고 나라 안의 전 계층에게 최대의 행복을 주려는 데 있다. 즉 국가는 사람의 행복을 위해 존재하게 되며 정의의 원칙에 따라 사람들이 선한 삶을 누리도록 한다. 이러한 선은 교육에 의존하며 정의를 통해서만 실현된다.

1.5.3 일원적(一元的) 국가론

일원적 국가론은 국가에 절대적인 의의를 부여하고, 국가권력의 윤리적 의미를 강조한다. 교회와 영주의 권력에 대항하면서 근대국가가 형성되는 과정에서 성립한 주권론은 근대 일원적 국가론의 최초 형태였다. 홉스와 루소에게서 볼 수 있는 사회계약론도 일원적 국가론에 속하는 것이었다.

헤겔은 "인간의 가치는 오직 국가를 통해서만 비로소 이루어지며, 개개인의 최고임무는 국가의 한 구성원이 되는 것"이라고 하였다. 그러나 근대 말기 자유주의국가가 성립됨에 따라 일원적 국가론은 주장할 근거를 상실하였다.

홉스와 루소가 정립한 사회계약론은 국가이론의 토대가 되었다. 사회계약론에서는 "국가는 사회구성원들의 합의에 의해 만들어진 인위적 산물이며, 국가 없는 상태는 약육강식의 자연 상태로서 이해관계의 대립과 갈등 시 조정이나 해결이 불가능하므로 인간은 자연권 일부를 국가에 이양하고 그 대신 국가로부터 안전을 보장받는다"라는 것이다.

사회계약을 통한 국가설립의 목적은 "국가는 인간에게 평화와 안전을 제공하고 인간에게 생명과 자유, 사유재산권을 보장하는 것"이라고 했다. 이러한 목적으로 만들어진 국가의 기능은 인간 공동체의 평화를 위해 시민의 동의에 의해 국가의 강제력을 행사하는 것이다.

루소는 "사회적 질서는 신성한 권리로서 다른 모든 것의 기초를 이루며, 이 권리는 자연에서 나오는 것이 아니며 계약에 기초를 둔다"라고 했다.

사회적 질서 속에 산다는 것이 속박이 아니라 인간만의 신성한 권리임을 강조한 뒤에, 그러한 권리 즉 사회적 질서를 형성하여 그 속에서 살 수 있는 권리는 자연적인 것이 아니라 계약에 기초하고 있음을 주장하였다.

홉스는 자연 상태에서 인간은 이른바 '만인에 의한 만인의 투쟁' 속에 있으며, 인간은 개인적인 자연권을 포기하는 대신에 자유로운 계약에 따라 질서, 법률, 관습, 도덕 등을 만들었고, 그것이 바로 사회 또는 국가라고 한다. 국가가 있음으로서 비로소 인간은 타인과의 끝없는 투쟁 상태에서 벗어나 평화와 자유를 확보할 수 있게 되었다는 것이다.

홉스는 영국의 왕과 의회가 자주 충돌하고, 또 거기에 교회의 힘이 충돌하여 국가가 위기에 처하자, 영국에 평화와 질서를 되찾기 위해서는 왕권이 강화되어야 한다고 생각하고 「리바이어던」 이란 국가론을 저술하였다. 홉스는, 인간의 본성 안에 싸움을 하게 하는 원인이 들어있다고 보고, 그 싸움을 평화로 이끌기 위해서는 자연법과 '리바이어던'[11]과 같은 절대권력이 필요하다고 주장하였다.

1.5.4 다원주의(多元主義) 국가론

다원주의적 국가론은 일원적 국가론에 대한 비판으로 영국에서 나타난 국가론이며 이는 19세기 서구사회의 구조적 변화로부터 비롯되었다. 산업화와 도시화가 국가권력의 집중과 관료화 현상을 수반하게 되자, 집중화되고 비대화된 국가권력 앞에 무기력할 수밖에 없었던 비 조직화된 개인들 사이에 자유와 권리를 보호해야 하겠다는 문제의식이 싹트고, 이에 대한 대안적 이론으로 등장한 것이 다원주의 국가론이다.

다원주의 국가론은 국가의 다른 사회집단에 대한 절대적 우위성을 거부하고, 국가를 다른 경제적·문화적 또는 종교적 여러 집단과 마찬가지로 특정의 유한한 목적을 갖는 집단의 하나로 간주하는 입장이다. 다원주의는 국가권력이 특정 사회계급에 집중되어 있는 것이 아니라, 사회내의 여러 집단이나 파벌들에게 분산되고 다원화되었다고 보는 입장이다.

즉 다원적 정치체계란 다양한 정치체계나 파벌들이 정책에 영향을 미칠 수 있기 때문에 어느 한 집단이나 몇몇 집단들이 전적으로 통제 할 수 없으며, 모든 정당한 이익집단들이 응분의 영향력을 공유할 때를 뜻한다.

다원주의에서는 개인들이 모여 이룩하는 다양한 집단들이 정치적 분석의 기본단위가 되며, 이들의 상호경쟁과 타협의 소산으로 국가정책의 내용이 결정되며, 이 과정에서 국가는 중재자 또는 심판의 역할이라는 중립적이며 소극적인 지위를 인정받게 된다.

다원적 국가론은 국가와 전체사회를 동일시하는 것을 거부하고, 국가는 전체사회의 입장에서 그 기능의 일부를 분담하는 부분사회에 불과하다고 보았다. 또 그 당시까지 국가주권으로 여겨져 왔던 권능은 다른 여러 집단에

11) '리바이어던' 은 구약성서에 나오는 괴물을 말한다.

서도 집단통제를 위해 행사되고 있는 것이므로, 국가의 주권은 절대성을 가질 수 없는 것이라고 하여 주권의 복수성을 주장하였다.

1.5.5 계급국가론 (階級國家論)

19세기 유럽의 자본주의 발전은 여러 가지 사회적 모순을 표출시켰으며, 이에 대한 비판적인 정치이론으로 계급국가론이 등장하였다. 계급국가론은 마르크스와 엥겔스에 의해 주장되었으며, 마르크스는 헤겔의 변증법적 철학에 기초를 두고 변증법적 유물론을 완성시켰다. 변증법적 유물론은 “모든 제도는 그 내재적인 모순에 의해 붕괴되고 새로운 제도로 옮겨가게 되는데, 자본주의 제도도 그 내재적인 모순으로 인하여 붕괴되고 사회주의로 옮아간다”고 주장한 마르크스는 그의 저서「자본론」에서 “자본주의사회에서는 직접생산자에게 미지급된 잉여가치가 자본가의 몫이 되고 이로서 지배자와 피지배자의 계급관계가 설정된다. 이러한 관계는 자연히 사회구조 내에 감춰져있던 종속관계의 정치적 형태, 즉 지배와 피지배에 부합하는 국가형태를 탄생시켰다”라고 하였다.

마르크스와 엥겔스는 국가발생에 대한 가정을 다음과 같이 제시하였다.

첫째, 국가는 자연발생적이 아니라 인위적으로 만들어 진 제도이며, 둘째, 국가는 계급투쟁과 사유재산의 확립과 함께 발생하고, 셋째, 국가는 경제적 토대에서 발생하는 상부구조에 포함된다.

마르크스는 “국가는 경제적으로 지배하는 계급이 정치적으로 무산계급을 지배하기 위해 이용하는 도구이자 수단이다”라고 하였으며, 엥겔스는 “고대 국가는 노예소유자들이 노예들을 억압하는 것을 목적으로 하는 기구였고, 봉건국가는 귀족이 농노와 예속 농민을 억압하기 위한 기관이며, 근대 의회 국가는 자본가들이 임금노동자들을 착취하기 위한 수단이다”라고 주장하였다. 이들은 자본주의는 비이상적인 국가임으로 국가는 계급이 없고 투쟁이 없는 이상적 국가형태인 공산주의 국가로 바뀌어야 한다고 하였다.

레닌은 “국가를 계급탄압을 위한 억압기구요, 착취·폭력기구”라고 일방적으로 규정하고 있다. 그의 저서「국가와 혁명」을 통하여 국가요소로서 교도소 및 군인의 특수집단을 들고, 이러한 요소들을 마음대로 사용할 수 있기 때문에 국가는 폭력적 탄압장치에 지나지 않는다고 하였다. 또한 국가는 군인이라는 특수집단을 만들어 내어 지배계급의 이익에 봉사하도록 하는 폭력적 억압기구로 보고 있다.

레닌은 착취계급인 부르조아를 억압하기 위하여 프롤레타리아 독재가 필요하다고 주장하였다. 억압하는 이유는 부르조아의 저항 때문이며 그들의 저항을 분쇄시킬 수 있는 계급은 프롤레타리아 밖에 없다는 것이다. 또한 공산주의로 가는 과도기에는 여전히 억압이 필요하고 억압을 위한 특별기구인 국가가 필요하다고 했다.

그러나 20세기 초 러시아에서부터 시작된 공산주의는 1990년대에 이르러 참담한 실패로 막을 내리고 공산주의사상의 근본적인 모순만을 확인시켜 주며 역사의 뒤안길로 사라져가고 있다.

1.5.6 세계체계론과 국가

세계체계론은 세계를 하나의 사회체제로 파악하여 중심부와 주변부의 비대칭적 관계를 설명하는 이론이다. 1970년대 중반 뉴욕주립대학 교수인 월러 슈타인(I. Waller stein)이 체계화하여 계속 발전시켜왔다.

세계체계론에서는 세계자본주의 체제를 불평등한 교역관계로 서로 연관되어 있는 중심부, 반주변부, 주변부의 3가지 국가군으로 구성되어 있다고 보았다.

이 3가지 국가군은 국가기구의 강도와 노동통제의 방식이 서로 다르다. 강력한 국가기구를 가지고 자유임금 노동에 기초하여 제조품 생산에 주력하는 중심부는 허약한 국가기구를 가지고 강제노동에 기초하여 농산물 경작에 주력하는 주변부에 대하여 국제교역과정에서의 잉여를 수탈하는 것으로 보았다. 반주변부는 중심부에 의해 수탈당하며 동시에 주변부를 수탈하는 제3의 구조적 위치를 점유하고 있는 나라들이다.

중심, 주변, 반주변의 구조적 위치는 정치적으로 이에 상응하는 국가형태를 결정한다. 중심부에는 강력한 국가가 주변부에는 약한 국가라는 대조적인 국가형태가 발생하며 이들 간에 국가체계가 형성된다.

국가 힘의 강도는 상호결정적이며 중심부 국가의 강력성은 주변부 국가의 약체성의 결과이다. 상이한 경제적 지역사이의 불균등한 발전이 기존의 불평등 분업구조를 계속 유지, 강화시키는 기능을 하며 일단 생긴 격차는 확대 강화되어 정착되어간다.

이 이론에서 중요한 것은 반주변부의 개념이다. 반주변부는 그 자체로 독립적 의미를 지니며, 세계체제에서 중요한 역할을 담당한다. 반주변부는 주변부의 착취자이자 중심부의 대리자이면서 경제적 중개인 역할을 해낼 뿐더러 정치적 완충지대이기도 하다. 반주변부는 세계체제의 구조적 필수요인이다. 중심부와 주변부, 반주변부는 국제 관계 안에서 서로 위치가 뒤바뀔 수도 있다. 세계체제이론은 개별국가의 발전보다 그 상위 단위인 세계체제의 발전에 관심을 둔 이론이다.

제 2 절 국가이익

2.1 국가이익의 개념

국가이익(national interests)은 국가의 안전과 발전을 위하여 국민이 전체적으로 추구하여야 하는 이익을 뜻하며 통상적으로 주권국가의 대외정책 차원에서 사용된 중심개념이다. 오늘날에는 국내적 차원의 공공이익을 포함한 포괄적인 개념으로 사용되고 있다.

오늘날 국가이익은 특정계층이나 권력을 대변하는 것이 아니라 국가주권을 수호하는 것과 국민의 재산과 생명을 지키는 것을 의미한다. 선진국가일수록 명확한 국가이익의 원칙을 가지고 있으며, 안보 및 외교정책이 이에 의해서 지배된다.[12)]

국가이익은 역사, 문화, 전통, 규범과 국가의 보존, 번영과 발전, 국위선양 및 국민이 소중히 여기는 가치와 체제의 보존과 신장 등을 의미한다. 즉, 국가이익은 국가의 최고 정책 결정과정을 통하여 표현되는 국민의 정치, 경제 및 문화적 욕구와 갈망으로 이해될 수 있다.

---

12) 이혁섭, "군사력과 국가안보" 육군사관학교(편) 「국가안보론」,(서울 ; 박영사,2001), p.4.

국가이익의 개념은 16세기 근대국가가 등장함에 따라 국민의 일반의사 등과 더불어 국가 정치행동의 기반으로 인식되어 왔다.

현대적 개념온 미국의 국제정치학지 한스 모겐소가 국제정치를 권력정치(power politics)라고 보는 현실주의적 관점에서 외교정책의 기준 및 분석의 도구로서의 국가이익 개념을 확립하였다.

모겐소에 의하면 국가이익은 첫째, 영토적·정치적·문화적 통일체로서의 국가생존의 유지라는 최소한의 요청과 둘째, 정치상황이나 문화적 전통에 의존하는 가변적 요소로 이루어지는 것인데, 그것을 추구하는 행위는 필요한 것이며 합리적이고 도덕적인 일이라고 하였다.

2.2 국가목표, 국가정책, 국가전략과의 관계

2.2.1 국가목표

국가목표(national objectives)는 국가이익을 보존하고 신장하기 위하여 국가가 달성하고자 하는 목표를 의미한다. 국가목표는 국가이익을 유지하기 위해 필요한 요건으로서 국가이익의 하위개념이며, 국가이익의 증진・보호・획득에 필요한 행위와 상황으로 정의될 수 있다. 국가이익이 추상적이고 불변적이라면, 국가목표는 보다 구체적이고 중・장기적으로 변할 수 있는 성격을 가진다.

국가목표가 사실상 국가이익 그 자체라는 견해도 있으나, 분명한 것은 국가목표는 국가이익보다 구체적이고 세부적이어야 한다는 점이다. 물론 국가목표도 국가의 체제가 변하지 않는 한 정권교체에 의해 큰 영향을 받는다고 보기 어렵다. 다만 국가목표의 설정과 상이한 목표들 간의 우선순위 결정은 시대적 상황과 정권의 성격에 따라 영향을 받을 수 있다.[13)]

국가이익은 목적적 속성을 가지므로 이를 달성하기 위한 수단이 필요하게 된다. 이 수단을 정책이라는 개념으로 표현하는데 국가이익과 정책을 연결시켜주는 개념이 국가목표이다.

우리나라의 국가목표는 정부가 바뀔 때마다 변해왔다. 최초 박정희 대통

---

13) 백종천(편), 「한국의 국가전략」(세종연구소,2004),p.122.

령이 1973년 제정하였던 국가목표는 2002년까지 별 수정 없이 사용되어 왔다. 당시 제정한 국가목표는 다음과 같다. ① 자유민주주의의 이념 하에 국가를 보위하고 조국을 평화적으로 통일하여 영구적 독립을 보존한다 ② 국민의 자유와 권리를 보장하고 국민생활의 균등한 향상을 기하여 복지사회를 실현한다 ③ 국제적 지위를 향상시켜 국위를 선양하고 항구적 세계평화에 이바지한다.

노무현 정부 출범 후 국가목표체계를 국가이익과 국가안보목표를 구분하여 설정하였다. 국가안보목표는 국가안보를 달성하기 위해 당면한 안보환경과 가용한 국력에 대한 평가를 기반으로 반드시 실행해야 할 목표를 말한다. 이명박 정부 출범 후 발행된「2008년 국방백서」에는 국가이익이 생략되고 국가안보목표만이 제시되어 있으며, 국가안보목표는 ① 한반도의 안정과 평화유지 ② 국민안전보장 및 국가번영 기반구축 ③ 국제적 역량 및 위상제고 이다.

2.2.2 국가정책

국가정책이란 국가목표 달성을 위한 국가의 행동원칙 및 개별적인 행동방침을 포함하는 총체적인 국가의 방책을 의미한다.

국가는 국가이익을 달성하기 위해 국력을 집중하며, 이러한 국가의 노력을 집중하기위해 국가목표를 설정한다. 즉 국가목표는 국가이익의 핵심을 제시한 것이며, 이는 국가정책을 통해 구현된다.[14)]

정책의 정의는 수많은 학자들이 달리 표현으로 주장하고 있으나 통상 "정책이란 바람직한 사회 상태를 이룩하려는 정책목표와 이를 달성하기 위하여 필요한 정책수단에 대하여 권위 있는 정부기관이 공식적으로 결정한 기본방침"이라고 할 수 있다.[15)]

이러한 정책개념에는 문제의 해결이라는 정책목표, 정부기관이라는 정책결정 주체, 집행기구, 집행요원, 자금, 공권력이라는 정책수단, 그리고 정책대상 등이 주요한 구성요인으로 존재한다. 이러한 정책은 정부기관의 공식

14) 김희상, 「21세기의 국가안보 환경과 국가안보」 (서울; 도서출판 전광,2003), p.22.
15) 정정길, 「정책결정론」(서울: 대영출판사, 1988). pp. 63-66.

적 의사결정으로서 국가문제를 해결하고자 하는 성격을 갖는다.

2.2.3 국가전략

국가전략(national strategy)은 국가목표의 달성을 위하여 국가의 모든 저력을 종합적으로 발전시키고 그것들을 효과적으로 운용하기 위한 방책이다. 국가정책을 어떻게 효과적으로 실천해야 하는가에 대한 집행개념으로서 정책보다는 하위수준이며, 이미 설정된 국가목표와 이를 실현하기 위한 구체적인 정책 및 수단을 연결하는 국가 활동의 추진계획이다.

국가전략은 국가의 전체 활동영역과 관련되어 있고 국가목표의 설정에서부터 정책수단의 집행에 이르기 까지 전 과정을 포함하는 포괄적 개념이다. 이러한 차원에서 국가전략은 종합성, 다차원성 및 역사적 특수성이라는 특성을 갖는다고 볼 수 있다.

전략의 체계는 대전략, 국가전략, 세부전략 등으로 구분된다. 대전략은 대개 20년 내지 50년 앞을 내다보는 장기 전략으로서 "국력의 모든 요소를 동원, 조직화, 조정, 통제, 사용함으로써 국가의 목표를 달성하는 방법에 관한 기술"로 정의된다. 대전략은 일명 국가수준의 전략이라는 의미에서 국가전략이라고 한다.[16] 국가전략은 정치, 경제, 안보 등 분야별 전략들을 포괄하고 유기적으로 통합하는 종합전략이다. 국가전략이 일관되고 효과적으로 수립·집행되기 위해서 중요한 것은 전략이 갖는 논리성과 설득력이다. 국가전략의 내용과 추진방법은 정권에 따라 크게 다를 수 있다. 국가전략은 국가목표를 달성하기 위한 지도자의 비전과 의지에 따라 달라질 수 있는 선택의 문제이기 때문이다.

국가목표를 달성하기 위한 국가전략을 수립하는 데 있어서 정세판단과 국력평가라는 두 가지 요소가 고려되어야 한다. 국가전략 수립은 국가가 대내외적으로 직면해 있거나 앞으로 직면하게 될 환경에 대한 면밀한 분석과 판단에 바탕을 두어야 한다. 국력은 국가목표의 설정과 국가전략수립의 기준이 된다. 국가는 자국의 국력에 상응하는 국가목표를 추구해야 하며 그 목표를 달성하기 위해 국력을 효율적으로 사용할 수 있는 국가전략을 수립해야 한다.

16) 백종천(편)(2004),pp.84-85.

2.3 국가이익의 분류

2.3.1 개요

포괄적이고 추상적인 개념인 국가이익에 대한 이해를 높이기 위한 방법으로서 국가이익은 이익을 상정할 수 있는 주요 분야별로 설명되어 왔다. 예를 들면 국가의 생존, 정치적 독립, 경제적 번영, 안정적 국제질서는 모든 국가들에게 보편적으로 적용되는 국가이익의 분야라고 볼 수 있다. 국가이익은 경제적 측면, 정치·군사적 측면 그리고 외교적 측면 등 한 국가가 고려할 수 있는 이익을 망라한다.

미 백악관이 1997년 발표한 국가안보전략목표도 구체성을 띠기보다는 미국의 보편적인 국가이익을 명시하고 있다. 국가는 국가이익의 각 분야별로 이익을 실현하기 위해 구체적이고 행동 지향적인 국가목표들을 선택·추진하게 된다.

국가이익의 분류와 관련하여 보다 중요한 부분을 차지하는 문제는 국가이익을 중요도에 따라 개념화하고 우선순위별로 분류하는 것이다.

2.3.2. 네털라인의 분류

국가이익 분류의 초기 연구로서 네털라인(Donald Nuechterlein)은 국가이익을 중요도에 따라 존망의 이익(survival interests), 결정적 이익(vital interests), 중요한 이익(major interests) 그리고 지엽적 이익(peripheral interests)의 네 가지로 분류하였다.17)

존망의 이익이 위협받는 상황은 적대국의 공격으로 인해 국가의 존립 자체가 위태롭게 되는 상황을 예로 들 수 있으며, 이러한 경우 극단적으로는 핵무기의 사용도 불사하게 된다.

결정적 이익이 위협받는 상황은 보다 덜 위급한 적의 공격이지만 국가가 큰 어려움에 처하는 상황을 예로 들 수 있으며, 이럴 경우 상대방의 공격을 격퇴하거나 억제하기 위해 재래식 군사력을 포함한 강력한 대응 방안을 강구하게 된다.

---

17) 구영록, 「한국의 국가이익」(서울; 범문사,1995),pp31-32.

존망의 이익과 결정적 이익을 구분하는 기준은 위협의 돌발성과 확실성이다. 즉 결정적 이익이 위협받는 상황은 존망의 이익이 위협받는 상황에 비해 확실성이 떨어지고 시간적 여유가 있는 경우이다.

중요한 이익은 국제환경에 따라 영향을 받는 정치, 경제, 이념적 사안들로서 대부분 외교 협상을 통해 해결 가능한 문제들이며, 지엽적 이익은 가장 중요도가 낮은 분야로서 외국에 거주하는 국민이나 기업에 영향이 미칠 수 있는 사안 등이다.

2.3.3 미 행정부의 분류

미 행정부는 군사력의 사용을 고려할 수 있는 국가이익을 결정적 이익(vital interests), 중요한 이익(important interests) 그리고 인도적 이익(humanitarian interests)으로 구분한다.

결정적 이익은 미국의 영토, 국민, 경제, 우방국 등 즉 국가체제로서 미국의 존망이 걸린 사안이며, 미국은 결정적 이익을 보호하기 위해 단호한 군사력의 사용을 포함하여 모든 수단을 강구한다.

중요한 이익은 국가의 생존을 위협하지는 않지만 국민의 생활과 세계질서에 중요한 영향을 미치는 문제이며, 외교나 협상 등 다른 대안들이 실패할 경우 제한된 범위 내에서 군사력을 사용한다.

인도적 이익의 경우에는 군의 무력수단보다 재난지역 난민구호나 피난민 보호 등 군이 보유하고 있는 기타 능력을 활용한다는 차원에서 군사력의 사용을 고려한다.

2.3.4 국내학계의 분류

국내학계는 국가이익을 중요도에 따라 존망의 이익, 핵심적 이익, 중요한 이익, 지엽적 이익으로 분류하였다.

첫째, 존망의 이익(survival interests)이 걸려 있는 사안은 국가 존립을 직접적으로 위협하는 상황이기 때문에 국가의 총력적 군사력이 사용되며 협상과 타협의 여지가 거의 없을 경우이다.

둘째, 핵심적 이익(vital interests)을 갖는 사안은 국가안보에 치명적인 손실을 가져올 수 있는 상황이며, 이때는 신속한 군사행동을 포함한 강력한 대응책이 필요하지만 전쟁보다는 다른 방법에 의한 해결책이 모색된다.

셋째, 중요한 이익(major interests)이 걸려 있는 사안의 경우에는 예방책을 마련하지 않으면 심각한 손해가 예상되는 경우이다.

넷째, 지엽적 이익(peripheral interests)으로 분류되는 상황은 시간적으로 급박하지 않을 뿐 아니라 손해의 규모도 상대적으로 적은 사안들이 포함된다.[18]

제 3 절 국가안보의 개념

3.1 Security의 어원

안보라는 뜻을 가진 Security의 어원은 라틴어 Securitas (Free from the care)로부터 유래되었으며, 근심과 걱정으로부터의 자유를 의미하는 것이다.[19] 제1차 세계대전 이후 국제연맹규약 성안 시 Security라는 용어가 처음 사용되었고, 이 용어를 일본인들이 안전보장이라고 번역을 하고부터 고정된 의미로 계속 사용되고 있다.

National security의 의미는 2가지로서 하나는 국가를 안전하게 보장한다는 의미이고, 또 하나는 국가가 안전을 보장하는 업무를 담당한다는 의미를 갖는다.

유사한 뜻으로 사용하는 Safety와의 차이를 보면, 먼저 Security는 적국이나 폭력집단 등 사회적 행위주체(인간 또는 인간집단)와 그들의 의도적 행위가 위험의 원천인 경우, 이 같은 위험이 정치적·사회적·심리적 문제로 제기되는 위협인 Threat 와 함께 사용한다.

Safety는 고의적이지 않는 위험, 예를 들어 과실로 일어난 사고와 자연재해 등의 위험에 관해 사용되며, 기술적·공학적 문제로 제기되는 위험인 Danger와 같이 사용한다.

---

18) 구영록, 「한국의 국가이익」(서울; 범문사,1995),pp31-32. 백종천(편),(2004).pp.123-125.
19) 김희상(2003),p17.

3.2 국가안보의 정의

국가안보(National security)란 국가안전보장의 준말로 걱정, 근심, 불안이 없는 국가 상태라는 의미를 갖는다. 국가안보라는 용어가 국제정치에 사용된 경위는 제1차 세계대전 직후 독일의 보복을 두려워한 프랑스가 자국을 비롯한 유럽의 평화를 지키기 위하여 유럽의 모든 국가를 대외적 위협으로부터 어떠한 방법으로 지킬 것인가 하는 위기의식으로부터 발단이 되었다.[20]

국가안보의 정의는 학자들마다 다소 차이가 있으나 우리나라 국방대학교에서는 "국가안보란 군사·비 군사에 걸친 국내외로부터 기인하는 각종 각양의 위협으로부터 국가목표를 달성하는데 있어서 추구하는 제 가치를 보전・향상시키기 위해서 정치·외교·사회·문화·경제·군사·과학기술에 있어서의 제 정책체계를 종합적으로 운용함으로써 기존의 위협을 효과적으로 배제하고, 또한 일어날 수 있는 위협의 발생을 미연에 방지하며 나아가 발생한 불의의 사태에 적절히 대비하는 것"이라고 정의한다.[21]

아놀드 월퍼스(Amold Wolfers)는 국가안보를 "객관적 의미로 안보란 획득한 가치들에 대한 위협이 없는 것을 의미하며, 주관적으로는 이러한 가치들에 대한 우려가 없는 것을 의미 한다"라고 정의하였다.

「일본 방위연구소」에서는 "안전보장이란 외부로부터의 군사·비 군사에 걸친 위협이나 침략에 대하여 이를 저지 또는 배제함으로써 국가의 평화와 독립을 지키고 국가의 안전을 보전하는 것을 말하며, 국방이나 방위의 개념보다는 광범위한 군사 및 비 군사에 걸친다"라고 하며 외부로부터 국가의 모든 분야에 대한 위협을 배제한다는 광의의 개념을 가진 용어로 정의하고 있다.[22]

그러나 간결하면서도 통상적으로 사용되는 정의는 "자국의 핵심적 국가이익을 국내외 위협으로 부터 보호 또는 증진하는 것"이라고 할 수 있다. 여기서의 보호는 소극적 의미에 한정되는 것이 아니라 국가이익을

20) 김희상(2003), p.18.
21) 국방대학교,「안보관계용어집」(서울; 국방대학교,1991),p.50.
22) 김희상(2003), p.20.

신장시키는 것과도 관련이 있다.

전통적인 안보의 개념은 구체적으로 국방이라는 말로 이해되고 있는 바와 같이 국민의 생명이나 재산 또는 국토의 안전을 외부의 침략으로부터 수호하는 것을 목표로 하였으며 국가의 존망 문제로 취급되어 왔다. 즉 안전보장은 적의 침략을 미연에 방지하거나 이미 발생된 침략을 격퇴하는 것이었다.

이러한 안보개념은 주로 군사전략가를 중심으로 정의된 안보개념이다. 이 개념은 국가안보에 대한 위협의 근원을 외부 또는 타 국가로부터 오는 위협만을 지나치게 단순화함으로서 안보위협에 군사적 대응전략만을 유일하게 생각하기 쉽다. 그럼에도 불구하고 전통적 안보개념은 국가안보의 핵심부분이 될 수밖에 없다.

냉전 종식 후 전통적인 전면적인 군사적 위협이 감소되었으나, 국제관계가 복잡하고 위협요인이 다양해짐에 따라 경제, 재해, 환경 등 비군사 분야에까지 확대되고 있다. 특히 9·11 테러사태이후 테러는 중요한 국가안보 위협요소가 되었다.

오늘날 안보의 개념은 과거의 단순한 군사적 위협에 대비한 안보로부터 다양하고 복잡한 위협에 대비하는 개념으로 바뀌어 가고 있다. 또한 교통·통신·정보기술의 발달로 안보위협은 국가 간의 위협에 머물지 않고 세계화의 추세에 따라 국경을 초월하는 '초국가적 위협'이라는 형태로 나타나고 있다.

이와 같이 안보개념은 국제적 상황과 시대의 상황에 따라 계속 변화되어 왔고, 나라마다 처한 안보상황의 차이로 그 개념도 달리 표현되고 있다.

3.3 안보에 대한 국제정치적 시각

3.3.1 현실주의와 자유주의

국제정치학자들의 안보에 대한 견해는 통상 현실주의와 자유주의로 대별된다. 자유주의와 현실주의의 양분법은 영국의 카(Edward H.carr)

의 저서「위기의 20년, 1919-1939」으로 부터 출발된다.

현실주의자들은 이 세계는 불합리·불완전하다고 전제하며 서로 상반되는 이해와 갈등으로 자유주의(이상주의)자들이 말하는 도덕원치은 완전히 실현될 수 없다고 본다.

이들은 성악설에 기반을 두고, 인간의 본성을 투기, 질투, 증오, 권력욕과 지배욕으로 가득 찬 것으로 보았다. 따라서 이들은 인간의 본성을 바탕으로 인간 사회는 만인의 만인에 대한 투쟁, 무질서와 혼돈의 상태 속에서 개인의 안전과 행복, 그리고 평화와 질서를 유지하기 위해 절대적 권력의 필요성을 정당화하고 있다.

현실주의 국제정치이론의 핵심은 무정부 상태, 안보위협, 자력구제, 권력정치의 개념들로 요약될 수 있다. 무정부 상태 하에서 국가들은 항상 국가생존의 위협에 노출되어 있으며. 이러한 상황에서 살아남기 위하여 개별 국가들은 자신을 지킬 수 있는 힘을 가져야 한다는 원리이다. 현실주의 이론에서 국제정치의 지배적인 속성은 "권력으로 정의된 국가이익"을 추구하는 권력정치(power politics)인 것이다.

이들은 국제정치에 있어서 국가의 힘과 국가이익을 강조하고 현상유지 및 역사적 교훈을 인정하면서 국제 평화에 대해 비판적이다. 또한 절대의 선보다도, 보다 적은 악의 실현을 목표로 하며 추상적인 원리보다 역사의 선례 위에서 접근방법을 시도하였다. 2차 세계대전 이후 한스 모겐소, 존 허츠, 핸리 키신저 등이 현실정치의 개념을 미국의 외교정책에 반영하였다. 현실주의자들은 현상유지, 제국주의, 세력균형 등의 정책을 제시하고 외교적 기술의 중요성을 강조한다.

반면 자유주의는 인간은 착하고 선한 존재라는 성선설에 기반을 두고, 자연 상태는 조화롭고 평화로운 상태라는 관점으로 이성의 발로에 의해 타국과의 협력과 조화가 가능하다고 인식하며, 국제협약과 국제기구 등을 통해 안전을 유지하는 것이 가능하다고 주장하였다.

자유주의 이론가들이 말하는 평화는 단순히 전쟁이 없는 상태를 뜻하는 소극적 평화가 아니라, 서로 협력하여 공통의 이익과 개별적 이익을 동시에 달성하는 적극적 평화를 의미한다. 따라서 자유주의는 국제적 평화와 협력을 달성하기 위해서는 무엇을 어떻게 해야 하는지를 설명하는 이론이라고 볼 수 있다.

자유주의 국제정치이론은 무정부상태에 대한 상이한 이해를 통하여 현실주의 이론가들이 강조하는 무정부적 국제구조의 영향력을 평가절하하고, 국가·사회관계의 중요성을 부각시킴으로써 국가들의 행동이 사회적으로 배태되어있음을 강조하며, 국가목표의 다양성을 지적함으로써 이를 달성하기위한 국제협력의 필요성을 강조한다. 자유주의 이론가들은 현실주의의 구조결정론에 대한 강한 거부의식을 갖고 국제평화 및 협력에 대한 기대를 공통적으로 소유하고 있다.

자유주의의 일반적인 가정은 현실주의에 대한 비판으로부터 출발한다. 그 중 몇 가지를 살펴보면, 첫째, 국가가 더 이상 국제체제에서 가장 중요한 행위자가 아니라는 것이다. 즉, 국가만이 행위자가 아니라 다양한 행위자들을 상정하고 있다. 둘째, 현실주의의 가정인 “국가는 통합된 합리적 행위자”라는 것을 비판한다. 셋째, 비국가적 행위자의·인정과 국가의 통합성의 부인은 국가의 합리성을 자연스럽게 부인하기에 이른다.

전통적으로 자유주의 국제이론은 국제협력과 평화라는 난제에 대해 공화주의적 자유주의, 상업적 자유주의, 규제적 자유주의라는 세 가지 처방을 제시하였다. 상이한 세 처방은 서로 보완적인 관계에 있다. 즉, 자유무역, 민주화, 국제규범 및 기구 등은 국제협력과 평화의 증진에 함께 기여하고 있다.

대표적인 학자는 E.H Carr이며 ‘인간의 이성과 합의’로 국가 간의 관계를 제한하고 통제할 수 있다는 입장을 견지하였다.

국제정치이론에서 현실주의와 자유주의를 구분하는 기준은 무정부 상태에서의 국제적 협력과 평화의 가능성에 대한 판단이라고 할 수 있다. 이 두 가지 이론은 극단적인 대조를 이루고 있으나 실제로는 현실주의의 시각이 국가정책의 대부분을 지배하고 있는 실정이다. 자유주의는 유엔을 이끌고 있는 세계주의자들에 의해 주도되고 있으나 국가정책결정에서의 영향력은 미미한 수준이다.

이들의 안보논리를 평가해 보면 현실주의의 약점은 세계적인 군비경쟁 유발, 자유주의의 약점은 비현실적 이상주의로 귀결된다. 강대국들은 약소국과 동등한 자격으로 세계정부에 참여하는 것이 바람직하지 않다고 보고 있으며 이들의 입장에서는 자유주의를 수용할 이유가 없는 것이다. 즉 현실주의는 강대국에 유리한 세계질서를 보장하는 이론인 것이다.

3.3.2 신현실주의

1970년대에 등장한 신현실주의는 수정된 현실주의, 구조적 현실주의 등으로 표현되며 현실주의 연구에 대한 새로운 방법론이라고 할 수 있다.

신현실주의는 전통적 현실주의 이론과 기본적인 전제를 달리하지는 않는다. 즉 국가들이 행동하는 기본적인 상황을 무정부상태라고 보고, 국가들의 최고목표를 국가생존이라고 보며, 국가들은 이 목표를 자구적 행동에 의해 보장받을 수밖에 없다고 전제한다. 또한 국가의 최대·최고의 이익은 국가생존이며 국가들은 이러한 목표를 위해 노력한다고 전제한다.[23]

케네쓰 월츠(Kenneth Waltz)에 의해 대표되는 신현실주의는 현실주의 국제정치관의 국가 중심성, 국가이익, 권력추구, 합리적 단일체로서의 국가 등과 같은 국제관계 행위자로서의 기본적인 전제에 동의하면서도 인간 본성이나 국가의 속성에 대해서는 국제체계 수준의 국제관계이론이 마련되어야 한다고 주장하였다.

그는 전쟁의 원인을 국가들의 행위 속에서 찾으려 하지 않고, 국제체제의 구조 속에서 규명하려고 하였으며, 또한 국력 그 자체를 목적으로 여기지 않고 단지 수단으로 간주하며, 국력이 너무 강하거나 약한 경우에는 국가의 위험부담이 높아지기 때문에 적당한 수준의 국력을 유지하는 것이 바람직하다고 하였다.

신현실주의는 전통적 현실주의에서 주장하는 국가이익과 힘의 개념에 구조주의가 표방하는 시스템적 구조를 합해 놓은 형태이다.

월츠는 국가의 관심은 힘이 아니라 안전보장임을 주장한다. 신현실주

---

23) 이춘근, "신현실주의 이론과 외교정책" ,김달중(편), 「외교정책의 이론과 이해」 (서울: 도서출판 오름, 1999),pp.318-319.

의는 국제정치에 있어 무정부적 질서와 힘의 균형을 주장하고, 신현실주의에서 자연의 국가는 전쟁의 국가라 규정한다. 월츠는 “모든 국가들은 자국의 존속을 추구하며, 최대한으로 세계의 지배를 목표로 한다”고 가정하고 있다.

이러한 목표를 달성하기 위해 국가들은 내적인 노력(경제력 향상, 군사력 증강, 현명한 전략의 개발)을 한다. 국가들은 외적노력으로 자신의 동맹을 강화하고 타국의 동맹을 약화시키기 위해 노력한다. 또한 국가간의 협력은 달성하기 어려우며, 국가들이 가장 유념해야할 문제는 국가안보이며, 다른 나라의 의도보다 다른 나라의 능력이 중요하다고 본다.[24]

현실주의와 신현실주의의 차이는 다음과 같이 요약될 수 있다.

현실주의는 국가이익과 정치권력을 중시하고, 국제정치의 주체를 단일행위자로서의 주권국가로 보았으며, 국제체제의 영향력을 인정하지 않는다. 또한 국가 간 갈등원인은 인간의 권력확대의 본성이며, 국가의 목적은 “권력으로 정의된 국가이익”이라고 하였다.

신현실주의는 국제정치의 주체를 주권국가 이외의 다른 행위자를 설정하고 국제체제의 영향력을 인정하고 있다. 또한 국가 간의 갈등원인을 무정부적인 국제체계로 보고, 국가의 목적을‘안보로 정의된 이해관계’라고 한다.

24) 이춘근1999),pp.330-331.

제 2 장 전쟁과 군사력

제 1 절 전쟁

1.1 전쟁의 정의

전쟁이란 "군사력에 의한 국가 상호간 또는 국가와 교전단체간의 투쟁행위"를 말하며, 실질적인 의미로는 정치집단, 특히 주권국가 사이에서 군사력 행사를 중심으로 오랜 시간에 걸쳐 벌어지는 대규모의 전면적 투쟁 상태라고 할 수 있다.

프로이센의 전략가 K. 클라우제비츠가 "전쟁은 다른 수단에 의해서 수행되는 정치(정책)의 연장에 불과하다"라고 규정하였듯이 전쟁은 고도의 정치적 현상이며, 전쟁과 다른 투쟁형태인 외교 및 경제적 압력, 간섭, 무력에 의한 위협, 소규모 무력행사 등과의 차이는 전쟁이 보다 전면적이고 포괄적인 투쟁관계라는 점에서 구별된다.

종래에는 무력행사를 수반하는 국가 간의 투쟁을 전쟁으로 보는 견해가 일반화되어 있었다. 그러나 오늘날의 전쟁은 비단 국가 간에만 행해지는 것이 아니며, 집단안전보장체제에 의한 국가집단 간에도 일어날 수 있고, 또한 내란에 있어서도 내란을 일으킨 정치단체가 정당한 교전단체로 인정되면 국제법상으로 정식적인 전쟁의 주체가 될 수 있다는 것이 정설이다.

전쟁의 수단에 있어서도 종래에는 무력의 행사가 전쟁의 필수요건으로 되어 있었으나, 오늘날에는 국제법상으로 한 국가의 명시나 묵시에 의한 전쟁개시의 의사표시가 있을 경우에는 현실적으로 무력행동의 유무에 관계없이 전쟁상태로 간주되고 있다. 제2차 세계대전시 연합국에 가담하여 독일·이탈리아·일본에 대해서 정식으로 선전포고를 한 국가가 교전상대의 어떤 국가에 대해서는 직접적인 무력행사를 전혀 하지도 않았던 실례도 있다.

한편 전쟁을 형식적·법적인 의미로 정의하면 당사국들에 의한 전쟁개시의 의사표시로부터 합의 또는 일방적 승리로 전쟁 종결까지 계속되는 특수한 국제법적 상태라고 할 수 있다.

1.2 전쟁의 본질

고대 중국의 춘추시대 병법가인 손자(孫子)는 "兵者 國之大事 死生之地 存亡之道 不可 不察也"라고 하였다. 즉 "전쟁은 국가의 대사이며 이는 국민의 생사와 국가의 존망이 걸린 것이니 깊이 살피지 않을 수 없다"는 뜻이다. [25]

클라우제비츠는 그의 저서「전쟁론」에서 전쟁의 본질적 요소를 결투에서 찾고 있다. 그는 "전쟁이란 적을 굴복시켜 자기의 의지를 강요하기위해 사용되는 일종의 폭력행위"라고 정의 하였다. 폭력은 물리적인 힘을 의미하며, 이 물리적인 힘은 적으로 하여금 나의 의지에 복종토록 하는 수단이라는 것이다.[26] 또한 그는 정치와 전쟁의 관계를 "전쟁은 중요한 목적을 달성하기 위한 수단이며 다른 방법에 의한 정치의 연속"이라고 하였다.

미국 스텐포드 대학의 와써스 트롬 교수는 전쟁의 본질을

① 전쟁은 개인이나 소규모 집단 간에 발생하는 것이 아니라 국가 간 또는 민족 간에 발생하는 것을 의미한다.

② 전쟁은 정당한 권리를 주장하는 다양한 형태의 무력사용과 관계된다.

---

25) 노병천,「손자병법」(서울: 양서각, 2005), p.25.

26) 조승옥 외,「군대윤리」(서울: 봉명, 2002),pp.36-37.

③ "전쟁은 제한되고 명백히 정의 가능한 외교정책의 한 수단이거나 불확실하고 정의할 수 없으며 무제한적인 양국 간의 투쟁이다"라고 하였다.[27)]

영국의 군사학자인 존 키건은 그의 저서「세계전쟁사」에서 "전쟁은 국가나 외교 그리고 전략이 생기기 수천 년 전부터 존재하였고 인간의 심성의 가장 비밀스러운 자리에서 비롯된다. 그곳은 자아가 이성적인 목적의식을 잊어버리고, 자존심이 모든 것을 지배하며 감정이 우선하고, 본능이 절대자 노릇을 하는 자리이다" [28)]라고 설파하였다.

전쟁의 본질은 결국 국가 간에 행사되는 폭력이기 때문에 승자와 패자 공히 극심한 인적·물적 손실을 감내할 수밖에 없으며, 최악의 경우 국가자체가 소멸되기도 한다. 특히 현대전은 무기의 파괴력이 엄청나게 증가되고 정밀타격수단이 고도로 발달한 까닭에 전쟁 발발 시 예상되는 피해의 규모는 과거와 비교가 되지 않을 정도로 가공스러운 것이다.

18세기 계몽주의적인 전쟁관은 전쟁의 원인을 절대왕정의 전제성이라고 보고 있다. 즉 군주는 전쟁을 원하고 국민은 평화를 원한다는 것이다. 군주는 비록 전쟁에서 패하여도 잃는 것이 별로 없는 반면 전쟁으로 야기되는 재앙적인 폐해와 손실은 국민들이 짊어져야 하기 때문이다.

칸트(Immanuel Kant, 1724-1804)는 "공화정이 아닌 전제군주 체제하에서는 전쟁을 개시하는 것은 거리낌 없는 일상사이며, 군주는 일종의 야유회처럼 사소한 이유에서 전쟁을 결정하고 이 전쟁을 정당화하는 문제는 늘 대기 중인 외교단에게 떠넘긴다"라고 하였다.

요끄르는 전쟁을 "무기로 수행되는 지배자들 간의 투쟁"으로 정의하고 전쟁의 재앙적 폐해와 원인은 군주의 허영 때문이라고 하며, 정의(正義)의 전쟁개념을 도입하였다. 정의의 전쟁은 정의롭고 공공복리를 위해 불가피하며 동시에 실보다 득이 더 많다고 확신하는 경우에만 한정적으로 허용된다. 전쟁은 국민을 극단적인 긴급 상황으로부터 구제하기 위해서만 수행되어야 하며 이러한 경우의 전쟁은 정당방위 또는 긴급피난에 해당된다. 따라서 방어전쟁만이 정의의 전쟁이고 침략전쟁은 부정한 전쟁이라는 것이다.

---

27) 조승옥 외(2002),p.41.
28) 존 키건 (유병진 옮김),「세계전쟁사」(서울; 까치,1996), p.17.

정전론(正戰論)은 20세기에 이르러 2차 세계대전 종결과 더불어 침략전쟁을 불법화한 '평화에 대한 범죄'라는 국제법규와 함께 합법, 불법전쟁의 형태로 법제화된다. 오늘날 국제범적으로는 방어전쟁만이 합법이고 침략전쟁과 분쟁해결을 위한 무력사용은 불법이다.[29]

헤겔(Georg Hegel, 1770-1831)은 전쟁을 '절대악'으로 보아서는 아니 되고 전쟁은 우연히 발생하는 것처럼 보이지만 실은 우연적이고 허사로운 개인적 생명과 재산이 우연히 전쟁에 직면하는 것 자체가 필연이라는 것이다. 헤겔의 논리는 시민사회의 인간들이란 평화롭게 놓아두면 국가를 잊고 사생활과 '속물적 성향 속'에 탐닉하기 때문에 국가는 종종 전쟁을 일으켜 이들을 혼내야 한다는 것이다. 또한 "전쟁은 항구평화나 영구평화로 인해 제(諸)민족이 빠져들듯이 항구적 평온으로 인해 바다가 빠져드는 나태로부터 바람의 움직임이 바다를 지켜주는 것과 같이 전쟁이 유한한 규정성들의 경직화를 깔아뭉개며 제민족의 인륜적 건강을 지켜준다는 보다 높은 의의를 지닌다"라고 하였다.

헤겔은 민족들은 전쟁을 통해 강화될 뿐만 아니라 대내적으로 불화상태에 있는 민족들은 "대외전쟁을 통하여 국내의 안정을 얻는다"라고 하며 전쟁의 정당성을 주장하였다.

헤겔의 전쟁철학은 나치 이념가들에 의해 추종되었고, 2차 대전종료 후 나치 전범자 처벌을 위한 뉴넨베르크 법정에서 전범들과 함께 심판받게 된다.[30]

1.3 전쟁의 유형

전쟁의 유형은 여러 가지 기준에 의해 분류되고 있으며, 이러한 분류기준은 전쟁의 목표, 시간, 공간, 규모, 전쟁수단, 전쟁의 강도 등을 망라하며 통상적으로는 다음과 같이 분류하고 있다.[31]

29) 황태연, "칸트의 계몽기획과 정치사상", 「사상」 1999 여름호, pp.205-210.
30) 황태연, "헤겔의 국가론과 정치철학" 「사상」 2000년 가을호(통권 제46호), pp.193-240.
31) 윤형호, 「전쟁론」(서울; 도서출판 한원, 1994), p.103.

1.3.1 국제법상의 분류: 합법적 전쟁, 위법적 전쟁

앞에서 언급한 바와 같이 정당한 사유 없이 외국에 대하여 무력공격을 하는 것을 위법적인 전쟁이라고 하며, 일반적으로 이러한 전쟁을 침략전쟁이라고도 한다. 이에 반해서 불법적인 공격을 받은 국가가 자위(自衛)를 위해서 수행하는 전쟁은 합법적 전쟁이며, 국제법상 이와 같은 전쟁을 자위전쟁이라고 한다.

1.3.2 공간에 의한 분류: 전면전, 국지전

전면전(General War)은 교전국가의 총자원이 동원되고, 주요 교전국이 국가적 존망위기에 놓이는 주요세력간의 무력분쟁으로서 전쟁목적, 지역, 참가국가, 전쟁수단이 무제한적인 대규모 전쟁을 말한다. 이는 정치, 군사, 경제 및 심리적 등 국가의 총체적인 힘을 기울여 수행하는 전쟁인 총력전(Total War)과 유사한 개념이다.

국지전(local war)은 한정된 지역 내에서 이루어지는 전쟁이다. 그러나 관점에 따라 개념이 달라진다. 6·25전쟁·베트남전쟁·중동전 등은 세계적인 관점에서는 국지전으로 분류할 수 있으나 해당 국가의 입장에서 보면 전면전인 것이다.

1.3.3 시간에 의한 분류: 장기전, 단기전, 우발전

장기전과 단기전을 구분하는 명확한 기간의 기준은 없으나 통상적으로 국력이 완전 소모될 때 까지 오랜 시간에 걸쳐 진행되는 전쟁을 장기전이라고 하며 수일, 혹은 수주일 만에 종료되는 전쟁을 단기전이라고 한다. 우발전은 계획에 의한 전쟁이 아니라 남미의 축구전쟁[32] 과 같이 우연한 계기로 인해 발생하는 전쟁이며 주로 단기간에 종료된다.

---

32) 1969년 7월 축구경기가 계기가 되어 중앙아메리카의 엘살바도르와 온두라스 사이에 일어난 전쟁.

1.3.4 전쟁의 수단과 목적에 따른 분류

전쟁의 수단과 목적의 무제한 여부에 따라 전면전쟁, 절대전쟁, 제한전쟁으로 분류하며. 사용무기에 따라 핵전쟁(전면 핵전쟁 · 제한 핵전쟁) · 비핵전쟁 · 재래식전쟁으로 분류한다.

1.3.5 기타

그 밖에 정치적 목적과 이데올로기 관점에서 혁명전쟁, 독립전쟁, 해방전쟁, 인민전쟁, 제국주의전쟁, 종교전쟁 등으로 분류하며, 전쟁의 수단에 의해 전자전, 게릴라전, 화학전, 생물학전, 정보전 등으로 분류한다.

1.4 전쟁양상의 변천

1.4.1 고대의 전쟁

인류의 역사는 전쟁의 역사라는 말이 있듯이 인류가 집단생활을 시작한 후부터 생존을 지키기 위한 전쟁은 존재하였다.

국가가 형성되기 훨씬 전부터 전쟁이 존재하였으나 본격적인 전쟁은 국가가 형성되면서 시작되었다고 할 수 있으며, 이러한 전쟁은 비옥한 영토를 차지하고 물과 식량 등 삶에 필수적인 자원을 확보함으로써 자신들의 종족을 보존하기 위함이었다. 부족 간의 쟁탈전 형태를 벗어나 왕국으로 발전되면서 군대도 보다 조직화 되었고 전술도 발전되었다.

기원전 8세기경 고대 중국 주나라 후기에 춘추전국시대가 개막되면서부터 국가 간에 패권을 쟁탈하기위한 전쟁이 성행하였으며[33], 손자(孫子), 오자(吳子) 등 무수한 전략가와 병법가가 출현하였다. 그 후 한(漢), 수(隋), 당(唐)으로 이어지면서 분열과 통일이 반복되었고, 통일이 되고 난 다음 변방국에 대한 정복전쟁을 벌렸으며, 이러한 과정을 통해 각종 전술과 무기, 군사제도가 지속적으로 발전되었다.

서양에서는 고대 그리스의 도시국가로부터 전쟁에 대한 체계적인 발

33) 춘추전국시대는 BC.770-221. 춘추 5패(春秋 五覇): 제(齊), 진(晉), 초(楚), 오(吳), 월(越) 전국 7웅(戰國 七雄):, 진(秦), 초(楚), 연(燕) 제(齊), 조(趙),위(魏), 한(韓)

전이 이루어졌으며, 기원전 5세기경에 아테네와 페르샤 간에 발발한 페르샤전쟁은 서양전쟁사의 기원을 이루었고, 알렉산더의 페르샤 정복과 인도원정은 그리스 전쟁사의 절정을 이룬다.

그 다음에 등장한 로마는 카르타고와 지중해의 패권을 다툰 포에니 전쟁에서 승리를 쟁취한 후 유럽의 대부분을 점령한 대로마제국을 건설하였다. 로마제국 건설의 기반은 군율을 생명으로 하는 강력한 로마군단과 시민군 중심의 군사제도가 있었기 때문이다.

로마의 상비군은 4개 군단이고 1개 군단에 속하는 시민군의 수는 4,500명 정도로 정해져 있었다. 강력한 적과 싸움이 예상되는 해에는 군단의 병력을 5.000명으로 증강하였다.

고대전쟁의 특징을 한마디로 요약할 수는 없지만 화약이 등장하지 않았기 때문에 창, 칼, 활, 방패 등 인간의 근력을 이용하는 무기가 주종을 이루었으며 사용하는 무기에 따라 보병과 기병, 보병은 창병, 궁수, 투석병으로 구분되어졌다.

또한 말, 코끼리, 낙타 등 동물도 전쟁에 동원하였고 적의 공격하기 위한 공성장비와 방어하기 위한 성곽의 축성기술도 발달하였다.

알렉산더가 사용한 포위공격 장비로는 탑과 옥상, 쇠메와 투석기로 이루어졌으며 최초로 야전포대를 사용하였다.

고대전장을 지배하였던 기병은 기원전 10세기경에 등장하여 제1차 세계대전 이전까지 전쟁에서 많은 활약을 하였으며, 등자가 달린 안장을 사용한 3세기 이후에 그 위력이 크게 증대되었다.

전투방식으로는 B.C.700백년 경, 중무장한 장갑보병으로 구성된 밀집대형인 팔랑스(Phalanx)가 발전되었다. 당시 전투의 승패는 밀집대형의 지속성과 병력 수에 의해 결정되었고 대개 짧은 시간 내에 끝났다.

1.4.2 중세의 전쟁

로마제국의 쇠퇴와 게르만민족의 대이동 이후 수많은 전란을 겪으면서 유럽은 봉건사회로 진입하였다. 게르만 민족의 대이동으로부터 시작된 로마제국의 쇠망, 게르만 민족이 세운 국가들 간의 전쟁, 노르만족과 사라센제국의 침입, 십자군원정에 이르는 중세의 여러 전쟁은 그리스나 로마시대처럼 독창성에 빛나는 모습을 찾기 어려웠다.

봉건제사회가 되자 토지를 중심으로 하여 봉건영주와 기사가 지배집단이 되고, 농민은 무장 해제되어 농노가 되었다. 봉건영주 계층은 군주로부터 소 영주에 이르기까지 위계질서를 형성하였고 농노는 영주의 군사적 보호 하에 봉건적인 공납부역을 맡았다. 봉건권력의 기반은 영지이기 때문에 국왕과 영주는 영지를 확장하고 각종 수익원 획득을 위해 전쟁을 하였다.

주종관계를 정치의 기본조직으로 하는 봉건제도에 큰 변화를 가져온 것은 화폐교환경제의 발달 및 도시 시민계급의 경제력 증대와 이들 세력과 결합한 국왕 권력의 확대였다. 도시의 재정 지원은 국왕의 용병부대 대량사용을 가능하게 하였고, 그에 따라 전쟁은 약탈 위주의 소규모 전쟁에서 적의 격멸을 노리는 대규모 전쟁으로 변했다. 즉 왕권의 확대·강화를 목표로 한 전쟁이 된 것이다.

중세 서양에서 발생한 대표적인 전쟁은 11세기말부터 약 200년 간 지속된 십자군전쟁이다. 이 전쟁은 서유럽의 기독교국가가 예루살렘을 중심으로 한 이슬람국가에 대한 원정이었다. 8차에 걸쳐 치르진 원정은 수많은 에피소드와 역사적 사건을 남겼으나 별다른 성과가 없었고 결국 예루살렘은 이슬람국가의 지배하에 놓이게 되었다.

중세 전쟁의 특징은 기병이 전장을 지배하던 시기로서 모든 전투는 주로 중기병과 경기병의 싸움이었다. 중세 봉건영주와 기사들의 중요결함은 전승의 원칙을 추구하고 분석하는 연구심의 결여로 기동성의 중요성을 무시하고 부질없는 돌격만을 집착하여 무기와 갑옷의 중량만을 증가시켰을 뿐인 것이다.[34]

중세 동양에서는 13세기 경 몽골을 통일한 징기즈칸이 중국을 정복하고 그 여세를 몰아 중앙아시아, 페르샤, 볼가 강 유역 동유럽 일부까지 점령하여 역사상 가장 광대한 대제국을 건설하였다.

몽골 군대의 특징은 기동성을 중요시하여 가벼운 무기와 갑옷으로 경무

---

34) 비상기획위원회, 「세계동원의 역사」(비상기획위원회,2004), pp.76-78.

장하였으며, 10진법에 의한 군 편제와 기병을 위주로 한 기동성과 유인전술을 구사하여 갑옷의 무게를 이기지 못하는 유럽의 중기병을 격파시켰다.[35]

1.4.3 근세의 전쟁

유럽에서는 봉건제에 이어 절대왕제가 성립하였다. 몰락해가는 봉건적 특권귀족과, 발전해가고 있던 상업 자본가의 균형 속에서 국왕은 중앙집권적 관료제도와 상비군을 기반으로 하여 어느 계급에게도 제약을 받지 않는 절대 권력을 보유하게 되었다.

이 시기의 국가들은 신대륙의 발견과 식민지 확보를 위해 국력을 집중시켰으며, 콜럼버스의 아메리카대륙 발견이후 남북아메리카, 아프리카, 아시아에서의 식민지 획득과 경영 및 식민지무역에 대한 보호와 그 촉진에 힘썼다. 이로 인해 각국은 세계무역과 식민지 확보를 위한 전쟁을 계속하였고, 자국의 식민지무역을 보호하고 경쟁국의 무역활동을 봉쇄·제약하기 위해 재정 부담이 큰 해군을 창설하게 되었다.

유럽대륙에서의 전쟁은 근세초기 영국과 프랑스 간의 백년전쟁을 위시하여 근세중기의 30년전쟁, 오스트리아계승전쟁과 7년전쟁 등을 통하여 각국이 동맹관계 또는 적대관계를 맺고, 왕권의 권위와 영토 확대, 또는 이를 저지하기 위해 수행되었다. 근세에 이르러 화약과 화포의 발달에 이어 개인휴대가 가능한 소총이 개발되면서 전쟁수행에서의 일대 변혁을 가져왔다.

대포는 백년전쟁의 후반기부터 전쟁의 양상에 영향을 미치기 시작하였다. 그 무렵 대포는 쇠항아리 모양에서 원통형으로 개량되었고, 900kg 이상의 포탄을 발사하기에 충분할 만큼 강하고 크게 제작되었다. 백년전쟁 말기에는 대포의 부피와 무게를 줄여 운반을 용이하게 하였다.

근대국가로 발전함에 따라 봉건제의 징집제도는 점점 폐지되고 용병제도가 발전되었다. 용병은 소작지가 없는 차남이나 모험가, 도망친 농노 등으로 구성되었고 그들은 보수를 주는 사람에게 봉사하였다.

---

35) 정토웅,「전쟁사 101 장면」(서울: 가람기획,1997), pp.128-130.

용병군 중심의 군사체계는 군주의 특권과 수입으로는 감당할 수가 없었기 때문에 자금을 충당하기 위한 조세부과가 불가피하였으며, 로마법 이론에 근거하여 국왕은 국가위기를 맞이할 경우 방위에 필요한 조세를 부과하게 되었다.

1.4.4 프랑스혁명과 국민전쟁

프랑스혁명이후 혁명의 파급을 두려워하는 유럽 각국은 대불동맹을 결성하여 프랑스에 대항하였으며, 혁명의 물결을 타고 등장한 나폴레옹은 이에 대응하여 이탈리아, 오스트리아를 점령하여 프랑스의 세력을 확고히 하였다. 그 이후 나폴레옹은 이집트를 정복하면서 정치적인 실권을 장악하였으며, 스페인을 정복하면서 유럽에서의 지배권을 확보하였다. 그러나 계속된 전쟁과 러시아 원정의 실패로 나폴레옹은 결국 몰락의 길을 걷게 되었다.

프랑스혁명 이래의 전쟁은 국가적 통일과 국민적(민족적) 독립을 목표로 하는 새로운 국민전쟁이었다. 이념적으로 나폴레옹전쟁은 봉건적 전제에 시달리는 유럽제국에 혁명정신을 파급시키는 전쟁이었으며, 영국과 결탁한 대륙의 구체제 세력과 프랑스 주도하에 신체제를 요구하는 세력간에 발생한 국제적인 투쟁이기도 하였다.

그러나 국민을 하나로 결합시켰던 국민국가·국민전쟁의 이념과 목표는 여러 나라에서 국민국가가 실현되고, 자본가가 국가의 지배세력이 됨에 따라 소멸되었다. 그 대신 국가지배가 강화되었고, 해외시장 확대를 위한 식민지전쟁과 제국주의국가 간 식민지 쟁탈 전쟁이 격화하였다. 다른 한편에서는 이에 대응하여 국가권력 쟁탈을 목표로 하는 혁명과 내전, 민족독립을 위한 항쟁과 독립전쟁이 계속되었다.

프랑스혁명을 기점으로 하여 군대조직과 군사제도는 큰 변혁을 맞게 되었다. 당시까지 귀족중심으로 형성되었던 장교단은 일반 국민으로 대체되었고, 강제 모병제도인 징집령을 제정함으로서 용병대신 국민개병제도가 자리 잡았다. 또한 애국심에 의한 자원입대자가 증가함에 따라 많은 병력은 이들로 충원되기도 하였다. 혁명군대는 구시대의 전술을 과감

히 탈피하고 상황과 지형에 따라 산개대형을 취하는 새로운 전투방식을 쫓는 융통성을 보유하게 되었다.36)

미국은 1776년 독립 이래 자유와 평등이라는 이상주의에 입각한 국가를 건설하였으나, 1861년에 미국의 최대 시련인 남북전쟁이 발발하였다. 최초 전쟁에 대한 준비가 없었고, 군사력도 보잘 것 없던 남과 북은 전쟁을 치르면서 반복되는 시행착오를 통하여 전쟁에 대한 학습을 쌓아갔으나 전쟁 중 약 60만 명이 목숨을 잃었다. 남북전쟁의 주요 특징으로는 종래와 같은 공격대형에 집착하지 않고 방어 시 장애물과 참호 등을 이용하였으며, 철도를 전략적으로 이용한 것을 들 수 있다.

1.4.5 제1차 세계대전

제국주의 열강들에 의한 세계의 식민지 분할이 완료됨에 따라 직접적인 군사수단 이외에는 새로운 경제적 확대가 불가능해지자 식민지 재분할전쟁이 시작되었다. 제1차 세계대전은 이런 제국주의적 무력 팽창정책의 결과로 발생한 식민지 재분할과 세계지배를 둘러싼 전쟁이었다.

제1차 세계대전은 오스트리아의 황위계승자 F. 페르디난트 부부가 1914년 6월 28일 세르비아 내에 본거지를 두었던 암살자 그룹에 의해 보스니아의 수도 사라예보에서 암살되자, 오스트리아는 세르비아계를 무력으로 타도함으로써 대국의 면목을 유지하려한 데서부터 시발되었다.

7월 23일 오스트리아는 세르비아에 최후통첩을 보내고 세르비아 측으로 부터 양보를 의미하는 응답을 받았음에도 불구하고 7월 28일에는 선전포고를 발하였다.

그러자 러시아는 발칸반도에 있는 슬라브계 민족의 단결을 꾀하려는 범슬라브주의에 바탕을 두고 세르비아를 지원하기 위해 총동원령을 내렸고, 그 후 독일·영국·프랑스·터키 등이 각국의 동맹조약에 따라 차례로 전쟁에 뛰어들었다. 그밖에 다른 작은 나라들도 이해관계에 따라 3국 연합측 또는 3국 동맹측을 선택하여 가담함으로써 전쟁은 두 동맹체제 간의 큰 전쟁으로 확대되었다.37)

36) 정토웅(1997), pp.206-208.

제1차 세계대전이 발발하자 각국 군대는 수년에 걸쳐 준비한 작전 계획대로 움직이기 시작했다. 대전 시 가장 담대한 계획은 독일의 '슐리펜 계획'[38]으로서, 독일군의 우익을 좌익보다 7배 강화하여 망치머리를 휘두르는 것과 같이 과감하게 프랑스를 포위하는 전략이었다. 이 계획은 전쟁이 개시되면서 독일군 수뇌부의 수정으로 성공하지 못했으나 전쟁 초기 작전의 흐름에 결정적인 영향을 주었다.

대전이 일어난 초기에는 전쟁이 유럽지역에 국한되어 있었으나 전쟁이 세계전쟁으로 확대된 것은 독일의 무제한적인 잠수함작전으로 인해 미국인들이 지속적인 인명손실을 입게 되자 미국이 독일에 선전포고한 시점부터였다.

러시아에서는 대전 중인 1917년 2월 혁명이 일어나 로마노프 왕조가 무너졌다. 2월 혁명에 이어 10월 볼세비키 혁명[39]으로 독일과의 즉각적인 강화를 바랐던 레닌이 정권을 잡게 되었고, 이듬해 1918년 3월 러시아는 독일에 굴복하였다. 그러나 세계대전은 1918년 11월 독일 측 패배로 종료되었다.

독일 측 패전에 결정적 작용을 한 것은 미국의 참전으로 군사적 균형이 깨어졌기 때문이었다. 결국 유럽에서 시작된 전쟁은 세계대전으로 확대되었고, 1918년 11월 11일, 연합국 측과 독일 측 사이에 휴전 조약이 조인됨으로써 막을 내렸다.

제1차 세계대전은 종전의 전쟁과는 달리 특기할 만한 성격을 지녔다. 전쟁의 규모·내용·목적 등이 무제한적인 전면전의 성격을 띠었으며, 클라우제비츠가 말한 '절대전쟁'의 양상을 나타냈다. 역사상 일찍이 볼 수 없었던 대규모, 국력의 총동원, 전쟁의 이데올로기화 등이 주요 특징으로 나타났다.

제1차 세계대전의 성격은 개전의 경위가 매우 복잡해 어느 한 나라의 특정행위가 대전을 초래했다고 보기는 어렵다. 그러나 전쟁 후 전승국 쪽이 패전국인 독일에게 일방적으로 전쟁의 책임을 전가시킴으로서 독

---

37) 정토웅(1997), p.271.
38) 1891-1906년 독일 육군참모총장이었던 슐리펜 장군이 작성한 전쟁계획.
39) 1917년 11월 6일 러시아에서 사회민주노동당 볼셰비키가 쿠테타를 일으켰다. 러시아 구력으로 10월 24일에 발생했기 때문에 10월 혁명이라고도 한다.

일국민이 불만을 품게 되었고, 그것은 후에 히틀러의 나치즘을 키우는 계기가 되었다.

또한 이 전쟁이 역사상 최초의 총력전이었다는 사실도 중요한 특징이다. 나폴레옹전쟁을 별개로 하면 19세기 유럽의 전쟁은 대부분 국민의 생활에 별로 영향을 미치지 않은 형태로 수행된 전쟁이었다.

그러나 제1차 세계대전은 많은 나라들이 참가하였을 뿐 아니라 국민생활에도 심각한 영향을 끼쳤다. 전쟁에 참가한 사람들은 전선의 병사에 국한되지 않고 후방의 국민들도 동원된 최초의 총력전이었다. 서부전선에서의 지루한 참호전으로 기관총과 철조망이 지상전에서 각광을 받았고, 기관총이 등장함에 따라 수천 년 동안 전장을 지배하던 기병이 자취를 감추게 되었다. 그리고 전차, 항공기, 잠수함, 독가스 등의 신무기가 등장한 것도 이 전쟁의 두드러진 특징이라고 할 수 있다.

1.4.6 제 2차 세계대전

제2차 세계대전은 유럽과 태평양의 2개의 축을 중심으로 진행되었다. 유럽에서는 영·독 전쟁과 독·소 전쟁, 동아시아 및 태평양에서는 미·일간 태평양전쟁이 주요 국면을 이루었다.

유럽에서의 전쟁은 1933년, 무기력했던 독일의 바이마르 공화국[40]으로부터 히틀러가 정권을 쟁취하고 난 후부터 서서히 진행되었다. 히틀러는 1933년 10월, 군비평등권이 인정되지 않은 것을 이유로 군축회의와 국제연맹에서 탈퇴하였으며, 1935년 3월, 베르사유조약[41]의 군비제한조항을 무시하고 재군비를 선언하였다.

이탈리아에서 권력을 장악한 무소리니는 1935년 10월, 지중해연안에서의 패권을 꿈꾸며 에티오피아 침략하여 수도 아디스아바바를 점령한 후 '신 로마제국'의 성립을 선언하였다.

1936년 11월 무솔리니는 밀라노에서의 연설을 통하여 독일・이탈리아 '추축'을 과시하였다. 이어 독일・일본 방공협정이 체결됨으로써 독일・

40) 바이마르 공화국은 1918년 11월의 독일혁명에 의해 탄생되었으나, 1933년 1월 나치스당의 정권장악에 의해 끝을 맺은 독일 최초의 공화국이다.
41) 베르사이유조약 (1919년)은 연합군과 독일사이에 체결된 제 1 차 세계 대전을 끝낸 평화 조약이다.

이탈리아・일본의 파시즘연합이 모습을 드러냈다.

히틀러는 1938년, 세계대전을 우려하는 군부의 수뇌를 경질시키고 스스로 국방군을 통수하였으며, 그해 3월에 오스트리아를 합병하였다. 이어 1939년 3월 14일, 체코슬로바키아를 점령하고 보헤미아와 모라비아를 보호령으로 만들었다.

1939년 9월 1일 폴란드를 침공한 독일군은 전격전을 실시하여 폴란드군 주력을 격파하였다. 이와 같은 상황에서 9월 17일, 소련군은 러시아 민족 보호라는 명목으로 폴란드를 침공하여 독일과 폴란드를 분할하였다.

1940년 4월, 독일은 덴마크를 점령함과 동시에 노르웨이를 침공하여 영국군과 프랑스군을 격퇴하였다.

1940년 5월 10일, 독일군은 프랑스를 정복하기위해 베네룩스 3국을 통과한 후 5월 19일 난공불락의 요새인 마지노선 북단을 돌파하고, 기계화부대와 수직강하 폭격기를 주축으로 한 전격전을 감행하여 영국해협까지 도달함으로써 1개월 만에 프랑스 전역을 석권하였다. 프랑스의 항복을 받은 히틀러는 영국에 대한 공중공격을 시작하였으나 영국의 레이더망과 뛰어난 공군력에 의해 목적을 달성할 수 없었다.

1941년 6월 22일, 독일군은 3개 방향으로 소련을 공격하였다. 북부군은 발트3국을 거쳐 레닌그라드를 포위하였고, 중부군은 스몰렌스크를 지나 모스크바로 진격하였으며, 남부군은 우크라이나로 나아갔다.

독일군의 초빈의 우세는 일시적인 것으로 끝나고 스탈린그리드와 레닌그라드에서 소련군의 결사적인 저항으로 전선이 교착되기 시작하였으며, 11월에 혹독한 추위가 다가오자 겨울장비가 없었던 독일군은 전투력이 급격히 저하되어 모스크바 공략은 실패로 끝나고 말았다. 12월 초 소련군의 반격을 개시하자 독일군은 점차 서쪽으로 후퇴하며 궤멸되기 시작했다.

일본은 1937년 중일전쟁을 일으켰다. 1937년 7월 7일 베이징 교외의 노구교에서 일본군이 일으킨 군사행동으로 말미암아 확대된 이 전쟁을 빌미로 북경과 천진을 점령한 일본은 전장을 상해지역으로 확대시키고, 1937년 12월 장개석 정부의 수도인 남경을 점령하여 시민 수십만 명을 살육하였다. 그 뒤 무한을 공략하고 광동에서 산서에 이르는 남북 10개 성과 주요 도시의 대부분을 점령하였다.

미국과 영국은 일본이 중국에서 철수할 것을 요구하며 일본에 무기 제조에 필요한 고철 및 석유 수출 금지, 미국 내 일본 재산 동결 등 경제적 제재조치를 취하였다.

이에 대한 위협을 느낀 일본은 자원을 확보하기 위한 전쟁을 결심하고 1941년 12월 7일 일본제국 해군으로 진주만에 대한 기습공격[42]을 감행했다. 이 공격으로 12척의 미 해군 함선이 피해를 입거나 침몰했고, 188대의 비행기가 격추되거나 손상을 입었으며 2,400여 명의 사상자가 발생하였다. 진주만 기습을 시작으로 태평양전쟁이 개시되었고, 그동안 참전을 자제하고 있던 미국이 세계대전에 참전을 하게 되었다.

유럽의 서부전선에서는 1944년 6월 6일 아이젠하워 장군이 이끄는 연합군이 노르망디 해안에 상륙작전[43]을 감행한 후 프랑스를 탈환하고 독일로 진격하였으며, 동부전선에서 독일군과 사투를 벌이던 소련군과 1945년 4월 25일에 합류하였다. 패전에 절망한 히틀러는 자살하고, 독일은 5월 9일 항복문서에 조인하였다.

미국은 진주만에서 일본의 기습공격을 받게 된 후 4년 8개월 동안 유럽과 태평양의 양개전선에서 전투를 벌이면서 명실 공히 제2차 세계대전의 주역으로 등장하였다.

미국은 최초 태평양 전선에서 일본군의 강력한 공격으로 후퇴를 반복하였으나, 전투를 거듭할수록 전투능력이 향상되어갔고, 1942년 6월 미드웨이 해전에서 승리를 거둠으로서 반전의 승기를 잡았다. 그 후 사이판과 이오지마를 점령하고 태평양에 항공기지를 확보한 미군은 B-29 등의 고고도 폭격기를 동원하여 일본 본토 내 대도시에 대한 전략폭격을 실시하였다.

1945년 4월에 오키나와를 점령한 미군은 일본 본토에 상륙할 경우 막대

42) 1941년 12월 7일 일본해군 기동부대가 하와이 오아후 섬 진주만에 있는 미국 태평양함대 기지를 기습 공격한 사건.

43) 제2차 세계대전 중인 1944년 6월 미·영연합군(총사령관 아이젠하워)이 북프랑스의 노르망디해안에서 감행한 사상 최대의 상륙작전. 이 작전은 전쟁 초기 서부전선에서 패하여 유럽대륙으로부터 퇴각한 연합군이 독일 본토로 진공하기 위한 발판을 유럽대륙에 마련하고자 감행한 것이다.

한 피해가 발생할 것을 우려하여 마침내 1945년 8월 히로시마와 나가사키에 인류 최초로 원자폭탄을 투하하였다. 이로서 일본은 포츠담선언[44]을 수락하고 연합군에 무조건 항복함으로써 태평양전쟁이 종결되었다.

제2차 세계대전은 문자 그대로 세계를 전쟁터로 만들고 세계 대부분의 나라들이 참가한 대규모의 전쟁이었다. 동원병력 약 1억1,000만 명, 전사자 약 2,500만 명, 민간인 희생자 약 2,500만 명, 전쟁부상자 약 3,500만 명으로 집계되었다.

제1차 세계대전과 비교한다면 교전국 2배, 동원병력 2배, 전사자 5배, 민간인 희생자 50배, 전쟁 부상자 2배, 직접적 전비는 6배에 달하였다.

전쟁은 우수한 무기를 만들어내기 위해 서로 경쟁하기 때문에 기술혁신을 가져오게 된다. 제2차 세계대전 시에도 역시 기술혁신이 두드러지고 경제와 사회의 구조도 변화하였다.

제1차 세계대전은 기관총을 위주로 한 보병전투였으나 제2차 세계대전에서는 항공기와 전차가 전쟁의 판도를 결정했다고 할 수 있다. 해전에서는 대형 전함에 의한 대함거포시대 끝나고 항공모함 중심의 기동함대가 해전을 주도하였다, 또한 낙하산부대가 등장하여 대규모 공정작전이 실시되었고, 급강하 폭격기와 기갑부대가 결합된 전격전이 기동전의 새로운 면모를 보여주었다. 공군의 중요성이 크게 부각되어 장거리 폭격기에 의한 전략폭격이 시행되었고 항공기의 항속거리·속도·탑재능력 등이 급속히 향상되었다. 폭격을 효과를 늘이기 위하여 폭탄의 대형화, 파괴력의 강화도 촉진되었다.

또한 무인비행기·유도탄·로켓탄 등 수많은 신무기가 등장하였으며, 원자탄을 개발하여 적국에 직접 사용함으로써 인류 파멸의 공포를 자아내게 하는 핵무기시대를 열었다.

---

44) 제2차 세계대전 종전 직전인 1945년 7월 26일 독일의 포츠담에서 열린 미국·영국·중국 3개국 수뇌회담의 결과로 발표된 공동선언. 일본에 대해서 항복을 권고하고 제2차 세계대전 후의 대일처리 방침을 표명한 선언.

1.4.7 현대전쟁의 성격과 특징

두 차례에 걸친 세계대전으로 인류는 전대미문의 피해를 입고 다시는 이 같은 비극이 되풀이 되지 않도록 UN(국제연합)을 창설하여 항구적인 세계평화를 위한 제도적 장치를 마련하였으나, 미국과 소련 등 안전보장이사회의 5개 상임이사국들의 거부권행사로 인해 실질적인 전쟁억제기능은 제한되었다.

제2차 세계대전 이후 동유럽에서 세력을 확대한 소련이 동유럽 국가를 공산화시키고, 이어 1949년 중국의 공산주의 혁명이 성공함에 따라 세계는 자유진영과 공산진영의 양대 블럭으로 분할되었고, 두 세력 간의 각축으로 세계는 냉전시대를 맞게 되었다.

유럽에서는 NATO(북대서양조약기구)와 WTO(바르샤바조약기구)를 주축으로 동·서가 대치하였고, 동아시아에서는 한국전쟁 이후 한국·미국·일본의 남방 삼각관계와 소련·중국·북한의 북방 삼각관계가 세력균형을 이루었다.

1946년 베를린 위기, 1950년 한국전쟁, 1956년 수에즈전쟁 등을 거쳐 1962년 쿠바위기에 이르러 냉전은 제3차 세계대전 발발 직전의 막다른 상황에까지 이르렀다. 특히 쿠바위기는 미·소 양국지도자와 세계인들에게 핵전쟁의 공포를 실감시켰다.

냉전시대의 절대안보 사상은 핵무기의 대량 확보를 비롯한 무제한적인 군비경쟁을 유발시킴으로서 인류는 핵전쟁의 공포로 인해 전쟁이 억제되는 공포의 균형을 경험하기도 했다.

또한 신생국들의 독립과 제3세계의 등장은 종교분쟁과 민족해방전쟁을 점화시켰고, 선진국과 저개발국가간의 남북갈등을 야기시켰다.

1990년대에 접어들면서 지속적인 군비경쟁과 공산주의의 자체 모순으로 공산불럭의 맹주였던 소련이 몰락하고 동유럽이 개방되면서 냉전시대는 막을 내렸으나, 2001년 미국에서 발생한 9·11테러 사건을 계기로 '테러와의 전쟁'이라는 새로운 전쟁양상이 전개되고 있다.

현대전의 특징은 고도의 과학기술발달로 대량살상무기와 고도정밀무기가 개발되어 전쟁은 새로운 형태로 발전되고 있다.

첫째, 정보, 통신, 전자, 컴퓨터 기술 발전으로 지금까지의 주전장이 되었던 지상, 해상, 수중, 공중으로부터 우주 및 사이버 공간까지 전장영역이 확대되고 있으며,

둘째, 정보능력 강화와 장거리 미사일 등 투발수단의 발전으로 원거리 감시 및 타격이 가능해졌고,

셋째, C4I 시스템의 발전으로 전장이 가시화됨으로써 적의 핵심표적에 대해 실시간 통합화력 운용이 가능해졌다. 또한 민족·종교 간의 전쟁과 테러와의 전쟁 등 저강도 분쟁이 빈발함에 따라 적진후방에서 활동하는 다양한 특수전부대의 활용이 증대되고 있다.

1.4.8 미래전의 특징

21세기에 접어들어 눈부시게 발전하는 정보기술을 중심으로 한 과학기술의 발전은 미래전 수행방식을 획기적으로 변화시키고 있다. 특히 정보기술의 발전으로 작전을 위한 시간과 공간의 장벽이 대부분 제거되고, 전장의 영역이 사이버 공간까지 확장됨에 따라 새로운 전투수행을 위한 군사혁신이 활발하게 진행되고 있다.

21세기 주요 군사혁신과 예상되는 전쟁의 패러다임을 요약하면 다음과 같다, 먼저 디지털과 인터넷 혁명, 나노기술 혁명, 생명공학 발달 등 새로운 과학기술의 혁명적인 발전은 전장가시화 능력, 정보공유 Network 체계, 장거리 교전능력 등 전력시스템과 군사기술의 혁신적인 발전을 가져올 것이다. 이러한 발전은 작전수행 개념과 방식을 파격적으로 변혁시키고 이에 따라 전쟁지원 체계도 연계하여 발전될 것이다.

미래의 새로운 전쟁개념은

첫째, 전장의 가시화 및 정보의 공유화로 대부분의 표적을 탐지가능할 뿐 아니라, 탐지된 정보를 즉시 전파하여 공유함으로써 전장의 불확실성을 극복할 수 있을 것이다.

둘째, 전장공간의 확대로 지·해·공 3차원의 공간에서 우주공간과 사이버공간에 까지 확대되고 있으며, 이에 따라 지·해·공의 전투공간이 중첩되어 새로운 군의 역할이 모색되고 있다.

셋째, 장거리 정밀교전능력이 보편화되고 비접적·비선형 전투양상으로 발전됨에 따라 새로운 전투수행방식을 개척하고 있다.

넷째, 전략적 중심을 직접 타격하여 주도권을 장악함으로써 최소의 희생으로 승리를 획득할 수 있다.

다섯째, 병력집중의 원칙에서 효과집중 원칙으로 발전하여, 적 부대를 격멸하는 것 보다 정보시스템 마비를 목적으로 하는 전투가 수행될 것이다.

여섯째, 수평적 Network형 부대조직으로 발전되면서 중간계층의 제대가 감소될 것이며, 기타 적시적량의 군수지원체제와 Soft kill(컴퓨터 바이러스, 해커, EMP 등)의 위력이 증대되어 정보마비를 위한 새로운 전략무기가 등장할 것이다.

제 2 절 군사력

2.1 군사력의 개념

군사력은 '국가의 안전보장을 위한 직접적이고 실질적인 국력의 일부로서 군사작전을 수행할 수 있는 군사적 역량'을 말한다. 군사력은 현존군사력과 잠재군사력으로 대별되며, 국가총력전을 수행하기 위하여 잠재적군사력을 동원할 수 있는 대책을 강구해야 한다.[45]

광의의 군사력이란 전선에 배치 혹은 투입 가능한 상비군사력, 전쟁발발 직후 동원 가능한 동원군사력, 그리고 전쟁수행을 위해 동원할 수 있는 인력, 경제력, 과학기술력 등의 잠재군사력을 총칭한다.

국력이란 군사력과 경제력, 외교력 등 국가의 모든 요소가 결합하여 이루어지는 총합적인 힘이다. 따라서 군사력은 국가의 안전보장을 위한 국력에서도 가장 중요한 요소이다.

군사력은 여러 가지의 뜻으로 해석하고 있다. 먼저 Armed Forces란 말

45) 「지상작전」(육군본부,1999).p.1-2.

은 정부의 상비군 즉, 육·해·공군, 해병대, 경찰 등을 뜻한다. Military Forces는 정규군과 예비군을 총칭하고 Military Power는 한 나라가 가지고 있는 실질적인 군사적 힘으로 전쟁 수행능력과 전쟁 잠재력인 인력과 산업능력, 국민의지의 총합을 뜻한다.

이와 같은 해석들을 종합하면 군사력의 구성요소는 병력, 무기체계, 기동성, 군수, 전략 및 전술교리, 훈련정도, 리더십과 사기, 군수산업, 기술, 국민의지, 동맹관계 등 국가 총력전 수행에 필요한 모든 요소를 망라한다.

2.2 군사력의 기능

2.2.1 개요

군사력의 기능은 전시에 국가안보를 수호하는 전투력으로서의 기능뿐 만 아니라 평시에도 국가 최후의 공권력으로써 비상사태 발생 시 국내질서를 유지하며, 재해·재난지원 등의 비군사적위협에 대비한 작전과 세계평화 유지를 위한 평화유지활동 등 다양한 기능을 수행하고 있다.

군사력은 본질적으로 물리적인 힘이며, 물리적인 힘을 통하여 자국의 의지를 상대국에 강요하는 강제기능과 타국의 공격이나 물리적인 힘의 행사를 거부하는 거부기능, 그리고 무력의 시위나 과시를 통하여 상대국의 군사적 행동을 자제시키는 억제기능, 군 본연의 작전임무 수행에 지장이 없는 범위 내에서 국가차원의 비상사태 또는 재해발생시 정부행정 및 민간기관을 지원하는 국책지원기능을 수행한다.

2.2.2 강제기능

강제기능이란, 군사력의 직접사용 또는 군사적 위협을 통하여 자국의 의지를 상대방에게 강요함으로써 정치적 목적을 달성하는 것을 말한다. 군사력의 최우선 기능은 군사력을 직접 사용하여 자국의 의지를 타국에 강제하여 국가이익과 연관된 정치적 목적이나 경제적 목적을 힘으로 달성하는 것이다.[46]

---

46) 이혁섭 (2001), pp.54-55.

이러한 군사력의 기능은 전쟁 시에는 물리적인 힘을 행사하고, 평시에는 상대국을 압박함으로써 자국의 의지를 실현하거나 유리한 방향으로 전개시키는 것이다.

통상 강제기능은 상대방의 행동을 중지시키거나 시작한 행동을 원상복귀시키는 데 목적을 두고 행사한다. 이때 정책결정자가 결정해야 할 문제는 상대방에게 요구수준이 높을 경우에는 물리력도 강해야 하기 때문에 사용할 물리력의 수준을 결정해야 하며, 이런 요구를 상대방이 받아들이도록 적절한 긴박감을 조성해야 한다.

또한 요구에 순응하지 않을 때에는 이에 상당한 조치를 한다는 내용을 결정하여 상대방에게 전달하거나 시위하며, 순응할 경우에는 합당한 보상도 결정하여야 한다.

긴박감 조성방법은 첫째, 최후통첩과 동시에 세부적인 행동을 요구하고, 둘째, 순응 시간을 명시하거나 답변의 기한을 제시하며, 셋째, 비순응시에는 상응한 조치를 하겠다는 의지를 밝혀 위협하는 것 등이다.

강제기능은 강압기능이라고도 하며, 강압의 유형은 묵시적인 최후통첩, 시도 후 관망, 점진적인 목조르기 등의 방법이 있다.

'묵시적인 최후통첩'은 순응시간을 명시하지 않고 다른 수단을 통한 긴박감을 조성하는 방법이다. 순응시간을 명시하면 자신도 그 이후 무엇인가를 해야 한다는 부담을 갖기 때문이다.

'시도 후 관망'은 요구사항을 제시하고 시간을 명시하거나 긴박감을 조성하지 않고 한계선만을 제시하는 방법이다.

'점진적 목조르기'는 상대방의 대응에 관계없이 점진적이고 단계적으로 위협을 증가시키는 방법이다.

강제기능의 주요 역사적 사례는 1962년 쿠바의 미사일 위기 시, 미국이 쿠바에 배치한 소련의 미사일 철수를 요구 하면서 핵전쟁의 발발을 불사하고 해상봉쇄 조치를 취한 것을 들 수 있다. 이때 소련은 미국의 압력과 막후교섭으로 쿠바에 배치한 미사일을 철수시켰다. 1992년 걸프전이 개시되기 전에 미국이 쿠웨이트에 진주한 이라크군 철수를 요구하였으나 이라크가 미국의 강압외교에 불응함으로서 결국 군사력을 행사하는 전쟁에 돌입하였다.

2.2.3 거부기능

거부기능이란 상대국의 압력과 군사적 행동 시 이에 대항하는 군사적 기능을 말한다. 즉 상대방의 군사력이 자국을 향해 행사하는 것을 저지하거나 물리치는 기능이며, 방어기능이라고도 한다.

거부의 목적은 상대방 군사 활동의 목표달성을 거부하는 것이며, 이때 상대방의 군사력을 대상으로 물리적 방법을 행사한다.

거부형태는 군사력을 해외에 전진배치하는 '전방전개'와 국경후방에 배치하는 '후방대처' 및 전후방을 가리지 않고 요소에 배치하는 '전방위 대처' 등이 있다.[47]

'전방전개'는 미국이 채택하고 있는 형태이며, 이 형태는 군사력을 해외에 주둔시키기 때문에 비용이 많이 들지만 본토에 피해가 거의 없고 방어효과가 크다.

'후방대처'는 우리나라와 같이 국경선지역에 대부분의 병력을 배치하는 방어형태이며, 비용이 많이 들고 본토피해도 감수해야 한다.

'전방위 대처'는 국토 내의 주요지형이나 요새 등 자국의 영토 내에서 대처해야 하기 때문에 국민의 생명과 재산의 피해가 매우 크다. 중국의 항일유격전이나 베트남전쟁 등과 같은 민족해방전쟁이나 미국의 남북전쟁과 같은 내전이 이에 속한다. 또한 조선시대에 적을 국토내로 끌어들여 성곽을 중심으로 전투를 한 청야입보(淸野入保)전술[48]도 이같은 형태라고 할 수 있다.

2.2.4 억제기능

억제기능이란 '상대방의 행동을 통제하고 행동개시를 방지하는 기능으로 전쟁을 치르지 않고 상대를 굴복시키는 것'을 말한다. 과거 냉전시대에 상대국이 핵공격을 하면 무제한적인 핵보복 공격을 하겠다는 '대량보복전략'도 상대방의 군사적 행동을 자제시킨 억제기능의 대표적인 예이

47) 이혁섭(2001), pp.55-56.

48) 청야입보전술은 외부의 침공이 있을 경우에 침략군이 사용할 수 있는 식량과 도구 등을 모두 치우고 지역주민과 병사들은 성곽으로 입성하여 이를 지킴으로서 침략군의 보급상 약점을 극대화시키는 한국고유의 방어전술

다.

이러한 억제가 성립되려면 상대국가로 하여금 군사적인 행동을 할 때는 이익보다 손실이 훨씬 더 크다는 사실을 사전에 인지시켜 주어야 한다. 억제의 수단과 방법은 물리적 수단을 행사하거나 외교적인 방법을 사용하거나 또는 양자를 혼합하는 방법들이 있다. 물리적 수단으로는 무력시위, 봉쇄작전, 군사력 직접사용을 통한 예방전쟁 등을 들 수 있으며, 외교적 방법은 외교단절, 경제봉쇄, 원조중단 등이 있다.

또 하나의 억제 형태는 계산된 모험을 통한 억제이다. 계산된 모험을 하려는 도전자의 도발적 조건은 방자의 방위공약(방위능력)의 기본성격과, 선택된 모험에 대한 비용과 이익 간의 타산을 할 줄 아는 능력이 있어야 한다.

계산된 모험전략으로는 첫째, '기정 사실적 도전'으로 무력분쟁을 처음부터 기정사실화 하고 모든 군사력을 전면 투입하는 것이다. 이러한 전략을 수행할 수 있는 조건은 공자는 방자가 방위능력 없고 방위공약이 부재하다고 인식하고, 도발 시 손해 보다 이익이 크다고 인식하며 또한 선제공격이 가능할 때이다.

둘째, '제한된 시험도발'로 이 전략을 시행할 수 있는 조건은 방자의 방위력 약화되고 방위공약이 명료하지 못하며, 도발 시 손해보다 이익이 크고 선제공격이 가능할 때이다.

셋째, '통제된 압력'으로 시행조건은 상대방이 명백한 공약을 하고 있으나 유연하고 타산적이며 통제가 가능할 때이다.

2.2.5 국책지원 기능

국책지원 기능이란 국가의 시책을 지원하는 기능을 말한다. 군사력의 국책지원은 경계지원, 재해지원, 기타 지원으로 구분한다.

경계지원은 국가적인 행사나 국익을 위한 주요 활동간 군이 경계를 지원하는 제반활동이며 대테러작전도 포함된다. 재난지원은 홍수, 태풍 등의 자연재해나 산불. 대형화재 등 재난 발생 시 인명구조, 노력지원 등의 활동이며, 기타지원은 환경보호, 마약퇴치, 기타 인도적 차원의 지

원을 말한다.49)

그러나 군사력의 국책지원기능은 국가의 외교정책을 지원하는 중요한 기능을 간과할 수 없다. 어느 국가가 국제적인 결의를 무시하거나 파기하는 등 외교적 문제를 야기 시키는 경우에는 국가와 국제기구의 의지를 명확하게 인식시키기 위해 군사력의 전개를 통해 압력을 행사함으로써 해결을 촉구하는 경우가 많다.

또한 주권 침해라든가 영토에 대한 영유권 분쟁 등 외교적인 마찰이 야기되는 경우 국가의 단호한 결의를 과시하기 위해 제한된 범위 내에서 군사력의 시위를 하기도 한다. 북한의 핵 문제를 해결하기위한 6자회담 기간 중인 2006년에 북한이 미사일 발사시험과 핵실험을 감행한 것은 외교적인 목적을 달성하기 위한 군사력의 시위라고 할 수 있다.

2.3 군사력의 종류

2.3.1 지상전력

군사력은 통상 지상전력, 해상전력, 항공전력을 들 수 있으며, 부대가 배치되고 전투력을 발휘하는 장소를 기준으로 구분한다.

지상전력은 지상전을 수행하는 전력을 총칭한다. 전쟁의 승패는 지상전에서 결정된다. 승리의 결정자인 지상군이 적의 도시와 주거지를 점령하기 전까지는 전쟁이 끝난 것이 아니다. 공군의 폭격과 해군의 작전으로 전쟁에 승리할 수 있으나, 전쟁은 거의 지상군의 점령으로 종결될 수 있다.50)

지상전력은 통상 육군을 뜻하며 해병대도 지상에서 작전 시에는 지상전력으로 간주한다. 대부분의 전쟁은 주로 지상에서 이루어지며 지상전력의 중요성은 어떠한 지역이나 영토 및 자원을 직접 점령하거나 확보함으로써 작전의 목표를 달성하는 것이다. 국가의 영토와 국민을 지키고, 적국의 영토와 자원을 탈취하거나 통제하는 것은 지상작전을 통해 구현된다. 해상전력이나 항공전력은 독립된 작전을 수행하기도 하지만

49) 이혁섭(2005),pp.54-58.
50) James Dunnigan (김병관 역). 「현대전의 실제」 (서울; 현실적 지성,1999),p.15.

대부분 지상작전을 지원하거나 기여하는 임무를 수행한다.

지상군의 부대는 제대별로 야전군, 군단, 사단, 여단 및 연대이하 제대 등으로 구분하며 기능별로 전투부대, 전투지원부대, 전투근무지원부대로 구분한다. 주요 무기체계로는 전차, 야포, 헬리콥터, 박격포. 저고도 방공무기, 대전차 미사일, 무반동총. 기관총. 소총 등이 있다.

2.3.2 해상전력

해상전력은 해군력과 해병대, 양륙작전부대, 해군항공부대를 망라하며 작전영역을 해상. 해상의 상공, 해중으로 하고 있다. 해상전력은 단독으로 해전을 수행하거나 잠수함전, 기뢰부설작전을 수행하며 지상군의 상륙작전을 지원하거나 함포사격으로 지상작전을 지원한다. 해상전력은 공해를 통하여 합법적인 방법으로 적국가까이 접근할 수 있기 때문에 상대국에 대한 무력시위나 군사적인 압박수단으로도 자주 사용되고 있으며 평시에는 해상교통로 보호[51]나 대량살상무기 확산을 방지하기위한 해상검색활동 등도 수행한다.

해군부대는 제대별로 함대, 전단, 전대 등으로 구분되며, 기능별로는 전투부대, 후방지원부대, 교육훈련부대, 연구개발기관 등으로 구분한다. 주요 무기체계로는 항공모함, 이지스함, 구축함, 프리키트함, 잠수함, 어뢰정 등 전투함정과 수송선, 소해정, 상륙정 등이 있다.

2.3.3 항공전력

항공전력은 공군력을 포함하여 우주·항공 전력을 뜻하며 작전범위는 공중과 우주공간이다.

항공기는 현대과학기술의 총아로서 신속한 기동력과 막강한 파괴력을 보유하고 있으나 적정 항공전력 유지에는 막대한 예산이 뒷받침되어야 한다.

항공전력은 주로 제공작전, 차단작전, 근접항공지원작전, 항공정찰 등을

51) 한국 합동참모본부는 2009. 3 .3일 우리 선박의 안전한 해상 물자수송 활동을 보호하고 해양안보증진을 위한 국제활동에 동참하기 위해 3월13일 출항, 소말리아 해역으로 파병된 청해부대가 이날 오후 바레인 미나살만 항에 입항했다고 밝혔다.

수행하며 적에 대한 기습공격 시 주 수단이 된다

항공작전제대는 전투비행단, 비행전대, 비행대대, 편대 등으로 구분하며 주요 무기체계는 폭격기, 전투기, 수송기, 정찰기, 헬리콥터 등과 비행기에 탑재된 첨단 미사일과 지상에서 운용하는 고고도 방공무기 등이 있다.

2.4 군사력의 활용

군사력은 국가안전보장의 핵심능력이며, 이러한 군사력은 외부의 침략으로부터 국가를 보위하기 위해 제반 군사전략과 작전을 수행하는데 사용된다.

군사전략은 국가전략의 일부로서 국가정책의 목표를 달성하기 위하여 전·평시 군사력을 건설하고 운용하는 술(術)과 과학이다.

군사전략이 관장하는 분야는 주로 전쟁이며 이를 수행하는 기구는 국가통수 및 군사지휘기구, 군사협의기구, 합동참모본부 등이다.

군사전략은 전쟁을 억제하고 장차전에 대비하여 군사력의 건설 및 유지, 군사전략의 목표설정 등 대응전략을 준비하고 작전술제대에 자원을 할당한다. 군사력건설은 군사전략을 수행하기 위해 군 부대를 편성하고 무기체계와 장비를 갖추는 전쟁준비 행위를 말한다.

군사전략은 수행제대의 규모에 따라 작전술과 전술이라는 개념으로 구체성을 띠며 군사작전의 형태로 수행된다.

작전은 통상 지상작전, 해상작전, 항공작전 등 각 군별로 실시하는 작전과 육·해·공군이 합동으로 실시하는 합동작전, 동맹국과의 연합작전 등이 있다. 또한 국가 최후의 공권력으로써, 국가의 치안이 극도로 불안하거나 대형 재난이 발생하여 군사력의 활용이 필요로 할 때에는 군사작전 이외의 비군사적 활동도 수행한다.

비군사적 분야의 활용은 군사력시위, 소요진압작전, 평화유지활동 등에 활용한다. 후진국에서는 군사력을 정권유지하기위해 활용함으로써 군이 정치에 개입하는 상황을 초래하기도 한다.

군사력이 국가 최후의 공권력으로 활용되는 대표적인 사례가 계엄령 선포이다. 계엄의 선포는 전시·사변 또는 이에 준하는 국가비상사태가 발생할 때 군부대를 이용하여 군사상의 필요 또는 공공의 질서를 유지할 필요가 있는 경우에 한한다. 계엄의 종류에는 경비계엄과 비상계엄으로 구분하며, 경비계엄은 전시·사변 또는 이에 준하는 비상사태로 인하여 질서가 교란된 지역에 선포하는 계엄이고, 비상계엄은 전쟁 또는 전쟁에 준한 사태에서 적의 공격으로 인하여 사회질서가 극도로 교란된 지역에 선포하는 계엄이다.

계엄령이 발령되면 지역 내의 행정권·사법권을 군대에 이관하고, 헌법에 보장된 개인의 기본권의 일부에 대하여 예외조치를 할 수 있다. 따라서 계엄령이 선포되면 국민의 언론 및 집회결사의 자유 등 국민의 기본권이 제한되고 군이 국가행정을 관장한다. 계엄지역에서는 계엄사령관이 포고령을 통해 국민에 대한 강제력을 행사하며 질서를 유지한다.

2.5 군정과 군령

군사업무는 크게 군령과 군정업무로 나눌 수 있다. 군령업무는 군의 용병과 작전에 중점을 두고 이루어지는 업무이며 군정업무는 군대가 용병업무를 수행할 수 있도록 하는 양병업무와 군수 등 작전지원 업무를 지칭한다.

군의 통수권제도는 국가형태와 정부형태에 따라 구체적인 내용이 동일하지는 않다. 우리나라 헌법에 국군의 통수는 헌법과 법률이 정하는 바에 의하여 대통령이 행하도록 되어있고 국군의 조직과 편성은 법률로 정해진다.

'통수'라 함은 군의 최고책임자로서 군정과 군령에 관한 모든 권한을 가지는 것을 말하며, 지휘·편성·교육·규율에 관한 일까지 포함하는 개념이다. 또한 작전과 용병의 목적을 달성하기 위하여 육·해·공군을 지휘하는 권한으로서 군 지휘권에 대한 최고·최종적인 권한이다.

우리나라는 대통령에게 군통수권을 부여하고 있음에 따라 대통령은 최고 군 통수권자이며 국군의 최고사령관으로서 국가와 헌법을 수호하기위한 책무를 다하기 위해 군령과 군정에 관한 권한의 행사를 통해 국군을 통수한다.

군 통수권에는 국군지휘권이외의 권한으로서 선전포고권과 강화권, 국군의 해외파견권, 계엄선포권 등을 들 수 있다.

군령과 군정에 대한 법률규정은 없으며 단지 군의 교범에 명시되어 있다. 군 교범에 의하면 군정을 ① 법률의 원리 및 전쟁규칙에 의거하여 군 지휘관이 점령지역에서 입법 사법 행정 권한을 행사하는 통치기능 ②국방목표달성을 위하여 군사력을 건설・유지・관리하는 기능으로서 국방정책의 수립, 국방관계법령의 제정·개정·시행, 자원의 획득배분과 관리, 작전지원 등을 의미함이라고 정의되어 있다.

군령은 '국방목표 달성을 위하여 군사력을 운용하는 용병기능으로서 군사전략기획, 군사력건설에 대한 소요제기 및 작전계획수립과 작전부대에 대한 작전지휘 및 운용 등을 의미함'이라고 정의하고 있다.

군정권과 군령권 행사에 대한 제도는 '군정・군령 일원주의'와 '병정통합주의'가 있으며 오늘날 대부분의 국가가 채택하고 있다.

군정·군령일원주의와 병정통합주의는 군정과 군령을 정부기관에서 관장함으로써 정부에 의한 군 통제가 가능한 제도를 말한다.

이와 달리 군정·군령 이원주의는 군령권을 분리하여 국가원수 직속으로 두는 것이며, 과거 독일・일본 등 군국주의국가와 오늘날 북한에서 채택하고 있는 제도이다.[52]

우리나라는 통수권독립을 원칙적으로 배척하고 군령의 독립을 허용하지 않는다. 따라서 군사에 관한 중요사항은 국무회의 심의를 거쳐야 하며 문민통제 원칙에 의기하여 군인은 현역을 면한 후가 아니면 국무총리와 국무위원에 임명될 수 없다.

군정과 군령은 분리할 수 없는 방패의 앞과 뒤와 같다. 그러나 우리나라는 합동참모본부와 각 군 본부 간에 군령과 군정을 분리하는 이원체계로 운영하고 있다. 이는 실질적인 군령권을 행사하지 못하고 있었던 합동참모본부가 1980년대 말, 권한을 강화하는 과정에서 군령권은 합동참모본부에서 군정권은 각 군 본부에서 행사하도록 재정립하는 과정에서 생겨난 현상이다.

---

52) 안광찬, "헌법상 군사제도에 관한 연구" (동국대 박사학위 논문,2002),pp.22-28.

제 3 절 군사안보

3.1 개요

안보의 종류에는 군사안보, 정치안보, 경제안보, 사회·문화안보 등 분야별 안보로 구분하고 있다.

군사안보 이외의 안보는 군사력을 크게 필요로 하지 않는다, 정치안보란 주권과 국민의 절대다수가 추구하고 옹호하는 정치체제 및 정치 이데올로기를 국내외 위협과 도전으로부터 손상을 입지 않도록 보존하는 것이며, 경제안보는 국내외의 다양한 위협에 직면하여 국가경제와 국민생활이 위태롭게 되는 상황을 극복하는 국가의 능력이다.

사회안보는 특정집단의 정체성을 위협하는 조건하에서 전통적인 언어, 문화, 공동체, 그리고 종교적, 민족적인 정체성과 관습을 유지할 수 있는 사회의 능력을 의미한다.

여기서는 일반적 분야의 안보는 생략하고 군사안보 위주로 기술한다.

3.2 위협과 취약성

군사안보는 '군사적 수단을 이용하여 국내외의 위협으로부터 국가의 제가치를 보호·향상하는 것'을 말한다.

전통적 관점에서의 안보위협은 주로 외부의 군사적 위협을 뜻한다. 군사적 위협은 적국의 군사력과 공격의도가 결합될 때 현실화된다. 즉 북한과 같이 대규모 군사력을 보유하고 침략의 기회를 노리는 경우는 위협이 되지만, 어떤 나라가 충분히 공격할 군사력을 보유하고 있다고 하여도 공격할 의도가 없으면 위협이 되지 않는 것이다.

위협의 유형에는 직접위협과 간접위협이 있다. 직접위협은 적국의 침략이나 무력공격 또는 자국선박에 대한 공격이나 국지점령 등의 적대행위가 이루어지고 있는 경우이며, 간접위협은 군사력을 이용하여 주요 항로를 봉쇄한다거나 전략적 요충지에 대한 위협 등으로 직접적으로 군사력을 사용하기보다 사용하겠다는 의지를 내 비치는 경우이다.

여기서 침략이란 정당한 이유 없이 무력행사나 위협으로 타국을 침해하는 행위로서 타국에 대한 선전포고, 무력으로 타국 영토를 침공하고 분쟁에 대한 국제기구의 평화적 해결제의를 거절, 또는 그 결정에 따르기를 거부하는 일 등이 포함된다.

공격이란 전술의 한 형태로서 적의 전투의지를 파괴하고 적 부대를 격멸하기 위해 가용한 수단과 방법을 사용하여 적의 방향으로 이끌어 가는 작전이다.

취약성이란 상대방이 군사적으로 이용할 수 있는 약점을 뜻한다. 예를 들면 북한이 군사적으로 공격을 할 때 서울이라는 대도시는 인적·물적으로 전쟁의 지속성을 보장할 수 있는 이점이 있는 반면 대량피해를 받을 수 있는 취약성이 있는 것이다.

군사안보는 평시에 전쟁을 억제하고 일단 전쟁이 발발하면 승리를 제일의 목표로 한다. 군사안보를 달성하기 위해 군사력을 증강시키면 상대국가에서도 마찬가지로 군사기술과 군비를 증강하게 된다. 이러한 상호작용은 결국 군비경쟁을 유발시키고, 이러한 군비경쟁이 새로운 안보위협으로 등장하게 된다. 이러한 현상을 '안보 딜레마'라고 한다. 군비통제나 군비축소는 이러한 '안보 딜레마'를 해소시키기 위한 국가 간의 노력이다.

3.3 군사안보의 중요요소

군사력이외에 군사안보에 영향을 미치는 것은 지정학적 요소이다. 국가 의 위치나 지형은 군사안보에 매우 중요한 영향을 준다.

지정학(地政學 geopolitics)이란 국가의 본질이 국제법이나 국내법이 정하는 법질서에 의하지 않고, 민족과 국토로 이루어지는 정치적 공동체에 있다는 학설이다.[53]

분쟁은 주로 국가 간의 거리가 가까운 나라들 간에 발생하며, 국가 간

---

53) 지정학은 스웨덴의 R. 첼렌이 제창했으며 독일의 F. 라첼이 그의 저서 "생활형태로서의 국가(1916)" 에서 처음으로 이 단어를 사용했다. 지리적 결정론과 국가유기체설의 결합을 통하여 이루어졌으며, 나치스가 이용한 것으로도 유명하다.

의 거리가 멀수록 상호 군사적 위협은 크게 감소한다. 고대 중국 의 춘추전국시대 진나라의 범수는 원교근공책(遠交近攻策)이란 전략을 수행함으로서 천하를 통일하는 초석을 마련하였다. 즉 '먼 나라와 교류를 맺고 가까운 나라를 공격한다'는 책략이다.

우리나라와 멀리 떨어진 나라는 아무리 많은 군사력을 보유하고 있더라도 우리나라의 직접적인 위협이 되지는 못한다. 우리나라를 군사적으로 위협했던 나라는 주로 주변국인 중국과 일본이었다. 이와 같이 국가의 지리적 위치는 안보에 큰 영향을 미친다,

지형도 안보에 많은 영향을 미친다. 강대국 사이에 위치하고 나라 전체가 평야로 이루어진 폴란드와 같은 국가는 인접국가 군대의 주요 기동로가 되는 까닭으로 늘 주변 강대국들로부터 침략의 대상되었고, 자원이 빈약하고 군대가 기동하기 어려운 스위스와 같은 산악 국가는 보다 안전 할 수 있었다.

나라의 크기도 중요하다. 러시아나 중국 등 국토의 면적이 넓은 국가는 전략적 종심이 깊기 때문에 작전의 융통성 있고 다양한 군사전략을 구상할 수 있지만, 우리나라와 같이 국토가 좁은 나라는 융통성 있는 군사전략을 수행하기가 매우 어려울 뿐 아니라 적국의 기습공격에도 매우 취약하다.

국가 간의 역사도 군사안보에 영향을 준다. 역사적으로 분쟁이 잦았던 나라와 우호를 다졌던 나라에 대해 국민이 갖는 인식차이는 매우 크다. 서로 전쟁을 했거나 자국을 침략했던 나라에 대해서는 항상 경계의식과 위협인식을 갖고 있으나 전통적인 우방국가와는 경계심보다는 친밀한 감정을 갖게 되는 것이다.

국가의 위상도 매우 중요하다. 국가의 위상은 국제사회에서 인정하는 국가의 품격이다. 19세기 서구 열강이 식민지를 넓혀 나갈 때 국가적 위상이 낮은 아시아와 아프리카의 국가들은 세계 어느 국가로부터도 안보상의 도움받기가 힘들었다. 서구 열강의 식민지 경영은 국력과 비례한 결과로 정당화되었던 것이 당시의 국제적인 관례였기 때문이다.

정치적 요소도 안보에 매우 중요하다. 북한과 같은 인권 탄압 국가는 국제사회로부터 반 인권국가로 인식되거나 불량국가로 지목되어 국제사

회의 경제적·군사적인 제약으로부터 자유로울 수 없다.

또한 정치 이데올로기도 과거 냉전시대나 오늘날 이념갈등을 겪고 있는 우리나라와 같이 군사안보에 결정적인 영향을 미친다.

3.4 군사와 제 분야와의 관계

군사는 단독으로 존재하는 것이 아니라 국가기능의 일부로서 존재하기 때문에 국가의 다른 기능과 유기적으로 연계되어 있다.

첫째, 가장 군사에 영향을 많이 주는 것은 군사와 정치와의 관계이다. 클라우제비츠는 그의 저서 전쟁론에서 "전쟁은 중요한 정치적 목적을 달성하기 위한 수단이며 다른 방법에 의한 정치의 연속"이라고 하였다.[54] 군사는 정치의 하위 개념이기 때문에 군사전략은 항상 국가전략에 종속되어야 하며, 군사목표는 전쟁의 정치적 목표달성에 기여토록 설정되어야 한다.

둘째, 외교와의 관계이다. 평시의 군사력은 외교적 목적을 달성하기 위한 지원 및 강압수단으로 활용된다. 그러나 전시에는 외교정책이 군사전략 수행여건을 조성하고 군사전략을 지원하는 방향으로 지향된다. 미국과 같은 강대국은 군사력을 대외적 영향력 확대를 위한 정치·외교적 수단으로 활용하며, 군사적 위협과 외교적 설득을 병행하며 자국의 국가이익을 증진하고 있다. 반면 약소국은 자국의 생존을 지키기 위한 외교정책을 수행한다.

셋째, 군사와 경제 간의 관계이다. 군사력은 경제력의 뒷받침 위에서만 존재할 수 있다. 경제력은 전쟁수행의 물질적 기반이다. 전쟁은 막대한 비용을 필요로 하며, 평시의 군사력 유지도 상당한 국가예산을 필요로 한다. 최신의 무기체계는 상상을 초월할 정도로 가격이 매우 높기 때문에 경제 강국만이 군사강국이 될 수 있는 것이다. 경제력이 약한 국가는 전시 국민생활을 위해 평소 생활필수품을 확보하고, 자급자족 대책 수립과 전쟁 긴요 물자의 지속적 확보를 위한 대비책을 수립해 놓아야 한다.

---

54) 조승옥 외(2007), p.37.

넷째, 군사와 과학기술과의 관계이다. 과학기술의 기반이 약한 국가는 군사과학도 발전할 수 없으며, 군사과학의 발전 없이는 첨단 무기체계 개발이 불가능하다. 과학기술은 새로운 무기체계 개발을 가능케 함으로서 전쟁의 양상을 크게 바꾸어 왔다.

마지막으로 군사와 사회심리와의 관계이다. 오늘날의 전쟁은 모든 국민이 참여하는 국가 총력전이며, 군인도 국민과 구분되는 별개의 존재가 아니라 국민 속에 있는 하나의 구성원일 뿐이다. 전시에는 국력이 총동원되기 때문에 국민의 정신무장과 안보의식은 군사 분야에 많은 영향력을 미치며 또한 주권을 행사하는 국민의 지지가 없이는 군사력 증강도 불가능하다. 2000년대 접어들면서 수년간 기승을 부렸던 반미감정이 한미동맹관계를 약화시킨 것과도 같이 어느 특정국가에 대한 국민의 반감은 그 나라와의 군사동맹이나 군사외교에도 심각한 영향을 미친다.

제 3 장
안보개념의 변천

제 1 절 절대안보

1.1 절대안보의 의미

절대안보는 일방안보라고도 하며 그 의미는 '자국의 군사력을 충분히 건설하여 상대방의 전쟁시도를 억지하며, 일단 전쟁이 발발하면 승리할 수 있도록 함으로써 국가의 안전을 보장하는 것'이다.

이러한 안보관은 정치적 현실주의에 기초하였으며, 정치적 현실주의는 국제사회가 약육강식의 무정부상태라는 인식으로부터 출발한다. 또한 국가는 이기적인 국가이익을 추구하는 비도덕적 존재이며, 국가 간의 관계는 상호 이익의 상충으로 인해 본질적으로 갈등관계가 존재할 수밖에 없기 때문에 개별국가는 스스로의 생존을 보장할 수 있는 힘이 필요하다고 생각한다. 따라서 국가의 생존과 독립 등 자국의 안보는 스스로의 힘을 바탕으로 대응한다는 개념이다.

즉, 절대안보의 기본 개념은 zero-sum game[55]으로서 적국의 안보를

55) 승자의 득점과 패자의 실점의 합계가 영(零)이 되는 게임. 승패의 합계가 항상 일정한 일정합 게임(constant sum game)의 하나이다. 이 게임에서는 승자의 득점은 항상 패자의 실점에 관계하므로 심한 경쟁을 야기 시키는 경향이 있다. 이에 반해 승패의 합계가 제로가 아닌 경우의 게임을 넌 제로섬 게임이라 한다.

희생시켜 자국의 안보를 달성하는 것이며, ① 국제사회가 약육강식의 무정부 상태 ② 자력구제 원칙이 지배 ③ 생존을 위해 군사력을 중심으로 가능한 모든 수단을 동원 한다는 관점으로부터 출발한다..

힘의 논리가 지배하는 국제현실에서 자국의 군비증강도 중요하지만 강한 국가의 도움을 받거나 여러 국가가 단결하는 동맹이나 집단안보체제의 결성을 중시한다.

1.2 고전적인 개념의 절대안보

현재 우리나라의 군사전략개념도 절대안보와 맥을 같이 하고 있다. 절대안보 개념은 오늘날까지 현실적인 국제정치관과 가장 가까운 안보관이며, 우리나라와 같이 전쟁에서의 승패가 바로 국가의 존망과 직결되는 상황에서는 절대안보를 지향할 수밖에 없었다.

이 안보개념은 외부의 위협으로부터 자국의 안전을 보장하기 위해 상대적으로 우월한 국력과 군사력을 중요시한다. 정치적 현실주의를 바탕으로 한 절대안보는 과거 군국주의[56] 국가에서 보여준 예와 같이 강력한 군사력유지와 군사력행사 만이 자국의 안전을 보장하는 유일한 수단이라고 생각한다.[57] 안보라는 개념도 이러한 현실주의사상으로부터 생겨난 것이다. 절대안보 개념은 국가총력전[58] 사상과 더불어 1·2차 세계대전, 미·소 냉전시대에 까지 이어져 온 대표적인 안보개념이다.

1.3 절대안보의 성과와 한계

현실주의에 기반을 둔 절대안보는 안보를 국가의 제일의 목표로 설정하여 전쟁을 억지할 수 있는 능력을 배양하고, 동맹을 통한 세력균형과

---

56) 군국주의 (militarism) 군사력에 의한 대외적 발전을 중시하며 군대에게 우월적인 지위를 주어 정치·경제·사회의 전 영역을 군사화하려고 하는 사상 및 체제.

57) 온만금, "공동안보, 협력안보, 평화유지군", 육군사관하교(편) 「국가 안보론」(서울; 박영사,2005), pp.235-236.

58) 총력전은 좁은 뜻의 무력만이 아니고 국가 각 분야의 총체적 힘을 기울여 하는 전쟁. 전체전쟁이라고도 한다. 제1차 세계대전과 제2차 세계대전이 대표적 예이다. 총력전이라는 개념은 제1차 세계대전 당시 독일의 E. 루덴도르프 장군이 《총력전(Der totale Krieg, 1935)》이라는 저서를 낸 뒤부터 널리 쓰이게 되었다.

힘의 우위를 달성하기 위한 노력으로 국가 안보를 증진할 수 있었다.

그러나 이러한 절대안보의 한계는 국가안보를 위한 힘의 극대화가 상대 국가를 자극하여 군비경쟁을 유발시키고, 이러한 경쟁의 지속적인 상승작용으로 갈등이 증폭되어 오히려 안보위기를 불러오는 안보의 딜레마(Security Dilemma)[59]에 봉착하게 되었다. 또한 군사력을 증강시키기 위해 과도한 국방비를 투입함에 따라 상대적으로 국가 발전분야에 대한 투자를 감소시킴으로서 경제성장의 둔화 내지 정체를 초래한다. 이러한 현상이 중·장기적으로 계속되면 국가 경제규모가 점차 작아짐으로서 결과적으로 국방비의 총액이 제한되고 군사력의 약화를 가져오는 국방의 딜레마(Defense Dilemma)[60]에 봉착하게 된다.

미 · 소 양극체제에서 냉전의 일극을 담당 했던 소련이 붕괴된 것도 결국 과도한 군비경쟁으로 인한 군사비 과다지출로 국가경제가 파탄한 것이 직접적인 원인이었다.

소련은 1917년 볼세비키 혁명의 성공으로 사상 최초로 공산주의 국가가 되었으며, 제2차 세계대전 후에는 전승국으로써 동서냉전 시 양극체제의 중심국가로 부상하였다. 소련은 1949년 미국 다음으로 핵무기 개발에 성공한 후, 대륙간탄도탄과 인공위성을 세계최초로 개발하면서 군비확장을 통한 초강대국의 면모를 과시하였다.

소련은 공산 불럭의 대부로서 주변 위성국들에 대한 통제를 강화하고, 국제공산주의의 세력확장을 위해 각종 국제분쟁에 적극 개입하며, 미국을 주축으로 한 북대서양조약기구(NATO)에 대항하기 위해 바르샤바조약기구(WTO)를 결성하여 서유럽을 압박하였다.

공동안보의 개념이 형성되기 이전, 미국과 소련은 핵무기를 비롯한 대량살상무기와 첨단무기체계의 우위를 확보하기 위한 군비경쟁에 국력을 집중하였다. 이러한 군비경쟁은 작용과 반작용의 과정을 거듭하면서 결국 안보 딜레마를 초래하게 되었고, 상대적으로 국가경제가 취약한 소련이 경제적 파탄을 맞게 되며 붕괴의 길을 걷게 된 것이다.

---

59) 한 국가의 자구적 군비증강은 순수 방어적 목적을 위한 것이라도 적국에게는 위협으로 인식되어 상대적인 군비증강을 가져오고, 이러한 현상이 반복되면서 군비경쟁을 초래한다는 것.

60) 군사력 건설을 위해 막대한 재원을 지속적으로 투자할 경우, 정부 내 타 공공부분의 투자를 희생하게 되어 궁극적으로는 전체 포괄적 국가안보가 위협받는다는 이론.

제 2 절 공동안보

2.1 공동안보의 의미

공동안보는 미소 냉전체제하에서 무한경쟁으로 치닫던 핵무기 개발을 통한 핵 억지 위주의 안보전략과 이에 따라 파생된 공포의 균형은 오히려 안보유지에 위협이 된다는 사실을 인식하고 이와 같은 위협을 해소하기 위한 대안으로 등장한 안보관이다. 즉, 과도한 군비경쟁을 유발하는 기존의 절대안보에 기초한 안정은 지속될 수 없다는 새로운 인식하에 양대 진영 간의 협력을 통해 공동의 안보를 모색할 필요성이 제기된 것이다.

공동안보는 적대국과의 군사협력을 통해 안보를 달성한다는 개념으로 1980년대 초반에 등장하였다. 이 용어는 팔메위원회(Palme Commission)[61]로 알려져 있는 미국의 '군축 및 안보문제에 관한 독립위원회'가 처음 사용하였으며, 1982년 공동안보의 개념을 처음 도입하면서 공동안보를 위한 추진원칙은 다음과 같다. ① 모든 국가는 안보에 대한 정당한 권리를 보유하며 ② 군사력은 국간 분쟁해결에 있어 정당한 수단이 아니며 ③ 국가의 정책표출에는 제약이 필요하며 ④ 안보는 군사적우위로는 달성될 수 없으며 ⑤ 군비감축과 제한이 공동안보를 위해 필요하며 군비협상과 정치적 사안의 연계는 지양되어야 한다.

당시 공동안보는 군비경쟁으로부터 유발된 안보딜레마의 유일한 탈출구로 간주되었고, 공동안보는 안보를 내립과 경생이 아닌 협력과 조화를 바탕으로 접근해야 하는 문제로 인식하여 적대국 간의 상호 신뢰구축과 군비축소문제를 가장 시급한 문제로 다루고 있다.

공동안보는 안보의 딜레마나 국방의 딜레마와 같은 문제를 불러온 절대안보의 단점을 극복하기위해 제시된 안보관이다. 공동안보의 의미는 군사력의 중요성을 간과하지 않으면서도 적국과의 상호공존을 통하여

---

61) 팔메 위원회(Palme Commission 1982년)는 군축과 안전보장에 관한 독립위원회의 별칭이며 위원장인 팔메 스웨덴 총리의 이름을 붙인 것이다. 1980년 9월에 창립하였으며 1981년에 유럽 전역에서 핵협상의 조기실현과 ABM조약의 유지 및 비핵지대협상에 대해 구체적인 제안을 내놓았다. 1981년 12월 도쿄에서 비공개회의가 열렸으며, 1982년 5월의 유엔특별군축총회에도 보고서를 제출하여 주목을 끌었다.

안보를 추구하는 것이다.

즉, 군사적 대립이 아닌 대화와 제한적 협력을 통하여 상대방의 안보를 보장하고 자국의 안보를 달성하고자 하는 방식을 말한다.

이러한 안보관의 출현배경은 국제관계란 상호 갈등적 측면 뿐 만 아니라 상호 의존적인 측면도 존재한다는 것과 어떤 국가도 군사력에만 의존해서는 자국의 평화와 안보를 유지하기 곤란하다는 현실인식으로부터 출발한다.

또한 핵무기 등 대량살상무기 출현은 어느 한쪽의 일방적인 승리를 불가능하게 하였고, 적대국이라도 인정을 하지 않을 수 없는 상황에서 그들과 상호 공존을 통해 국가안보를 추구할 필요가 있었기 때문이다.

공동안보는 핵무기 개발이후 보편화된 핵전쟁에 대한 공포와 함께 승리자와 패배자가 있을 수 없다는 공멸의 안보인식에 그 근거를 두고 있다. 이를 해결하기 위해 군사적 수단보다는 외교적 수단을, 무력대결보다는 정치적인 협상을, 양자방식보다는 다자간 방식을 선호한다.

공동안보의 방법으로는 ① 일방적 혹은 쌍무적인 방어형 군사태세로의 전환 ② 합리적 충분성(reasonable sufficient)에 입각한 군사력 수준의 유지 ③ 방어위주의 군사교리와 방어형 무기체계로의 전환 등이 있다.

'합리적 충분전략'이나 '방어적 방어전략'은 군사력이 전쟁에서 승리를 위한 수단이 아니라 전쟁을 예방하고 방어하는 수단이라는 근거에서 출발한다.

'합리적 충분'이란 군사력 보유수준이 방어에 필요한 최소한의 억지력을 확보하면 충분하다는 것이며, '방어적 방어'는 전략기조를 전쟁에서의 승리추구가 아니라 전쟁을 사전에 예방하고 방어하는 수단이라는 논리이다.

전략 핵무기의 '합리적 충분성'이란 상대방의 핵공격을 억제할 수 있는 최소한도의 보복능력을 보유하는 수준을 의미하며, 재래식 군사력의 경우에는 영토를 방어할 수 있는 최소한도의 군사력 수준을 의미한다.

절대안보의 기본인식이 zero-sum game이었던 반면에 공동안보는 non-zero sum game을 기본인식으로 바탕에 두고 있다. 즉 어떠한 개별 국가도 자신의 군사력 증강에 의한 억지만으로 자국의 안보와 평화를 달

성할 수 없으며, 적대국과의 공존을 통해서만 진정한 국가안보를 달성할 수 있다는 것이다.[62]

2.2 공동안보의 전개

공동안보란 현실주의 안보관과 이상주의 안보관이 합쳐진 개념으로 상호 군사적 신뢰구축을 통해 군비통제 및 협상을 유도하는 이론적 배경이 되었다.

공동안보에 대한 본격적 논의는 팔메위원회에서 공동안보 개념을 제기한 이후 광범위한 논의의 대상이 되었다. 과거의 전략이 개별 국가 안보에 초점을 맞추는 반면 공동안보는 안보관계의 상호 의존성을 강조한다. 그 핵심적 내용은 핵시대에 미국과 소련 양국이 공멸을 피하는 길은 '상호 확실파괴'(Mutual Assured Destruction : MAD)를 통한 불안한 안보의 추구보다 대화를 통한 상호이해와 위협의 완화로 상호 안보를 추구하자는 것이다.[63]

미국에서 개념화한 공동안보를 본격적으로 정책에 반영한 사람은 구소련의 고르바초프였다. 고르바초프는 '신사고'에 입각한 개혁개방 추진과정에서 공동안보를 중요시하는 정책을 펴 나갔다.

그가 이러한 정책을 펴간 배경에는 군비경쟁을 지속하고는 파산상태에 빠진 소련 체제를 더 이상 지탱하기 어렵다는 인식에서 비롯되었다. 그는 서방과의 긴장완화와 상호 군비감축으로 어려운 경제문제를 해결하려 했다.

고르바초프는 군비경쟁을 통한 일방적 안보의 추구보다는 호혜적 안보를 지향하였다. '호혜적 안보'는 자국의 안보를 증진하기 위해 상대의 안보를 해치는 것이 불가피하다는 절대안보 논리를 부정하고 , 자국의 안보는 상대국의 안보를 인정함으로써 보장받아 서로에게 이익이 되도록 해야 한다는 것이다.

공동안보의 구체적인 조치들은 일방적이거나 전략무기 감축회담 과 같

62) 온만금(2005),pp..241-242.
63) 황진환, 「한국의 안보와 군비통제」(서울 : 봉명, 1997),pp.33-34. 육군사관학교, 「국가안보론」(서울 :박영사,2005),p.241. 재인용

은 쌍무적 협상을 통해 방어형 군사태세로 전환하고, 합리적 충분성에 근거한 군사력 수준을 유지하도록 방어위주의 군사교리를 정립하였다. [64]

2.3 공동안보의 성과와 한계

공동안보의 성과로는 미국과 소련의 군사전략개념을 변화시킴으로써 상호 핵전력을 감축할 수 있었고, 유럽에서의 재래식 군사력의 감축을 가능케 함으로써 안보 딜레마와 국방딜레마를 해소할 수 있었다.

그러나 공동안보의 한계로는 적대국과의 공동안보를 위한 상호협조체제 구축이 매우 어려울 뿐 아니라 안보에 대한 안이한 인식을 줌으로써 군사력 건설 및 유지의 중요성을 간과할 우려가 있다는 것이다.

공동안보의 가장 큰 문제점으로는 관련 국가 간 신뢰형성이 중요한 관건인데 불성실한 협의의 이행으로 군축활동이 고착상태에 머물게 된 것이다.

국제 간의 불성실한 협의이행의 대표적인 예는 1991년 남·북한 간에 체결된「한반도 비핵화 공동선언」이다.「한반도 비핵화 공동선언」은 한반도를 비핵화 함으로써 핵전쟁의 위험을 제거하여 한반도의 평화를 정착하고 평화통일에 유리한 조건과 환경을 조성하며, 아시아는 물론 세계의 평화와 안전에 이바지하자는 취지에서 남북한이 공동 채택한 선언이다. 한국에서 미군의 전술핵무기 철수 등 비핵화계획 실행에도 불구하고 북한은 은밀하게 핵무기를 개발하였고, 1993년에 국제원자력기구(IAEA)의 특별 핵사찰을 문제 삼아 NPT[65]를 탈퇴하고 한반도에서의 핵 위기를 고조시켜왔으며, 결국 2006년에 1차 핵 실험을 감행함으로서 '한반도 비핵화 공동선언'을 휴지로 만들어 버리고 말았다.

64) 온만금(2005),pp. 240-242.
65) 핵확산금지조약 (Nuclear nonproliferation treaty) 비핵보유국이 새로 핵무기를 보유하는 것과 보유국이 비보유국에 대하여 핵무기를 양여하는 것을 금지하는 조약.

제 3 절 협력안보

3.1 협력안보의 배경

제2차 세계대전이 끝나자 세계대전과 같은 인류의 참화를 예방하고 항구적인 세계평화를 유지하기 위한 강력하고도 영속적인 국제기구의 필요성이 제기되었으며, 이를 공감한 연합국들이 중심이 되어 국제연합을 창설하였다. 그러나 냉전체제 구축으로 안보리 상임이사국들은 잦은 거부권행사를 하게 되었으며, 이로 인해 국제연합은 국제분쟁 해결에 한계를 드러냈다.

그러나 탈냉전 이후 강대국들 간에 공조체제가 형성될 가능성이 커지고 국가 간에 연관된 쟁점들이 표출됨에 따라 국제기구의 역할을 확대하자는 인식이 확산되면서 협력안보 개념이 주목받게 되었다.

협력안보는 국제레짐(International regime)의 이론에 근거를 두고 있다. 국제레짐이란 국제기구, 다자간 협약 및 조약, 제도, 협의체 등과 같은 방식의 제반 쟁점영역에서 국제 간에 형성된 느슨한 연결체를 총칭한다. 국제레짐에 대하여 여러 가지의 주장과 평가가 있지만, 현실주의자들은 국제레짐이 독립적 영향을 수행하지 않더라도 매개적 영향력을 수행할 수 있을 것이라고 예상하며, 이상주의자들은 국제레짐이 변화된 현실 속에서 새로운 문제해결 방식으로 정착될 수 있다고 기대한다.

협력안보가 관심을 보이는 현실적인 배경은 국내외적인 환경변화와 함께 새로운 안보위협요소가 등장함으로써 안보개념이 확대되고 재정의 되어가고 있기 때문이다. 오늘날 정보화시대에는 국가 간의 국경개념이 점차 사라져감에 따라 정치, 경제, 환경적 상호 의존관계가 심화되는 추세이다.

이러한 상황에서 전통적인 군사적 위협 외에 환경오염, 자원고갈, 생태계 파괴 등이 국가 간의 갈등요인이 되면서 범세계적인 관심사로 등장하였다.

이와 같은 문제들은 개별 국가의 능력이나 역할범위를 벗어나기 때문에 불가피하게 국제기구나 국가 간의 협력을 통해 문제를 해결해 나갈 수밖에 없다. 협력안보는 이러한 시대적 요구에 부응하기 위해 정립된 개념이다.[66)]

---

66) 온만금,(2005),pp.243-244.

3.2 협력안보의 개념

집단안보가 침략행위에 대해 무력을 사용하는 대응개념인데 반해, 협력안보는 관련국들 간에 정치·군사적 신뢰를 다져 분쟁을 사전에 예방하는 예방외교적 성격이 강하다. 협력안보는 냉전시대 양대 세력 간 분쟁을 방지하기 위해 강조되었던 억지나 봉쇄보다는 상호안심을 추구하는 것이며, 양자 간 군사동맹에 의해 유지되었던 기존의 세력균형체제를 보완하거나 장기적으로는 이를 대체하고자 하는 개념이다.

즉, 협력안보란 국가 간의 대립관계를 청산하고 협력적관계의 설정을 추구함으로서 상호 양립 가능한 안보목적을 달성하고자 하는 것을 뜻하며, 기본적으로 ① 복합적 상호의존 ② 안보쟁점의 다양화, 다층화현상 ③ 전 지구적 안보쟁점의 등장 ④ 개별국가의 관리능력 부족을 기본인식으로 삼고 있다.

협력안보는 전통적인 군사적 위협뿐만 아니라 비군사적 안보위협 요인도 포괄적으로 다룬다는 의미에서 포괄적 안보와도 유사성이 있다. 또한 상대국의 군사체제를 인정하고 상대국의 안보이익과 동기를 존중하면서 상호공존을 추구한다는 면에서는 공동안보와도 유사하다.[67]

우선 협력안보와 공동안보를 비교해 보면 먼저 공통점은 상대국의 존재를 인정하고 그들의 안보이익과 동기를 존중하고 상호 공존을 모색하는 것이며, 차이점은 포괄적이고 상호의존적 상황 하에서 안보쟁점을 관리하며, 해결을 위해 보다 적극적으로 방안을 모색한다는 것이다.

협력안보의 주요 특징은 다음과 같다.

첫째, 협력안보는 예방외교활동을 중요시 하는 경향이 있다. 오늘날의 전쟁은 막대한 전비가 소요됨으로써 전쟁을 통해서 얻는 이익은 크지 않는 반면 비용은 매우 크다. 따라서 불필요하거나 우발적인 전쟁을 예방하기위해 군사적인 투명성을 제고하고 신뢰구축을 추구하는 것이 매우 중요하다. 1975년 체결된 '유럽 안보회의'는 미·소간 예방외교활동의 결과이다.

둘째, 협력안보는 쌍무 간 안보외교 보다 다자간 안보외교에 초점을

67) 한용섭, "평화와 군사안보" ,하영선(편), 「21세기 평화학」(서울 :풀빛,2002),p.219.

맞추고 있다. 다자간 안보협력은 비군사적인 분야인 경제, 환경, 자원, 기술 등의 영역에서 양자 간의 외교로는 해결하기 어려운 쟁점들을 해결하기 위한 주요 개념으로 자리 잡게 되었다.

셋째, 협력안보는 국가 간 협력 장치를 제도화하려는 노력을 내포하며 이를 위해 관련국 전체의 공동 관심사를 이끌어내어 협력하는 방안을 모색하고 있다.

넷째, 협력의 절차를 중시하며 대화 채널의 구축과 대화의 습관화를 제도화한다.

다섯째, 안보 레짐을 구축하는 것으로 안보쟁점 관련국 행동을 조정하고 관리, 통제하는 기준 마련을 모색한다.

여섯째, 협력안보는 '제로섬 게임'보다 '최소최대전략'에 입각한 행동준칙을 강조한다. '최소최대전략'이란 자신의 이익을 최소화 하면서 상대의 손실을 적게 하는 협조정신에 의한 게임전략이다.

일곱째, 안보쟁점에 대한 포괄적 이해로서 군사쟁점 외에 경제, 환경, 인구, 기술 등 다양한 쟁점을 포괄한다.

여덟째, 많은 관련국의 이해와 관심을 유도하는 것으로서 많은 쟁점을 다루어 많은 국가가 참여하고 대화하도록 유도한다.[68]

3.3 협력안보의 주요 메커니즘

3.3.1 유럽안전보장협력회의 (CSCE: Conference on Security and Cooperation in Europe)

1975년 7월 30일 핀란드 헬싱키에서 개최된 유럽지역 안보협력회의로 약칭은 CSCE이다. 유럽안보협력정상회의 또는 헬싱키 정상회의라고도 하며 유럽 33개국과 미국, 캐나다 등 총 35개국이 참가하였다.

동유럽의 사회주의국가들이 붕괴한 후 1995년 1월 1일부터 유럽안보협력기구(OSCE:Organization for Security and Cooperation in Europe)로 개칭하여 유럽에서의 민주주의 증진, 군비통제, 인권보호, 긴장완화,

68) 온만금(2005),pp.243-248.

분쟁방지등의 활동을 하고 있다.

1954년 3월 소련이 최초로 유럽집단안보 체결을 제창한 이후 1966년 7월 바르샤바조약기구 7개국 정상회의에서 북대서양조약기구(NATO)와 바르샤바조약기구(WTO)의 동시 해체를 위해 전 유럽전체회의 개최를 제안했다. 한편 1970년 11월 핀란드는 유럽 전 국가들과 미국·캐나다에 대해 유럽안보협력회의 개최를 위한 대사급 준비회의를 제안했다

1973년 9월 제네바에서 대사급 회의가 있은 뒤 1975년 7월 30일 헬싱키에서 포드 미국 대통령과 브레주네프 소련 공산당서기장 등 동서유럽 35개국 정상들이 참석한 가운데 CSCE가 개막되었다.

8월 1일 참가국들은 ① 현재의 국경선 존중 및 국가 간에 규정한 기본관계를 10개 원칙으로 한 유럽의 안전보장 ② 경제·과학·기술·환경 분야의 협력 ③ 조인국들의 안전과 기본적 자유보장 및 그 밖의 분야 협력 ④ 회의결과 검토조처 등 4개 의제로 구성된 '유럽안보 기초와 국가 간 관계원칙에 관한 일반선언'에 서명하였다. 이로써 제2차 세계대전 뒤 30년간 계속된 유럽 냉전은 국경의 긴장완화와 함께 동서화해가 이루어지기 시작했다.

1990년 7월 NATO 정상회의 개최에 이어, 1990년 11월에 34개 CSCE 회원국이 참가한 파리정상회의가 열렸다. 이 회의에서는 "유럽에서 대립과 분단의 시대는 끝났다"로 시작되는 파리헌장을 채택하였다.

1994년 12월 정상회의에서 CSCE의 기구화 필요성을 인식하고, 1995년 1월에 유럽안보협력기구(OSCE)로 명칭을 변경해 상설기구로 만들었으며, 현재 회원국은 56개국이다.

3.3.2 아세안지역포럼 (ARF : ASEAN Regional Forum)

아세안지역 안보포럼은 아시아-태평양지역의 유일한 정부 다자간 안전보장 협의체로 ASEAN이 중심이 되어 정치. 안보문제에 대한 아시아·태평양지역 국가 간 대화를 통해 상호신뢰와 이해를 제고함으로써 아·태지역의 평화와 안정을 추구하는 기구이다.

ARF 참가국은 아세안 10개국을 포함하여 아세안 대화상대국, 기타 국

등을 포함한 총 27개국이다. (2009년 7월 현재)

포럼 사무국을 별도로 운영하고 있지 않으며, 매년마다 외무장관회의와 고위관리회의를 개최하고 신뢰구축, 재난구조, 평화유지, 수색 및 구조분야에서 협력방안을 논의하기 위해 '회기 간 회의'와 핵 비확산, 예방외교에 대한 세미나를 개최하고 있다.

아·태 지역 국가는 종교, 언어, 정치제도, 경제발전 등 제 분야에 다양한 차이가 있는 나라들로 구성되어 있기 때문에, 이들 국가들이 한자리에 모여 정치·경제 협력방안을 논의하는 것이 쉽지 않았으나, 1989년에 아·태 경제협력체(APEC)의 창설로 역내국가 간 경제협력이 본 궤도에 진입하였다. 이어 1994년에 아세안지역 안보포럼(ARF)의 출범으로 아·태지역 역내국가 간 정치·안보분야에서 협력방안을 논의하게 되었다.

아세안지역안보포럼은 1992년 1월 싱가포르에서 개최된 제4차 아세안 정상회의에서 아세안 확대 외무장관회의의 틀을 활용하여 아세안과 역외 국가들 간 정치·안보 대화를 증진키로 합의하였고, 1993년 7월 싱가포르에서 개최된 18개국 외무장관회의에서 아·태지역 정치 및 안보협력문제에 대한 협의체를 개최키로 합의함에 따라 1994년 태국에서 역사적인 출범을 하였다.

ARF 회원국 외무장관들이 합의한 ARF의 구체적인 발전방향은 먼저 ARF를 참가국간 신뢰구축 증진, 예방외교 발전, 분쟁해결 모색 등 3단계 추진방식에 따라 점차적으로 발전시켜 나가되 이중 신뢰구축조치와 예방외교가 중복되는 부문은 중첩적으로 병행해서 추진하는 것이다.

ARF는 북한 핵문제, 남중국해 문제 등 지역안보정세와 화학무기금지, 핵군축, 대인지뢰 등 아·태지역 내 군축문제를 논의하고 있다. ARF 외무장관회의 후 차기회의까지의 기간 동안 신뢰구축, 평화유지, 수색 및 구조, 재난구조에 대한 회기 간 회의와 예방외교, 비확산 분야에 대한 세미나를 개최하여 구체적인 협력방안을 논의하고 있다. 특히 신뢰구축에 관한 회기 간 회의에서는 아·태지역 국가 간의 신뢰증진을 위하여 고위인사 교류, 사관학교 및 참모학교 간 교류, 유엔 재래식무기이전등록제도 참여, 자국 국방정책에 대한 백서 발간 등을 장려하고 있다.

제 4 절 포괄적 안보

4.1 포괄적 안보의 개념

포괄적 안보의 개념은 냉전이 종식되고 난 1990년대 중반이후, 개별 인간의 인권, 자유와 평화 같은 인류의 보편적 가치가 국가주권 못지않게 보호되어야 할 중요한 안보적 가치로 인식하는 인간안보 논리와 함께 본격적으로 등장하였다.

냉전이 종식되면서 기존 국가 간의 대규모 군사력을 동원한 침략전쟁과 같은 전통적 안보위협은 상대적으로 줄어든 반면, 범세계적인 조직범죄나 마약, 환경파괴와 같은 초국가적 위협이 안보의 핵심주제로 부상하였다. 그리고 도시화로 인한 인구집중 및 산업화로 인한 과학기술의 발달로 재난발생시 피해규모가 엄청나게 커지고, 쓰나미와 같은 자연재해 발생 시에는 전쟁 못지않게 대량의 인명피해를 유발시키고 있다. 2001년 미국에서 발생한 9·11테러는 일시에 도시 한가운데에서 3천여 명의 목숨을 앗아간 대참사로서, 불특정 다수에 대한 무차별적인 테러가 새로운 안보의 위협으로 등장케 하였다.

포괄적 안보는 선동적인 안보개념에 추가하여 테러, 재해·재난, 환경파괴, 새로운 전염병 등으로 부터 인류의 보편적 가치를 수호하고 인간의 안전한 삶을 보호하려는 국가와 국민의 총체적 안위를 지키려는 안보개념이다. 국가안보의 영역이 전통적 안보위기 영역, 재난위기(자연재해, 인적재난) 영역, 국가 핵심기반위기 영역, 국민생활안전위기 영역을 포함하는 포괄적 안보(comprehensive security) 개념이 정착돼 가고 있는 것이다.

이러한 포괄적 안보 개념은 협력안보와 유사한 개념으로서 일본과 아세안 국가연합에서 최초 사용된 용어이며[69], 동아시아 국가에서 광범위하게 활용되고 있다. 아세안 국가연합에서의 포괄적 안보 개념은 '안보

---

69) 포괄적안보 개념을 최초로 사용한 국가는 일본임, 1980년 일본 총리실에서 발간한 총합적(포괄적) 안보보고서에서 경제, 외교, 정치 등 다양한 분야에서의 균형된 안보정책을 총합적(포괄적) 안보라고 지칭하였으며 전통적 안보에 추가하여 식량 및 에너지 확보, 지진 극복책까지 포함.

는 경제적 협력과 지역적 노력, 그리고 평화적 수단을 통해 국가 간의 문제를 해결하려는 공약을 통하여 상호의존성과 신뢰를 증진시킬 수 있으며, 이를 통해 국가들은 궁극적으로 안보를 증진시킬 수 있다'라고 본다.[70]

그러나 이 용어는 국가별로 다소 상이하게 사용되고 있으며, 우리나라에 사용하고 있는 포괄적 안보의 개념은 국내외로부터 기인하는 각종 위협으로부터 국가가 보유하고 추구하는 제 가치를 보전하는 것이라고 정의할 수 있으며, 이는 전통적인 정치・군사위주의 안보개념에 비정치적・비군사적 분야까지 포함하는 것을 의미한다.

4.2 비군사 안보기구

안보의 의미와 개념이 확대됨으로서 위협에 대처하는 수단과 방법도 달라지고 정부에서 운용되어 오던 안보체제도 재정비되고 있다. 미국에서는 9・11 테러 이후 테러 및 대형 재해・재난 등으로부터 미본토의 방어를 위해 2003년 국토안보부를 창설하였으며, 러시아는 비상사태부를, 캐나다도 공공안전 비상대비부라는 비군사적 위협에 대비하기위한 기구를 만들었다.

미국의 국토안보부는 2003년 3월, 9・11 테러참사 이후 연방재난관리청(FEMA), 세관, 이민국, 운수안전국, 비밀경호국, 해안경비대 등 100개 이상의 정부기관으로 분산되어 있던 국토인진보장 기능을 통합하여 창설한 기관이다.

이 기구는 테러방지, 피해의 최소화와 복구 등을 주요임무로 하며, 국경경비와 교통기관의 안전 확보, 긴급사태에 대한 준비와 대응, 화학・생물학무기 공격과 핵 테러 대책, 정보 분석, 사회 인프라 보호 등 4가지 분야를 담당한다. 이 기구에 종사하는 인원은 약 17만 명으로 미국정부에서 가장 큰 기관이다.

러시아는 1986년 체르노빌 원자력발전소 방사능누출사고 이후 연방차원에서 비상사태 발생 시 효과적으로 대응하기 위한기구를 창설하였다.

70) 한용섭(2002),p.222.

체르노빌 원자력발전소 사고는 1986년 4월 26일, 우크라이나 공화국 수도인 키예프 북방에 위치한 체르노빌 원자력발전소에서 일어난 20세기 최대·최악의 대형사고이다.

수차례에 걸친 폭발로 원자로 구조물 상부가 무너지면서 31명이 죽고, 그 뒤 사망자가 계속 늘어 5년 동안 7,000여 명이 사망하였고 70여 만 명이 치료를 받았다. 이 사고로 방출된 방사능은 유럽 전역에 확산되었을 뿐 아니라 더 먼 곳까지 영향을 미쳤다.

미증유의 재난을 경험한 러시아는 1990년 '러시아 구조대'를 창설하여 긴급구조업무를 수행하는 체계를 갖추었고, 1994년에는 비상사태부(EMERCOM)로 승격하여 민방위업무와 위기사태 및 재난구조 활동을 통합관리토록 하였다. 비상사태부는 자체 병력만 약 4만 명에 이르며 정부기구로서는 국방부 다음으로 큰 기관이다. 기타 영국, 일본, 유럽의 대부분 국가들도 이러한 비군사적인 안보기구를 창설 또는 발전시키고 있으며 우리나라는 행정안전부에서 비상대비업무를 관장하고 있다.

제 2 부

국가안보의 방법론

제 4 장 세력균형과 집단안보

제 1 절 세력균형 (Balance of Power)

1.1 세력균형의 개념

세력균형은 국가 간에 힘의 균형을 이루려는 국제정치상 원리 또는 정책의 하나이다. 통일된 권력이 존재하지 않는 국제사회에서 여러 주권국가가 병존하고, 각 나라가 저마다 국익을 추구하는 과정에서 어느 특정 국가가 우월적 주도권을 잡는 것을 막아 서로 공격할 수 없는 상황을 조성함으로서 국제사회의 평화와 안정을 유지토록 하는 것을 말한다.

세력균형체제 아래에서는 각국이 자기나라 안전을 확보하기 위해 군사력을 증강하거나, 감축하거나, 또는 자유롭게 동맹관계를 맺을 수 있다. 세력균형이라는 용어는 나폴레옹 전쟁 말기부터 제1차 세계대전까지 유럽 국가체제에서 나타난 권력관계를 설명하기 위해서 사용되었다.

세력균형의 역사는 고대까지 거슬러 올라가지만 국제정치이론으로 등장한 것은 근세초기 이후이다. 베스트팔렌조약[71] 후 유럽 국제사회 성립

71) 베스트팔렌조약은 삼십년전쟁(1618~48)을 종결시킨 조약이다. 1648년에 30년 전쟁 후 체결된 평화조약으로 신성로마제국을 붕괴시키고, 주권 국가들의 공동체인 근대 유럽의 정치구조가 나타나는 계기가 되었다. 이 조약의 결과 황제와 교황의 권력은 약화되었으며, 국가 간의 세력 균형으로 질서를 유지하는 새로운 체제를 가져왔다.

에서 제1차 세계대전 전까지 세력균형은 국가주권에 대한 개념, 국제법 원칙과 함께 유럽 안정의 원리로서 기능을 발휘하였다.

그러나 균형조정자였넌 영국이 헨리 8세 이후 '영광스러운 고독'을 버리고 19세기 말에는 독일과 군비경쟁에 뛰어들어 제1차 세계대전 발발을 촉진하였다. 제1차 세계대전 이후 세력균형에 대한 비판이 높아지고 집단안전보장 이론이 등장했으나 국제연맹의 실패가 보여주듯이 세력균형에 대체될 만한 것은 없었다.

세력균형을 창출하는 방법은 여러 가지가 있다. 각국이 자국의 판단에 따라 세력을 증강하여 대립국과의 균형을 유지하는 방법이 있고, 몇몇 국가가 군사동맹을 체결함으로써 세력균형을 유지하는 경우도 있다. 때에 따라서는 수개의 국가가 협력하여 군비축소를 실현함으로써 세력균형을 도모하는 경우도 있다.

세력균형은 원래 국가 간의 평화를 도모하는 것보다는 자국안전과 국가이익 추구에 중점을 두기 때문에, 국제정세의 변화에 따라 그 내용이 계속 변화한다. 예를 들면, 중국은 1949년 정부 수립 후 소련과 동맹을 체결하여 미국과 대립하였으나, 이념논쟁·국경분쟁 등으로 소련과의 관계가 악화되자 바로 미국에 접근하여 국교를 수립하고 소련을 견제하고 나섰다. 이에 대응하여 소련은 동맹관계에 있는 몽골과 인도와의 유대를 강화하고 베트남과도 동맹을 체결하여 중국포위의 태세를 취하게 되었다.

국가 산의 평화를 유지하는 명목의 세력균형이론이 퇴색한 것은 세력균형이 전쟁부재를 보장하지는 않는다는 점이다. 평화유지에 중요한 것은 무력 사용을 자재하는 정치지도자의 판단과 의지에 달려 있으며, 이러한 판단에 문제가 생기는 것은 국력을 정확히 측정하기 어렵기 때문이다.

어떤 상태가 세력균형이 이루어진 것인지를 알 수 없기 때문에 국가는 자국의 힘을 증진시키기 위해서 군비증강이라는 딜레마에 빠지게 되며, 이런 이유로 세력균형이 군비경쟁을 촉진시켜 전쟁의 가능성을 증대시키는 역할마저 하게 되는 것이다.

1.2 세력균형의 의미

세력균형은 여러 가지 의미를 가지고 있으며 대표적인 것은 다음과 같다.

첫째, 권력의 분배로서의 세력균형으로 권력을 분산한다는 의미를 갖는다. 권력의 분산이란 ① 권력의 분포상태가 평형을 유지 ② 기존의 권력의 현상유지 ③ 권력이 동등하게 분산되어 있는 상황을 의미한다.[72]

둘째, 정책으로서의 세력균형이다. 1848년 영국의 외무장관 Lord Palmerston이 "영원한 우군도 적도 없다"라고 한 말은 오늘날의 국제정치에도 변함없이 적용되고 있다. 세력균형의 논리는 균형자의 위치에 있는 국가가 통상 약하게 보이는 쪽을 합류하여 세력 간의 평형을 유지한다. 그러나 강해 보이는 쪽에 합류하여 승자의 수익을 나누려하는 반대의 경우도 발생하며, 이를 시류에 편승한다는 뜻으로 bandwagon 이라고 한다. 정책으로서의 세력균형 획득방법은 동맹국을 얻는 방법, 영토를 확장하는 방법, 적국의 동맹국을 분리하여 적국의 힘을 약화시키는 방법, 적을 제 3의 적과 대립시켜 힘을 분산시키는 이이제이(以夷制夷) 방법들이 있다.

셋째, 체제로서의 세력균형이다. 19세기 초의 유럽과 같은 다국적 세력균형체제, 그 다음 등장하는 느슨한 협조체제, 제1차 세계대전 이전의 '3국동맹'과 '3국협상체제', 제2차 세계대전 이후 등장한 미소 양극체제 등이 대표적이다.

1.3 세력균형의 유형

국제정치 현실에서 세력균형은 여러 가지의 형태로 상정해 볼 수 있다. 2개의 세력이 비등한 힘을 가지고 대치하는 단순한 균형 상태로부터 시작하여, 많은 군소 국가들이 몇몇의 강대국에 합류되어 이합집산 하는 복합적 힘의 균형에 이르기까지 몇 가지 유형이 있다. 여기서 대표적인 프레드릭 하아트만[73] 의 분류를 소개한다.

---

72) Ernst B. Hass, "The Balance of Power: Prescription, Concept or Propaganda?" World Politics, V.(July, 1953), pp.442-477.

1.3.1 제1형: 균형자형 균형 (Balancer form of b/p)

이 유형은 대립되는 두 개의 세력에 제3의 세력인 균형자가 개입하여 힘의 균형을 파괴하려는 행위자에 반대하여 약자와 합세함으로서 균형 체제를 유지시키려는 형태이다. 세력균형 방법은 A, B, C 3국의 세력이 A+C>B, B+C>A가 되도록 함으로써 C가 세력균형자로서 힘의 배분을 조정한다는 것이다.

1.3.2 제2형: 복합균형 (Complex form of b/p: Bismarckian form)

이 유형은 비스마르크형이라고도 하며, 타국들의 상반되는 이해관계를 교묘히 이용함으로써 신축성 있는 복합동맹 체제를 구축하고, 이 동맹체제를 이용하여 가상침략국이나 경쟁국을 고립시켜 견제시키는 것이다. 이 같은 유형은 비스마르크가 프랑스를 대상으로 벌였던 2-3중의 동맹체제가 그 원형이며, A국이 B, C, D와 동맹을 맺고 또 다른 E, F, G와 동맹을 맺은 후 A+B+C+D와 A+E+F+G사이에 균형을 유지해 나가는 정책이다. 1970년대 초 미국의 닉슨외교의 기본구조가 바로 이 유형이다.

1.3.3 제3형: 뮤니히형 (Munich-Era form)이다.

1933년 독일은 히틀러가 이끄는 나치스가 집권한 후 세계군축회의 및 국제연맹을 탈퇴하였다. 1934년에는 폴란드와 불가침조약 체결하고, 1936년 로카르노 조약 파기, 1937년 일·독·이의 3국 협정체결, 1938년 오스트리아 병합, 1938년 체코강압 등 세력을 확대해나갔으나 영·불·독이 뮌헨협정을 체결하여 슈데텐을 할양함으로서 유화정책의 극치를 보였다. 1939년 독·폴 불가침조약을 파기, 영·독 해군협정 파기, 독·소 불가침조약 체결 후 제2차 세계대전을 개시하였다.

뮤니히형은 히틀러의 대두를 막지 못했던 영·불 등의 유럽제국들의 협동실패를 상징하여 붙인 이름이며, 이것은 복합균형의 정반대되는 개념으

---

73) Frederick H. Hartmann, The Relation of Nations, (3rd ed, New York: Macmillan Company, 1967), pp.316-327.

로서 영국수상 체임벌린의 유화정책 결과로 생긴 유형이다. 이 유형의 특징은 예상피해국들의 협조실패로 비교적 약한 잠정 도전국들의 활동 견제하지 못함으로써 그 도전국이 타국과 동맹을 맺어 예상피해국을 공격하는 것이다.[74)]

1.3.4 제4형: 빌헤름 형

이 유형은 제1차 세계대전 당시와 제2차 세계대전 이후의 국제정치상황에서 도출된 모델이다. 이 형태의 국제체제는 크게 양대 블록으로 대립하고 상호규제 및 억제함으로써 체제유지를 하는 유형이다. 이 유형의 특징은 균형자역할을 할 수 있는 균형자가 결여되었다는 점이다.

1.4 세력균형의 목적과 기능

앞에서 보았듯이 세력균형정책은 강대국들 간의 상호 분쟁을 최소화하고, 세계 도처에서 성취한 기득이익을 수호하고 유지하는데 적절한 원리를 제공한다고 볼 수 있다. 볼링브로크, 겐츠 등의 학자는 세력균형이론은 국제안정을 위해 몇 가지 기능을 수행한다고 다음과 같이 주장하였다.

첫째, 어느 특정한 국가가 일방적으로 보편적 주도권을 장악하지 못하도록 저지한다. 둘째, 현 국제정치체제의 필수적인 국가들의 존립과 체제 자체의 보존을 보장한다. 셋째, 국제체제에 있어서 국가 간에 발생할 수 있는 일반적인 분쟁을 예방함으로써 안정과 상호안전을 보장한다는 것이다.[75)]

즉, 세력균형의 기능은 잠재적인 침략국가로 하여금 그의 침략행위가 그것에 대항하는 동맹을 결성시킨다는 것을 예상하게 함으로써 침략행위를 보류하게 될 것이라는 것이다.

세력균형정책을 추진할 경우 통상 채택하는 정책대안을 보면 ① 전쟁 후 패전국의 영토를 분할하여 전승국에게 보상하고 ② 새로운 강대국 사이에 분계선과 완충지대의 설치 ③ 동맹의 형성 ④ 외국간섭 ⑤ 외교적 흥정 ⑥ 군비축소 및 경쟁 ⑦ 전쟁 등 을 들 수 있다.

74) 이혁섭,「한국 국제정치론」, (서울; 일신사,1987), pp133-137.
75) 이혁섭(1987).p.137.

제 2 절 집단안보

2.1 집단안보의 의미

집단안보란 타국과의 동맹이나 군비증강에 의존하지 않고 다수의 나라가 상호 협력하여 압도적인 힘을 바탕으로 어느 특정국가의 평화 파괴행위 또는 무력의 사용을 방지함으로써 국제적인 안정과 평화를 보장하고 궁극적으로는 개별국의 안전을 확보하려는 국제적 안전보장 방식이다.

집단안보는 유엔과 같은 국제기구에서 수행하는 안보방식으로서, 유엔은 그 헌장에서 '전쟁의 참화로부터 미래의 인류를 구하고, 국제평화와 안보를 위해 단결된 힘을 발휘하여 공동의 목적 이외에 군사력을 사용하지 않으며, 경제적·사회적 발전을 촉진시키기 위해 국제기구를 사용한다'라고 규정하고 있다.

유엔이 추구하는 집단안보란 '국제체제 내에서 어느 한 국가가 다른 국가로부터 공격을 당할 때, 공격자 이외의 다른 모든 국가들이 피공격 국가를 구하기 위해 집단적 대응을 취할 것이라고 가정하는 안보체제'를 뜻하고 있듯이 침략국에 대한 집단응징을 함으로써 전쟁을 방지하는 안보개념이다.[76]

집단안보는 국제기구의 전 가맹국이 상호불가침을 약속하고, 어느 한 가맹국이 약속을 깨고 침략행위를 감행할 경우 모든 가맹국이 침략행위를 저지하기위해 협력한다는 것을 기본인식으로 하고 있다.

집단안보의 가능조건으로는 ① '평화의 불가분성'즉, 세계 어느 곳에서 발생한 전쟁이나 분쟁도 그 지역에 한정된 것만 아니라 자국과 관련된 것이라는 관념과 태도가 확산될 것 ② 어떠한 국가의 평화교란 행위에 대해서도 전 세계가 보유하고 있는 자원이 총동원된다는 사실이 인식될 것 ③ 평화애호 다국적군의 힘이 침략자의 힘보다 월등히 강할 것 ④ 평화의 교란 또는 파괴행위에 대해 모든 국가 간의 정의와 견해가 일치될 것 ⑤ 각국이 집단안보를 위해 자국의 자원을 기꺼이 제공할 용의가 있을 것 등이다.

---

76) 한용섭, "평화와 군사안보" 하영선(편) 「21세기 평화학」(서울 : 풀빛,2002),p.200.

집단안보는 전쟁을 불법화하고 전체를 위한 개별적 희생을 전제로 한 이상적인 안보개념이라 할 수 있다.

용어는 유사하지만 집단방위는 집단안보와 개념이 다르다. 유엔 헌장 51조에 규정되어 있는 집단적 자위는 집단안보와는 구별되는 개념이다. 유엔 창설과정에서 많은 국가들은 집단안보개념에 의한 안보유지 가능성에 의구심을 품게 되었고, 이들의 불안을 해소하기위해 기존의 국가생존권 개념에 입각한 집단적 자위권 규정을 유엔 헌장에 명문화하였다.

유엔 헌장의 집단적 자위 조항은 지역적 수준의 집단안보를 의미한다고 하고 있으나 기존에 체결된 국가 간의 군사적인 동맹의 지속을 정당화시키는 조항으로도 해석하고 있다. NATO나 한미상호방위조약 등 현재 개별 국가 간에 체결된 집단방위조약은 그 근거를 유엔 헌장 51조의 집단적 자위규정에 두고 있으며, 집단안보와는 달리 공동의 적을 가상하여 체결된다는 점에서 군사동맹의 성격을 내포하고 있다.

2.2 국제연맹 (League of Nations)

집단안보의 대표적인 국제기구는 국제연맹과 국제연합이다. 독일의 18세기 계몽주의 철학자 칸트는 그의 저서「영구평화론」에서 "평화를 유지하기위한 자유국가들의 연맹에 모든 국가들이 참여해야한다"고 강조하였다. 그는 "이 연맹에 참여하는 국가들은 평화를 요구하는 시민들의 저항에 의해 국가지도자들이 쉽사리 전쟁을 일으키지 못하게 되고 따라서 세계는 평화를 유지하게 된다"라고 하였다.

제1차 세계대전이 끝나고 미국 대통령 윌슨은 "세계가 또다시 전쟁의 참화에 휩싸이지 않기 위해서는 범세계적인 집단안보기구가 필요하다"는 생각을 하고 집단안보를 구상하였다. 그는 세력균형의 불안정성을 지양하고, 도덕적인 평화보장체제로서 집단안보를 제시하였다. 그리고 단순한 협정만으로는 평화보장이 곤란하기 때문에 어떤 동맹체보다 더 큰 힘을 창출하기 위해서는 인류의 조직된 힘에 의해 보장되는 평화가 필요하다고 주장하였다.

국제연맹은 1920년 1월 미국 대통령 윌슨의 주창 아래 국제평화유지를 주목적으로 창설되었다. 이미 19세기부터 경제·사회·문화면에서의 국제협력은 되어 있었으나 국제연맹은 이것들도 그 임무에 포함시켰다. 규약의 부속서에는 원 가맹국으로써, 강화조약 서명국 32개국과 피초청국 13개국을 합쳐 45개국이 기재되었으나, 실제로는 42개국이 참가하고, 기타 국가들은 총회에서 2/3의 다수결로써 가맹이 인정되었다.

국제연맹 규약 제16조에는 분쟁의 사법적 해결이나 연맹이사회의 중재에 의탁하지 않고 전쟁을 하는 경우, 이 행위를 전 회원국에 대한 전쟁으로 간주하여 무역, 재정적 거래, 국민 간의 교류 등을 일체 금지토록 하고 있다.

그러나 이러한 윌슨 대통령의 제안에 의해 마련된 국제연맹에 정작 미국은 상원의 반대에 봉착하여 결국 회원국이 되지 못했다. 미 상원의 반대 이유는 다른 나라가 결정한 전쟁에 미국이 자동개입하는 것을 문제 삼았기 때문이다.

국제연맹의 주요활동으로 1920년대에는 '그리스-불가리아 분쟁'해결에 성공하였고 국제협력 면에서도 성과를 거두었다. 또 1928년의 국제분쟁 평화적 처리 일반의정서의 채택, 침략전쟁의 불용 등 국제연맹의 안전보장강화를 위한 노력이 국제연맹 내외에서 취해졌다. 그러나 1930년대에 접어들면서 강대국 간의 대립이 격화됨에 따라 국제연맹의 평화유지기능은 점차 마비되어갔다. 1932년에 열린 군축 본회의는 실패로 끝나고, 1931년 만주사변의 처리와 1935년 이탈리아가 에티오피아를 침공 시 이탈리아에 대한 경제제재에도 실패하였다. 1939년에는 일본·독일·이탈리아가 각기 국제연맹 탈퇴를 신인하였고, 소련이 핀란드 침공 시에도 소련을 국제연맹에서 제명시키는 조치만 취했을 뿐이었다.

이와 같이 국제연맹은 점차 약체화되고 유명무실한 존재가 됨으로서 1946년 4월 18일의 총회에서 해산을 결의하였다. 국제연맹의 사업은 국제연합으로 계승되었다.

2.3 국제연합 (UN: United nations)

국제연합은 제2차 세계대전 직후에 국제평화와 안전유지를 주된 목적으로 설립된 국제적인 평화기구이며 현재 세계 주권국가 대부분이 회원국이다.

국제연합이라는 명칭은 미국 대통령 프랭클린 루스벨트가 고안한 것이며, 제2차 세계대전 중 26개국 대표가 모여 추축국에 대항하여 계속 싸울 것을 결의하였던 1942년의 '연합국 선언'에서 처음 사용하였다.

유엔의 조직체로서의 성질은 지금까지 가장 발전된 일반적이고도 포괄적인 국제기구임과 동시에 여러 주권국가의 집합체이기도 하다. 유엔의 각 가맹국의 권리는 안전보장이사회의 상임이사국제도를 예외로 하고 모두 평등하다.

국제연합의 성립은 최초 1943년 10월, 모스크바에서 열린 미 · 영 · 소 3국 외상회의에서 정식으로 거론되었다. 그 결과, 이 3개국에 중국을 더한 4개국이 '국제평화와 안전의 유지를 위해 모든 평화애호국의 주권평등 원칙에 따른 세계적 국제기구의 설립이 필요하다'는 취지의 '모스크바 공동성명'을 발표하고, 신 기구 설립에 대한 연합국 입장을 밝혔다. 1944년, 미국의 '덤버튼 오크스 제안'이 나왔는데 이것이 '국제기구 설립에 관한 제안'이며, 오늘날 유엔 헌장의 원안이 되었다.

1945년 2월, 미 · 영 · 소 3개국 수뇌가 모인 얄타회담에서, 안전보장이사회의 표결방법과 신탁통치제도 등의 미결사항에 대한 합의가 이루어졌다. 같은 해 4월, 50개국의 대표가 모인 연합국 전체회의가 샌프란시스코에서 열렸으며 2개월에 걸친 심의를 거쳐, 덤버튼 오크스 제안을 수정 · 추가하여 헌장초안이 완성되었다. 이 초안은 동년 6월 26일, 50개 참가국이 서명하였고, 10월 24일에 국제연합이 정식으로 발족하게 되었다. 발족 시 가맹한 나라를 원 가맹국이라고 하며, 총 51개국이다.[77]

유엔의 가장 큰 특징은 구(舊)연합국 중시사상이다. 원 가맹국 중에서도 5대국은 안전보장이사회 상임이사국으로서의 특권(거부권)이 부여되었다.

국제연합 기구 중 가장 중요한 기구는 안전보장이사회이다. 안전보장이사회는 국제평화와 안전유지에 대하여 주요한 책임을 지고 있다. 주요 임무는 평화를 파괴할 우려가 있는 분쟁 또는 사태를 평화적으로 처리하며, 평화에 대한 위협, 평화의 파괴 또는 침략행위 등에 대한 중지·권고 또는 강제조치를 결정한다. 이에 관련된 군비 규제계획의 작성, 국제사법재판소의 판결사

77) 야후, 통합검색 (검색일:2009.12.17)

항 이행, 지역적 분쟁에 대한 지역적 처리 장려, 지역적 강제행동의 허가, 전략지구의 감독 등을 한다. 또한 유엔총회와 공동으로 가맹승인・제명・권리정지 및 사무총장의 임명 등을 관장한다.

안전보장이사회는 5개 상임이사국과 10개 비상임이사국 등 15개국으로 구성된다. 상임이사국은 미국・중국・프랑스・러시아・영국 등 5개국이며, 비상임이사국은 유엔총회에서 해마다 반수를 선출하는데, 임기는 2년이며 재선을 허용하지 않는다.

국제연합 헌장 규정, 41조, 42조에는 안전보장이사회가 평화의 파괴 또는 침략행위 존재를 결정하며, 동 이사회의 요청에 의거하여 병력, 원조 및 편익제공 협정을 체결하여 일정수준의 병력을 활용토록 하고 있다. 이러한 규정은 주로 약소국이 평화를 교란할 때에 작동된다.

2.4 평화유지활동 (Peace Keeping Operation)

2.4.1 유엔평화유지활동의 정의

유엔평화유지활동이란 국제연합이 분쟁당사국의 동의를 얻어 평화유지군이나 감시단을 현지에 파견하여 휴전 및 정전 감시와 치안유지 임무를 행하는 것을 말한다. 평화유지군이나 감시단은 분쟁지역의 상황을 관찰하여 정보를 제공하고, 무력충돌의 발생을 방지하며, 정전 및 휴전 협정의 준수여부를 감시하기위한 활동을 수행한다.[78)]

평화유지활동은 관계당사국들의 동의 혹은 요청을 전제로 하여 중립・공정한 입장을 취하는 것이 특색이라고 할 수 있다.

제2차 세계대전 이후 동서 냉전 때문에 국제연합헌장에 규정된 집단안전보장체제는 제 기능을 발휘하지 못했다. 그러나 1988년 유엔평화유지군이 노벨평화상을 받은 것을 계기로 하여 국제연합은 세계 각지에서 활발한 평화유지활동을 펼치고 있다.

78) 안충준, 「인도·파키스탄 지역 PKO에 관한 연구」(경기대 석사학위논문,1998),p.10.

2.4.2 PKO의 등장배경

PKO의 탄생은 각국의 분쟁을 평화적으로 해결하여 지구상에 항구적인 평화체제를 정착시켜야 되겠다는 인류의 공동선에서 출발하였으며, 제1차 세계대전 종료 후 파리강화회의에 의해 창설된 국제연맹이 국제성을 띤 분쟁해결의 효시라고 볼 수 있다.[79]

그러나 국제연맹은 국제적인 노력을 통해 평화와 안전을 도모한다는 목적을 두고 창설되어 평화구축을 위해 많은 노력이 경주되어 왔으나 국제평화유지에 효율적인 기능을 발휘하지 못하고 유명무실한 국제기구로 전락됨으로써 제2차 세계대전을 초래하게 되었다.

제2차 세계대전을 치루면서 당시 연합국을 중심으로 전 세계의 평화와 안전을 실질적으로 보장하기 위한 보다 강력하고 영속적인 국제기구의 필요성이 제기됨으로써 새로운 국제기구인 국제연합(UN)이 탄생하여 세계분쟁의 평화적 해결을 적극적으로 주도하게 되었다.

국제연합 탄생과 함께 1945년 샌프란시스코 강화회의에서 기초되어 동년 10월 24일 정식 발효된 국제연합헌장(총 19장 111개조)은 지구상에서 다시는 전쟁이 발생해서는 안 된다는 신념하에 국제평화 및 안전의 유지가 국제연합의 기본 목적임을 헌장 제1장 제1조에 우선적으로 명시하고, 헌장 제6장에 분쟁의 평화적 해결과 제7장에 평화에 대한 위협 평화의 파괴 및 침략행위에 관한 국제연합의 집단적 조치를 규정하였다.

그러나 제2차 세계대전 이후에도 새로운 분쟁이 속출하였으며, 특히 탈식민지화 과정에서 분쟁이 매우 심각하였으나, 국제연합헌장 제6장의 평화적 해결방법은 실제적인 구속력이 결여되어 분쟁 해결이 사실상 불가능하였고, 국제연합헌장 제7장 평화위협에 대한 강제조치는 안보리 상임이사국들의 거부권(Veto)행사로 무기력하게 됨으로써 새로운 형태의 분쟁해결 방법이 모색되었다.

이에 따라 헌장 제6장보다는 강하고 헌장 제7장보다는 약한 형태를 취함으로써 평화유지를 위한 구체적 실행 수단을 확보하면서 안보리 상임이

79) 온만금,(서2005),p.257.

사국의 거부권을 방지하다는 상황인식에 따라 PKO가 탄생하였다.

"PKO에 대한 국제연합헌장상의 근거는 6.5장이다"[80] 라고 말한 제4대 사무총장 함마슐트(D. Hammarskjöld)의 표현은 PKO의 탄생 배경을 가장 함축적으로 시사해 주고 있다. PKO는 군사적 충돌의 억제 및 평화적 수단에 의한 해결을 위해 사용된 일련의 특별 메커니즘에서 발전되었다.

2.4.3 평화유지활동의 개념

국제연합헌장에서 언급하고 있는 평화유지의 개념은 국제연합이 국제평화와 안전을 위해 펼치고 있는 예방외교, 평화조성, 평화유지, 평화강제, 평화재건 등의 다섯 가지 개념을 포함하고 있다.

첫째, 예방외교는 분쟁이 발발하기 전 외교적 수단에 의해 해결하는 활동을 말하며 단기적인 목적으로 예방적 차원의 군대 사전배치까지 시도하고 있다.

둘째, 평화조성은 교섭, 중재, 협상 등에 의해 분쟁을 해결하는 것으로 분쟁의 근원을 제거하는 데 중점을 둔다.

셋째, 평화유지는 무력충돌로 심화된 지역분쟁을 평화적 수단으로 수습하는 수단으로서, 평화조성노력을 측면에서 지원하는 수단이다.

넷째, 평화강제는 강제력을 동원하여 분쟁을 해결하는 기능으로서, 강제력의 발동은 국제적으로 합의된 해결책 내지는 행동양식을 따라야 하는데 평화강제부대는 반드시 중립적일 필요는 없다.

다섯째. 평화재건은 PKO활동을 통해 분쟁이 종결된 지역에 대하여 평화가 완전히 정착될 수 있도록 국제사회의 유·무형 지원을 계속하는 것으로 경제적·인도적 지원이 주종을 이룬다.[81]

2.4.4 평화유지활동의 원칙과 유형

초기의 평화유지활동은 누구에게도 해가 되지 않으면서도 모두들의 선의의 목표를 정하여 선의의 방식으로 수행해야만 하였다.

80) 박현모,「국제정치학」(서울: 인간사랑,2000), p.175.
81) 온만금,(2005), pp.258-259.

국제연합은 1948년부터 분쟁에 개입하여 평화유지활동을 수행하면서 다음과 같은 다섯 가지의 원칙을 세우게 되었다.[82]

첫째, 동의성의 원칙으로서 분쟁당사자의 동의에 의해서만 분쟁지역에서의 평화유지활동을 한다.

둘째, 중립성의 원칙으로서 분쟁당사국의 일방에 치우침이 없이 객관성과 공정성을 유지해야 한다.

셋째, 비강제성의 원칙으로서 분쟁당사국의 의사에 반하여 해결책을 강요하는 것이 아니다,

넷째, 국제성의 원칙으로서 국제사회의 집단의지가 조화롭게 반영되고 유엔이 주도하는 활동이라는 성격을 유지하는 것이다.

다섯째, 자발적 참여의 원칙으로서 참여 국가는 자발적인 결정에 의하여 참여하는 것으로 재정분담, 위험분담을 기본정신으로 한다.

또한 평화유지활동 유형은 임무에 따라서 감시단, 평화유지군, 혼성PKO로 구분한다.

감시단은 통상 비무장 장교로 구성되며, 정전협정이행상태를 감독하고 분쟁당사자들의 분쟁중재에 중점을 두며 감시소를 운영한다. 감시활동은 통상 감시소를 운용하게 되며, 각각 다른 국가의 장교 수명이 1개 조로 편성된다.

평화유지군은 유엔 회원국에 의해 편성되어 유엔의 지휘 하에 PKO 활동을 실시하는 무장 부대이다. 무장 정도는 통상 방어용 무기로 경무장하되 자위행위를 제외하고는 무력사용은 허가되지 않는다. 평화유지군의 구성은 평화유지작전을 직접 수행하는 전투부대와 전투근무지원부대로 구성된다. 정전협정 준수여부, 분쟁당사자간에 합의된 부대의 재배치, 철수, 무장해제감시, 완충지대순찰 등을 실시한다.

혼성 PKO는 군사작전이외 민간부분 활동이 포함된 것으로서 재건활동, 구호활동, 선거지원 등의 활동을 한다.

냉전종식이후 발발하는 분쟁은 국가 간 분쟁보다 내전상황이 주종을 이루고, 내전을 겪는 국가는 무력충돌 외에 경제의 마비, 기아, 대규모 인

82) 안충준,(1998), pp.18-19.

권침해, 국가체제의 붕괴 등의 어려움에 봉착하게 되기 때문이었다. 이러한 임무의 성공적 수행에는 민간 전문요원의 역할이 핵심적이기 때문에 군감시단, 평화유지군과 더불어 민간기구가 참여하는 혼성 PKO로 임무를 수행하는 경우가 많다.[83]

2.4.5 PKO구분

유엔 평화유지활동과 관련된 작전환경 및 군사적 노력의 수준을 평가해 볼 때 대략 두개의 큰 범주로 분류된다.

1) 전통적 평화유지활동

전통적 평화유지활동은 분쟁당사자들의 동의와 협조 하에, 정전협정 체결, 분쟁 당사자들의 평화유지군 배치에 동의 등의 필수조건이 충족될 경우, 주로 비무장 옵서버 또는 경무장 평화유지군을 쌍방의 중간 지대에 배치하였다.

전통적 PKO의 목표는 모든 유엔 활동 가운데 가장 제한적인 것으로서, 그 활동은 대체로 정치적 합의 이후의 상황에 대하여 단지 보고하는 것에 국한되었다. 이러한 일반적 목표 속에서 전통적 PKO에 부여되는 구체적인 군사적 임무는 국경 또는 비무장 지대 감시, 정전협정 또는 전반적 휴전협정 이행여부 감시, 병력철수 감독이다. 따라서 전통적 PKO의 주요 군사목표는 분명히 식별되고, 대체로 선형으로 설치되는 완충지대를 점령하는 것이다. 전통적 평화유지군은 단지 자위의 목적에 한해서만 무력을 사용할 수 있는 권한을 부여받는다. 이들은 결코 분쟁당사자에게 강압적 조치를 취하기 위해 무력을 사용하지 않는다. 오늘날 이러한 전통적 PKO를 '제 6장 활동'이라고 지칭하기도 한다.

2) 복합적 평화유지활동

복합적 평화유지활동은 일반적으로 국제연합헌장 제7장에 따라 승인된다. 이는 다 기능적 임무로서, 군사적 요소를 포함하여 인도주의적 구

83) 한국 안보문제연구소, 「PKO활동연구」(서울: 한국안보문제 연구소.2009),pp.31-32.

호를 위한 민간인 및 비정부조직 활동지원, 선거준비 및 보호, 정부기능 감독, 대규모 전투원의 무장 및 동원 해제, 안전지역 보호, 정부조직 및 제도 복원 등이다.

복합적 PKO에서 평화유지군은 분쟁 당사자들의 동의하에 활동하는 경우에도 완충지대 감독보다 더욱 복합적인 군사적 임무를 부여받는다. 대부분 전통적 PKO 임무에서는 군대가 주둔국의 동의에 따라 식별이 용이한 선형적 완충지대에 배치되는 반면, 복합적 PKO의 경우에는 불안정한 국내 갈등으로 인하여 활동 환경이 매우 적대적이고 복잡하다. 복합적 PKO의 임무환경은 사실상 전쟁상태이거나 일시적 소강상태인 경우가 대부분이다.[84]

84) 한국안보문제연구소,(2009),pp.31-32.

제 5 장
자력방위와 중립

제 1 절 자력방위

1.1 자력방위의 의미

세계역사를 보면 모든 국가는 스스로 방위할 능력을 갖추었을 때 존재하였다가 방위할 능력이 없으면 강대국에 병합되거나 역사에서 소멸되었다. 스스로 방위할 능력과 의지가 없는 국가는 존재가치를 상실하는 것이다. 따라서 국가는 생성될 때부터 자주방위태세를 갖추는 것이 최우선 과제였고 스스로의 힘이 약할 때는 타 국가와 연합을 형성하거나 동맹을 통해 적국의 침략을 억제해 왔다.

자력방위(Self-defense)는 자주국방과 유사한 뜻으로 '다른 나라의 보호 또는 간섭을 받지 않고 자기 힘으로 국가안보를 책임진다'는 의미를 가지고 있다. 다만 자력방위가 학술적 용어라면 자주국방은 정치적 용어라고 할 수 있다. 자력방위의 순수한 사전적 의미는 '스스로의 힘으로 적의 침략으로부터 나라를 지킴'으로 정의되어 있으나, 잘 알려진 바와 같이 현대적 의미의 자력방위는 한 국가가 배타성을 갖거나 폐쇄적인 형태로 국방태세를 추구하는 것을 뜻하지는 않는다. 즉, 지구촌의 모든 국가가 상호연계성과 의존성을 갖게 된 상황에서 순수한 자력으로 국방을 한다는 것은 무모한 일이라 할 수 있고 국가의 예산 측면에서도 불가능한 일이라고 할 수 있다.

국가 간의 역학관계가 복잡한 오늘날의 국제환경에서는 침공해 오리라 예상되는 적성국이 단일국가에 한정되지 않기 때문에, 한 국가가 우방의 협력이나 원조 없이 순수한 자기 힘만으로 국가를 방위하는 데 필요한 모든 문제를 해결해 나가기란 거의 불가능하게 되었다. 이와 같은 이유로 국제사회에서는 여러 성격의 집단안전보장체제가 출현하고 있으며, 오늘날의 자력방위라는 개념은 집단안전보장체제를 전제로 하고 있다.

그러나 집단안전보장체제하에서도 자국과 우방국과의 국가이익이 일치되는 경우란 거의 없는 것이므로, 자국의 국력과 국방력의 뒷받침이 없을 때에는 자주적인 국방정책결정과 군사력을 운영을 할 수 없게 되는 경우가 발생하게 된다.

그러므로 자력방위란 자국의 군사력을 골간으로 하고, 우방의 군사력은 보완수단으로 활용할 수 있도록 적정 수준의 군비를 갖춤으로써 국가방위의 독립성을 유지하는 것이라 할 수 있다.

따라서 군사력, 무기체계, 경제력, 국민의 정신무장 등을 포함한 국력 전체가 적국의 침공으로부터 자국을 보위할 수 있는 수준에 도달되었을 때, 비로소 자주국방을 달성할 수 있게 된다.

현실적으로 세계 각국은 대처해야할 위협의 형태나 크기에 따라, 때로는 부족한 군사 잠재능력을 보완하기 위하여 타국과 군사동맹을 맺기도 하고, 또한 긴장의 강도가 높을 경우에는 자국에 외국군을 주둔하게 함으로써 전쟁의 억제를 위한 세력 균형을 추구하기도 한다.

1.2 자력방위의 선택

어느 국가가 자력방위나 군사동맹 중 택일하여 정책을 추진하는 것이 용이할 것 같으나 현실적으로는 그리 간단한 문제가 아니다. 국력이 약한 나라는 가급적 군사동맹에 의존하여 적은 국방비의 부담으로 국가의 안전을 도모하며, 국력증가에 따라 자력방위 역량을 점차 높여가는 정책을 채택한다. 국력이 강한 나라도 막대한 군사비 부담을 줄이기 위해 군사동맹을 선호한다. 미국과 같이 세계 제일의 군사비를 지출하는 나라도 전략적 가치가 높은 국가들과 군사동맹을 체결하고 있을 뿐 아니라, 어떤 지역에서 전쟁을 수행할 때 다국적군을 결성하여 전쟁에 임함으로서 전쟁비용도 줄이고 국제여론을 유리한 방향으로 유도하는 것이다.

그러나 동맹에 가담하지 않고 자력방위를 선택하는 나라도 있다. 이러한 것은 세 가지의 유형이 있는데, 첫째는 강력한 두 동맹 세력의 경계선상에 위치하고 있는 경우, 국가의 안전을 도모하기 위해 중립국임을 표방하는 유형이다. 둘째는 비동맹 국가들의 경우와 같이 동서 간의 중립을 하나의 공통된 정책으로 채택하고 있는 유형이며, 셋째는 동맹을 원하고 있으나 현실적인 어려움으로 동맹에 가입을 하지 못하고 있는 경우이다

우리나라는 미국과 상호방위조약을 체결하여 굳건한 동맹 체제를 유지하고 있지만, 정치적으로 자주국방의 목소리를 높이는 것은 우리의 힘만으로 국방을 하자는 것이라기보다는 우리군 스스로의 역량을 강화하여 대미의존도를 줄이자는 뜻이다.[85]

제 2 절 중립

2.1 중립의 개념

중립(Neutrality)이란 분쟁이나 대립에 대해 제3자가 공평한 입장을 유지하는 것을 뜻한다.

국제법상 용어로는 전쟁에 참가하지 않은 제3국이 교전국에 대해 가지는 지위를 말한다. 중립은 전쟁 때 특수하게 관계 지워지는 것으로, 단순하게 무 관계적이고 몰 교섭적인 지위는 아니다.[86]

중립국이란 앞에서와 같은 중립국으로서의 법적지위를 갖는 나라를 말하며 정치적 독립과 영토적 통합이 강대국들의 집단적 협정에 의해서 보

85) 서춘식, "자력방위론" 육군사관학교(편), 「국가안보론」 (서울; 박영사, 2005), p.89.
86) 야후, 백과사전(검색일:2010.1.3)

장된다. 중립국은 자위를 위한 경우를 제외하고는 어느 국가에 대해서도 무력행사를 거부하고, 중립국의 지위를 손상시킬 위험이 있는 어떠한 조약상의 의무도 거부해야 한다.

중립주의(neutralism)는 중립적 입장을 취해 나가려는 외교정책으로서 전·평시를 막론하고 어느 국가와도 군사적 · 외교적 관계를 맺지 않는 정책이다. 또한 '전시중립'이나 '영세중립'과는 달리 국제법상으로 확인된 개념은 아니다. 따라서 국제법상의 권리 · 의무의 발생이나 국가 간의 합의에 의한 법적 보증을 수반하지 않는다. 또한 중립이 전쟁의 구체적인 발생을 전제하는 데 비하여 중립주의는 평시에 채택되는 외교정책으로 볼 수도 있다.

중립주의 외교정책을 실질적으로 보다 완전한 형태로 보장받기 위한 중립화는 수개의 강대국들에 의하여 지배권 경쟁지역이나 그 지역에 위치한 약소국에 적용되는 국제적 세력관리 방안을 말한다. 중립화된 국가는 자위를 위한 경우 외에는 무력을 사용하지 말아야 하며, 자국의 중립국 지위에 손상을 가져올 위험이 있는 어떠한 동맹이나 국제협정에도 참여하지 않아야 한다.

중립주의의 결점은 약소국 간의 관계를 설명하기 어렵다는 점과 중립국이 자위를 구실로 무력을 증강시키는 점 등이다. 제2차 세계대전 후, 냉전체제에서 제3세계 국가들이 자국의 이익을 극대화하기 위해 선택했던 외교정책상의 입장을 중립주의라고 하기도 하였다. 우리나라에서도 지정학적인 여건으로 인하여 조선 말기 이후 중립화 논의가 있었으나 구체적인 실현과는 먼 토론 수준에 머물렀다.[87]

2.2 중립의 역사

로마 이전 시대에는 중립이라는 관념이 없었고 적이 아니면 친구일 뿐이었다. 중세시대에는 봉건영주 간의 전쟁이 많았으나 대부분 한정된 범위 내에서 일어났으므로 다른 봉건영주들은 이에 관여하지 않았다. 그러나 중세 말기에 이르러 지중해 상인층 사이에서 중립관념이 생겨나 중립자유를

87) 야후, 백과사전 (검색일:2009.11.20)

기축으로 삼는 관습법이 형성되었다.

16세기가 되면서 상업이 비약적으로 발전하고 상업자본이 국가권력의 중요한 요소가 되자 마침내 복수의 주권국가를 구성요소로 하는 유럽 국제체제[88]가 성립하여 중립제도가 형성되는 조건이 주어졌다. 이 시점부터 중립상업의 자유와 그 전제조건으로서의 제3국의 공평성, 즉 중립성이 이루어지기 시작하였으며, 중립제도는 18세기에 일반화되고 19세기에 들어서 굳건하게 확립되었다.

중립이 형성되는 과정에서 정치적으로 큰 의미가 있는 것은 무장중립과 미국의 중립, 스칸디나비아의 여러 나라와 스위스의 중립이라고 할 수 있다.

중립제도가 국제관계에서 폭넓게 채용된 계기는 나폴레옹전쟁이었다. 유럽의 대부분 국가가 연루된 나폴레옹전쟁의 전후 처리과정에서 스위스는 영세중립국이 되었다. 1815년의 스위스 중립화는 이후 중립제도의 전형으로서 모든 중립화 사례에 채용하는 준거가 되었다.[89]

무장중립은 미국 독립전쟁과 나폴레옹전쟁시에 러시아의 제창으로 이루어졌다. 이때 유럽의 여러 나라가 협력하여 중립상업 자유에 대한 5원칙을 세웠고, 원칙을 지키기 위해 해군력까지 동원함으로서 소기의 성과를 거두었다. 이처럼 군사력을 배경으로 했기 때문에 무장중립이라 하고 있다.

한편 미국은 1793~1815년 사이에 중립법을 3번 제정하여 유럽의 전쟁에 대한 중립을 유지하였는데, 이는 중립제도 확립에 커다란 영향을 주었다.

또한 나폴레옹전쟁을 통해 유럽의 작은 국가들이 공평과 회피를 원리로 삼는 중립에 대한 개념을 명확하게 정립함으로서 스칸디나비아 국가들의 전통적 중립정책과 스위스의 영세 중립정책을 시행할 수 있었다.[90]

2.3 중립법규의 제도화

19세기 후반부터 20세기 초에 걸쳐 중립에 대한 국제법이 연달아 제정

88) 16세기 이후 근대 유럽에 존재했던 국가 간 힘의 균형체제
89) 서춘식(2005),p.93.
90) 야후, 백과사전 (검색일:2009.12.17)

되었다. 크림전쟁[91] 뒤에 열린 1856년 파리평화회의는 해상 중립법규에 대한 파리선언을 채택하였다. 1899년과 1907년의 헤이그 평화회의에서 육·해전시의 중립국 의무를 상세하게 조약에 포함시켰다.

중립국은 쌍방 교전국에 대해 공평한 태도를 취해야 하고 전쟁을 회피해야 하는 동시에 다음과 같은 중립국 의무를 가지게 되었다.

첫째, 중립국은 자국 영역이 교전국의 전쟁수행에 이용되는 것을 방지해야 한다는 방지의 의무, 둘째, 중립국은 교전국에 대해 병력·무기·차관 등을 공급해서는 안 된다는 회피의 의무, 셋째, 중립국 국민은 교전국 영역 사이에서 통상활동을 할 수 있지만 전시금제품을 공급하거나 봉쇄된 수역을 통과할 때, 그리고 적국에게 군사적으로 원조하는 중립국 선박에 한해 교전국이 이를 포획 또는 몰수하는 권리행사를 용인해야 한다는 관용·묵인의 의무가 있다.

그런데 20세기에 들어 중립법규가 성문화된 지 얼마 되지 않아 심각한 동요를 맞게 되었다. 제1·2차 세계대전 때 끝까지 중립을 유지한 나라는 극히 소수였다. 중립국에서는 세계대전에 참전하기 전의 미국처럼 교전국 한쪽을 공공연히 원조하는 나라가 있었고 교전국에서도 중립국 권리를 무시하는 경우가 종종 있었다. 한편 국제연맹규약·부전조약[92]·국제연합헌장 등에 따라 전쟁의 위법화가 지적되고 집단안전보장 관념이 정착됨으로서 중립제도의 동요현상이 나타났다.

중립법규에는 침략국과 피 침략국 사이에서 공평한 지위를 유지해야 한다는 규정이 있지만 국제연합규약 등에는 침략국에 대한 공동제재와 피 침략국에 대한 원조가 요청되고 있기 때문이다.

따라서 현재는 중립법규의 기능이 상당히 한정되어 버렸다는 사실은 부정할 수 없으며 실제로 최근에 타당하게 적용된 경우가 거의 없다.[93]

---

91) 1853~1856년 러시아와 오스만 터키·영국·프랑스·프로이센·사르데냐 연합군 사이에 일어난 전쟁.
92) 1928년 8월 27일 프랑스 파리에서 영국 ·미국 ·프랑스 등 15개국에 의하여 체결된 전쟁포기에 관한 조약. 국가정책의 수단으로서의 전쟁을 포기, 분쟁해결을 위한 전쟁이 불법임을 선언, 일체의 분쟁 및 사태의 해결은 평화적 수단에 의해서만 해결할 것을 규정.
93) 야후, 백과사전 (검색일:2008.1.19)

2.4 중립국 방위의 특징

중립국들은 중립국의 지위를 부여받은 국가라고 할지라도 독자적으로 자국을 방위하는 능력을 갖추어야 한다고 주장하고 있다. 따라서 중립국들도 만일의 사태에 대비하여 능력범위 내에서 억제의 실효성을 실현할 수 있는 전략을 구사하고 있다.

중립국들은 억제의 실효성을 높이고 가상 적국으로부터 선제공격의 여지를 없애기 위해 전시에 동원할 수 있는 예비군이나 시민군 제도를 잘 발전시키고 있다.

그리고 자국이 공격을 받을 때에는 적에게 군사적인 패배를 안겨주는 것보다 '적국 스스로 포기하기' 및 '괴롭히기' 등의 군사전략을 수립해놓고 있다.[94]

2.5 중립국 방위 사례

2.5.1 핀란드

유럽 중립국인 핀란드는 국가안보에 있어서 군사적 동맹을 맺지 않고 자주국방을 유지하는 것을 기본목표로 하고 있다.

지정학적의 위치가 서방진영의 NATO 국가들과 공산진영의 WTO 국가들의 가운데 위치하고 있음으로서 만일의 경우 전쟁발발 시에는 서방진영에서 발사하는 미사일이 자국의 영토를 통과하여 소련으로 날아갈 것이며, 이를 대비하여 사전에 소련이 핀란드를 침공하여 점령할 가능성이 있는 것으로 예측하였다.

이러한 양대 진영의 전쟁 시나리오에 입각하여 핀란드는 중립을 선언하고, 서방국가의 미사일이 자국의 영공을 통과하는 것을 불허한다는 것을 소련에 약속하였다. 또한 만일의 경우 소련의 공격에 대비하여 게릴라전술을 통해 적 부대를 지연시키고 괴롭히는 군사정책을 추진하였다.

소련과 동유럽 공산국가들의 붕괴이후에도 NATO에 가입하지 않고 있고

94) 서춘식(2005), pp.95-97.

있으며, EU 공동의 안보정책에도 다소 유보적인 입장을 견지하고 있다.

2.5.2 스웨덴

스웨덴은 발틱해 연안국가로서, 전쟁발발시 소련의 해상기동로를 확보하기위한 노력과 NATO가 이를 방해 혹은 차단하려는 노력이 충돌할 수 있는 지정학적 위치에 있다. 스웨덴은 중립정책을 통하여 강대국 간의 갈등에 연루되기를 회피하고 있으며, 만일 소련이 공격할 경우에 대비하여 총력방어 개념을 정립해 놓고 있다.

스웨덴은 나폴레옹전쟁 이후 150년 이상 국가 간 전쟁의 소용돌이에 빠지지 않았으며, 이는 중립정책을 견지한 덕분이다. 그러나 스웨덴의 중립 정책은 스위스나 오스트리아의 중립과는 달리 헌법이나 조약으로 의무화되어 있지 않기 때문에 원하기만 하면 언제든지 변경할 수 있다. 제1·2차 세계대전시 중립을 지킨 경험과 오랜 전통에 따라 매우 현실적이며 유연성을 갖는 중립정책을 고수하였다.

스웨덴은 중립국을 표방하면서도 독자적인 무기체계 개발에 노력을 아끼지 않았다. 제2차 세계대전과 이후 동서냉전 가운데에서도 튼튼하게 중립국의 위치를 지킬 수 있었던 것은 자주국방이 아니었다면 불가능한 것이었다.

21세기 접어들면서 스웨덴은 변화된 자주국방을 준비하고 있다. 이러한 변화는 1990년대에 들어서면서 변화된 국제안보환경과도 밀접한 연관을 갖고 있으며, 동유럽 공산주의국가들의 붕괴는 스웨덴의 전통적 중립에 대하여 재고하게 했다.

그리고 대부분의 유럽국가들이 EU에 가입하려고하는 유럽 내의 변화도 국내적으로 큰 압력이 되어 1999년 12월에 스웨덴은 그동안 유지되어 오던 군사독트린을 패기하고 새로운 군사독트린을 채택하게 되었다. 새로운 군사독트린의 뒷받침하는 국방정책 주안점은 적의 공격으로부터 스웨덴을 방어, 스웨덴이 위치한 북유럽에서의 힘의 우위 달성, 국제적인 평화유지활동의 참여, 재난 및 국가 비상사태 발생시 대처 능력 향상 등이다.

2.5.3 스위스

스위스는 강대국인 독일, 프랑스, 이탈리아 등 강대국에 둘러싸여 있으며, 영세중립국이지만 무장중립의 입장을 취하고 있기 때문에 '지키기 위한 군대'를 두고 있다. 평시에는 국경경비, 항공초계, 교육훈련에 필요한 극소수의 상비군을 보유하며, 유사시에는 동원에 의한 민방위군을 구성하여 임무를 수행하는 전·평시 총력방어 개념을 바탕으로 하고 있다.

총력방어 개념은 전시 국토방위 및 국민보호를 위해 평시 병력 및 물자를 관리하는 것으로 군사적 방위와 민간방위로 이루어진다.[95]

평시에는 해마다 약 30만 명이 군사훈련을 받고 있으며, 그 밖의 사람들은 생업에 종사한다. 그러나 군복 · 무기 · 탄약을 각자의 집에 상비하고, 언제든지 소집에 응할 수 있는 태세를 갖추고 있기 때문에 48시간 이내에 40만 명의 민병을 소집할 수가 있다.

제 3 절 비동맹국가의 자력방위

3.1 비동맹주의

비동맹국이란 제2차 세계대전 동서진영으로 양극화된 국제질서 속에서 "①상이한 사회체제간의 평화적인 공존 ② 민족독립운동의 지지 ③어떤 성격의 군사블록이나 조약에도 불참하고, 외국군대의 주둔 및 외국 군사기지 설치반대"의 입장을 외교의 기본노선으로 하는 국가를 뜻한다. 이 국가들의 평화공존, 반(反)식민지주의, 동서가 서로 대립하는 군사블록에의 불참을 기조로 하는 외교노선이 바로 비동맹주의다.

비동맹국은 주로 제3세계국가들로 구성되었는데, 여기서 제3세계국가라고 함은 정치적으로는 비동맹이고, 경제적으로는 개발도상국 내지 저개발국가들을 총칭한다. 제3세계에 속한 국가들 중에는 비동맹회의에 참가하고 있지 않는 국가도 있고 동서 양대진영 중 어느 한 진영에 속하는 국가도 있지만

95) 「세계동원의 역사」(국무총리 비상기획위원회,2004),p.833.

대부분 비서방·비공산·비동맹정책을 채택하였다.

비동맹주의는 인도수상인 네루의 외교이념에서 비롯되었다. 그는 인도 독립 이전인 1946년 '서로 대립하는 동맹그룹의 권력정치에서 벗어나, 독립된 사람들의 자유 원칙을 고수하고, 착취가 없는 국제협력을 위해 노력하는 것'을 외교방침으로 내세웠다. 이 이념은 1955년 반둥회의에도 커다란 영향을 주었다. 1961년 최초의 비동맹국가들의 정상회의가 유고슬라비아 베오그라드에서 개최됨에 따라 비동맹주의는 큰 세력을 형성하게 되었다.

그 후 1970년 제3차 비동맹회의에서는 동서분쟁의 문제보다는 남북문제를 토의하기 시작했으며, 1979년 제6차 비동맹회의에서 극빈국의 문제, 자원보유국과 자원빈국 사이의 갈등문제가 심각하게 논의되기도 했다.[96]

비동맹주의는 중립을 표방하고 있으나 기존의 전통적인 중립과는 많은 차이가 있다.

전통적인 중립국들은 전쟁이나 분쟁에 개입하지 않으려는 성향이 강한데 비해, 비동맹주의는 동서진영의 중간에서 자유로운 위치를 유지하면서 국제질서 속에서 한 목소리를 내며 엄연히 세력균형의 한 축을 형성하고 있는 것이다. 비동맹국가의 세력이 기염을 토하던 1960-70년대에는 유엔에서의 표 대결 시 그들은 상당한 영향력을 행사 하였다.

1975년 북한이 비동맹회의에 가입하고 한국이 가입에 실패한 후, 유엔총회에서 비동맹국들의 단합으로 친북적인 결의안을 통과시키기도 하였다.

즉 비동맹주의가 추구하는 중립은 어느 한 진영과 결탁을 맺지 않는다는 것이며 지역 내에서의 동맹이나 연합전신을 반대하는 것은 아니다. 예를 들면 이스라엘에 공동전선을 형성하는 아랍연맹이 대표적인 경우라고 할 수 있다.

냉전이 종식된 후 새로운 국제질서가 형성되면서 확실한 지도자와 구심점이 없는 비동맹주의는 서서히 힘을 잃어가고 있다.

21세기에 접어들면서 비동맹주의는 과거의 대결국면에서 벗어나 선진국들과의 빈부격차와 남남협력증진으로 방향을 전환하고 있다.

96) 서춘식 (2005), p.99.

3.2 비동맹국회의 (Conference of Non-Aligned Nations)

비동맹국회의는 비동맹주의를 내세우는 나라들의 국제회의를 말한다. 비동맹국의 국가원수나 그 대리자들이 참석 하며, 비동맹국들의 단결을 표시하고 그 이념과 요구를 토의해 선언함을 목적으로 한다. 비동맹국 정상회의, 중립국 회의라고도 하며 원칙적으로 3년에 1회씩 개최한다.

제1차 정상회의는 1961년 유고슬라비아 베오그라드에서 열려 국제긴장완화, 민족해방투쟁 지지, 식민지주의 타파 등을 제창하였다. 이 회의에서 비동맹 회원국 자격요건을 정식으로 채택했는데, 그 내용을 보면 ① 정부 사회체제가 다른 나라와의 공존, 비동맹 정책을 지지·실행하는 나라 ② 민족 독립운동을 지지하는 나라 ③ 강대국 분쟁과 관련하여 다자간 군사동맹을 맺고 있지 않은 나라 ④ 강대국 분쟁에 관련하여 쌍무 군사동맹이나 지역적 집단방위조약에 가입하지 않은 나라 ⑤ 강대국 분쟁과 관련하여 군사기지를 타국에 제공하지 않는 나라 등이다.

제2차 회의는 1964년 이집트 카이로에서 57개국이 참가해 '평화와 국제협력 강령'을 채택하고, 제3차 회의는 1970년 잠비아 루사카에서 54개국이 참가해 인도차이나에서 외국군 철수를 결의했다.

1970년대 접어들어 개발도상국의 권익을 주장하는 압력단체 성격을 띠었으나, 1980년대 이후에는 현실주의 성향이 강해지면서 반 서방 정치구호 대신 남남협력, 개발, 외채, 환경 등 경제문제에서 회원국 간 협력에 역점을 두었다. 특히 1990년대 들어 냉전체제 붕괴 이후에는 종래의 대결국면에서 벗어나 남남협력 강화와 남북 간의 새로운 협력관계를 모색하고 있다. 기구로는 정상회의, 외무장관회의, 조정위원회회의 등이 있다.[97]

3.3 비동맹 자력방위의 사례

대표적인 비동맹국가인 인도는 "안보는 힘에 의존해야하며, 힘은 능력에 의존한다"는 간디의 안보관을 바탕으로 군사력 강화에 매진하여 왔다. 이러한 안보관은 인도의 쓰라린 식민통치의 경험 때문일 것이다. 그들은 강

97) 야후, 백과사전,(검색일:2009.12.17)

대국의 핵우산을 불신하고 비동맹운동을 전개하면서 한편으로는 자체적인 핵무기 개발에 박차를 가하였다.

인도의 주변 안보상황은 독립 당시 파키스탄과의 분단 시부터 매우 불안하였으며, 특히 1962년 중국과의 국경분쟁과 1965년과 1971년 2차에 걸쳐 파키스탄과의 전쟁을 경험하였다. 더구나 1964년 중국의 핵무기 개발에 이어 심각한 적대관계에 있는 파키스탄이 핵실험을 단행하자 이에 충격을 받고, 자체 핵무기와 미사일 개발에 박차를 가하여 1974년 드디어 평화적 핵 이용 명분으로 핵실험을 단행하였다.

특이한 점은 당시 인도는 파키스탄이나 이스라엘과 달리, 외부의 어떤 국가나 단체의 지원도 없이 독자적으로 핵실험을 했다는 것이다. 인도는 핵무기를 개발하여 국제사회로부터 오랜 기간 동안 고립을 초래하였으나 1998년 5월 핵무기 보유를 천명하기 위한 핵실험을 단행하였다.

2006년 3월 2일 체결된 미-인도 핵 협정은 미국이 인도의 평화적 핵 활동을 지원한다는 약속과 함께 인도의 핵보유를 기정사실로 인정하는 파격적인 내용을 담고 있다. 이 협정이 가지는 국제정치적 함의는 다양하고 막중하다. 세계전략 차원에서는 미국이 인도를 지렛대로 삼아 중국과 러시아를 견제하는 이이제이(以夷制夷) 전략을 모색하고 있음을 알 수 있다. 하지만 '핵질서의 관리'측면에서는 인도를 핵보유국으로 인정함으로써 미국 스스로가 핵확산방지조약(NPT) 체제의 정당성을 훼손하는 자충수가 되었다.

인도의 입장에서 보면 이 협정은 인도 핵외교의 쾌거를 의미한다. 독립 초기 네루 수상은 훗날을 기약하면서 핵과학자들을 양성했고, 1964년 중국의 핵실험 직후 국민들의 핵무장 요구가 빗발쳤지만 인도는 '민간부분 발전을 통한 잠재력 배양'이라는 내실을 택했다. 하지만 1998년 핵실험과 함께 핵무장을 시작하면서 핵 강국을 향한 인도의 발걸음은 빨라지고 있다.

영국과 프랑스가 지상발사 및 공중발사 핵무기를 폐기하고 잠수함에 의존하는 추세인데 반해, 인도는 2003년에 핵무기를 총괄하는 전략군사령부를 창설하고 육지, 바다, 공중에서 핵 투사가 가능한 체제를 구축하고 있다. 미-인도 핵 협정은 인도에게 핵 강국으로 가는 대로를 활짝 열어주었다.

제 4 절 동맹 불가국의 자력방위

4.1 이스라엘

동맹을 선호하지만 동맹가입이나 체결이 어려워 불가피하게 자력방위에 의존하는 국가로는 이스라엘과 대만을 들 수 있다.

이스라엘은 독립전쟁 시 부터 지금까지 끊임없는 안보위협에 시달리고 있으며 지금도 팔레스타인 해방기구(PLO)를 비롯하여 주변의 아랍 국가들과의 전쟁 상황이 지속되고 있다. 이스라엘은 국가와 민족생존을 위하여 국가안보를 최우선적으로 강구하고 있으나 지정학적 위치와 국제정세 상 어떤 나라와도 공식적인 동맹을 맺지 못하고 있다. 서방국가들은 석유 수출국들이 집중되어 있는 중동국가들과의 이해관계로 이스라엘과의 동맹을 거부하여 왔다. 1954년 NATO 가입요구가 거부되고, 1970년 미국과의 방위조약도 거부당했다.

이스라엘은 국가의 거의 모든 역량을 안보에 집중하고 있으며 핵무기도 개발한 것으로 확인되고 있다. 이스라엘의 핵 프로그램은 1986년 영국 신문에 디모나 비밀 핵발전소의 존재를 폭로하면서 세상에 알려졌다. 이스라엘 정부는 공식적으로 핵무기 보유 여부에 관해 모호한 입장을 고수하고 있으나 핵무기확산금지조약(NPT)에 가입하지 않은 이스라엘이 150~200기의 핵탄두를 보유했다는 게 전문가들의 분석이다.

중동의 아랍 국가들은 이스라엘의 핵무기 보유가 중동지역 국가들의 핵개발을 유발하고 있다고 하며 이스라엘을 포함한 중동 전역의 비핵화를 주장하고 있다.

이스라엘은 핵무기를 해체하라는 주변국의 압력을 피할 목적으로 NCND[98]정책을 고수하는 것으로 분석되고 있다.

로버트 게이츠 미 국방장관은 2006년 12월 상원 인준 청문회에서 “이란은 동쪽으로는 파키스탄, 북쪽으로는 러시아, 서쪽으로는 이스라엘이라는 핵보유국에 둘러싸여 있다”고 말해 이스라엘의 핵무기 보유를 기정사실화했다.

---

98) NCND: neither confirm nor deny : 긍정도 부정도 하지 않는 것.

중동의 적대국가에 둘러싸인 이스라엘의 특징적인 전략은 '철저한 보복공격을 통해 아랍국가의 공격을 저지'하고 있다는 것이다. 보복공격의 목적은 아랍국가로 하여금 공격시 큰 희생을 치르게 하고, 아랍군은 이스라엘 보복공격을 결코 저지할 수 없다는 인식을 갖도록 함으로서 앞으로의 침공을 억제하려는데 있다.

또한 이스라엘은 인구와 자원의 열세를 극복하기위해 여성에게도 남성과 같이 국방의 의무를 부여하고 있으며, 신속성과 효율성이 가미된 국가동원제도를 발전시켜 단기간 내 국력을 최대로 발휘할 수 있는 준비를 갖추고 있다. 이스라엘의 동원체제는 민·군 동체의 시민군개념을 발전시켜 전역을 한 후에도 시민생활을 하는 현역, 귀가현역의 개념으로 동원체제를 확립하고 있다.[99]

4.2 대만

1949년 중국 본토에서 중화인민공화국이 성립함에 따라 장개석은 국민당 정부를 대만으로 옮기고 대륙수복의 기치 아래 경제발전을 통한 국력신장에 주력하였다. 정책적으로는 불접촉·불담판·불간섭의 3불 정책을 고수하면서 본토와의 대화에 응하지 않다가 1987년 7월 38년 만에 민간인의 중국거주 친척방문을 허용하는 등 교류확대를 시작하였다.

대만정부는 반공과 대륙수복을 국시로 삼아 대륙의 중국과 대립하여 왔으나 1990년대에 이르러 중국과의 대치에 따른 외교적 고립을 피하기 위해 중국을 인정하는 국가와도 공식외교관계 수립을 검토하였다.

대륙 중국정부와의 통일문제에 대하여는 중국이 1970년대 유엔가입과 대미수교 이후 1980년대에 들어서 홍콩문제 처리방식인 '1국 2체제'를 내놓은 것에 대하여 대만은 하나의 중국을 주장하여 왔다. 중국은 계속 대만의 개방을 촉구하였으나 대만은 3불원칙으로 맞서다가, 1991년에 3불정책을 폐기하고 대신 통우(通郵)·통상·통항의 3통정책 실시와 고위인사 상호방문 등을 내용으로 하는 획기적인 '국가통일강령'을 확정하였다.

99) 비상기획위원회(2004),p.829.

대만의 최대 안보문제는 중국과의 현안인 양안문제이다. 양안문제는 대만을 중국대륙으로 통일하고자 하는 중국의 입장과 대륙으로부터 독립하려는 대만 간의 대립문제라고 할 수 있다.

양안문제에 대한 미국의 입장과 전략을 간략히 표현하자면, 하나의 중국지지, 무력사용 반대, 현상유지, 전략적 모호성이라고 표현할 수 있을 것이다.

'전략적 모호성'이란 대륙과 대만에 전쟁이 발발할 경우, 미국이 대만을 지원할지 여부를 모호하게 유지함으로써 양측을 모두 견제해보겠다는 것이다. 이것은 대만이 미군의 개입을 전제로 독립을 선포하는 것을 막고, 대륙에 대해서는 미국의 개입가능성을 열어둠으로써 무력사용을 자제하도록 하는 효과를 동시에 보자는 것이다. 결국 미국은 통일도 독립도 아닌 현상유지를 바라고 있다고 볼 수 있다.

대만관계법은 미국이 중국과 1979년 수교하면서 대만과 맺고 있던 공동방위 조약을 폐기하고 이를 대체하기 위해 그 해 4월 제정, 발효된 미국의 국내법이다. 대만관계법은 대만의 합법적인 방위욕구 충족과 대만문제의 평화적 해결이라는 목적으로 제정되었으며, 대만 평화유지 및 이를 위한 미국의 방위물자 제공, 미국의 이익수호를 위한 대응력 유지 등을 그 내용으로 하고 있다.

이 법은 그 뒤 상호대표부 설치와 대만에 대한 무기판매, 고위관리교류 등의 토대가 됐으나, 중국은 이에 대해 '하나의 중국'원칙을 저버린 채 실질적으로 두 개의 중국을 용인한 이중적인 태도라며 비난해 왔다. 중국 측의 항의에 따라 1982년 발표된 양국 공동성명에서 미국은 대만에 대한 무기 판매량을 점차 줄여나가기로 합의했으나, 이후에도 미국은 대만에 대한 무기 판매를 지속해오고 있다.

대만은 양안문제 발생 시 중국이 대규모 침공은 해오지 않을 것으로 판단하고 있다. 그러나 중국이 제한된 범위나 기간 동안 군사작전을 감행할 가능성은 배제하지 않고 있다. 중국이 공격해 올 여러 가지 시나리오를 고려하여 대만은 전수방어정책을 펴고 있다. 그것은 군사작전은 물론 정치, 경제, 심리 및 기술발전 등 국방에 직간접적으로 기여하는 것을 모두 망라하고 있다. 전수방어는 평화를 수호하기 위해서는 군사력

건설과 더불어 외교, 무역, 시장경제, 자신감 등도 모두 중요하다고 하는 것이다. 대만은 대부분의 국가들이 중국과의 이해관계를 중시하고 있다는 사실을 알고 독자적으로 무기체계를 개발하고 생산하기 위한 노력도 아끼지 않고 있다.

제 6 장

군사동맹

제 1 절 군사동맹의 개념과 유형

1.1 군사동맹의 개념

동맹이란 두 개 이상의 국가들이 유사시 공동의 적에 대해 군사적으로 대응하기위해 상호군사지원을 하기로 조약을 맺은 국가 간의 결합을 말한다.

동맹국은 참가국 간의 안보달성과 세력균형, 전쟁승리, 패권안정, 편승과 같은 목표를 달성하기 위하여 노력한다.

동맹조약의 당사국은 동맹상의 원조사유가 규정하는 바에 따라서 공동행동을 취한다. 동맹은 일반 국제법상 국가의 개별적 안전을 보장하는 유력한 수단이다.

자조(自助)·자구(自救)의 원리가 지배하는 국제사회에서 국가는 상대적인 힘의 우위를 달성하기 위해 군비확장에 전념하고, 가상 적국(또는 가상 적대집단)에 대하여 우위균형을 유지하기 위하여 동맹정책을 추진해 왔다. 그러나 치열한 군비경쟁이나 적대시하는 동맹 간의 대치가 초래한 것은 두 번에 걸친 세계대전이었다. 따라서 군비의 자유, 동맹의 자유, 전쟁의 자유, 중립의 자유를 근간으로 하는 전통적인 안전보장 방식에 대한 근본적인 재검토가 필요했다.

세계대전을 겪고 난 다음 국제연맹과 국제연합 등의 집단안전보장기구가 전통적인 방식 대신으로 등장하였다. 집단적 안전보장은 국가집단의 입장에서 구성국의 개별적 안전을 통일적으로 보장하고, 국제평화와 안전을 유지하고자 하는 국제체제이다. 국제평화질서의 확립을 지향하는 집단보장체제는 전쟁을 제한하고 무력행사를 규제하며, 위법으로 되어 있는 전쟁 또는 무력행사에 대한 국제사회의 조직적인 대응을 가능케 하였다.

그러나 국제연합은 헌장 제51조의 집단적 자위권을 법적인 기초로 하여, 특정한 발동 요건에 따르는 '개별적인 강력한 힘의 집단적 행사'를 허용하고 있다. 이를 근거로 하여 조직된 기구가 NATO(북대서양조약기구)와 WTO(바르샤바조약기구) 이다.

냉전이 극에 달하던 1970년대를 전후한 시기에는 미·소 양국 간에 핵무기 균형이 이루어져 핵무기에 의한 억제의 실효성이 감소됨에 따라 재래식 군사력이 상대적으로 중요시 되었다. 소련을 중심으로 하는 WTO는 첨단장비로 무장한 기동부대를 대규모 배치하여 미국 등 서방 군사력을 압도했다. 재래식 군사력의 열세에 직면한 미국은 NATO를 통해 이를 만회하였으며, 동맹국들이 미국의 의도대로 질 높은 군사력과 시설, 그리고 전략적으로 중요한 지역에 대한 통제를 제공함으로서 WTO를 효과적으로 억제하는데 기여했다.

동맹은 군사적 측면으로만 제한되는 것이 아니라 비군사적 분야에 까지 확대될 수 있다. 미·일 동맹이나 한·미 동맹도 군사동맹으로 부터 시작되었지만 정치, 경제, 사회, 기타 분야까지 협력관계를 확대해왔다.[100]

1.2 군사동맹의 유형

군사동맹의 유형은 크게 나누어 ① 제3국의 공격을 공동으로 방위 하는 것(방어동맹) ② 제3국에 대하여 공동으로 공격을 가하는 것(공격동맹) ③ 공격과 방어를 겸하는 것(공수동맹) 등이 있다.

그리고 지리적 범위, 동맹참가국의 수, 이익의 종류, 동맹의 형태, 동맹국의 국력 등을 기준으로 동맹의 유형을 분류하고 있다.

100) 서춘식, "군사동맹론", 육군사관학교(편)「국가안보론」(서울; 박영사, 2005), pp.122-123.

1.2.1 지리적 범위에 의한 분류

지리적 범위에 따라 범세계적 동맹과 지역적 동맹으로 분류한다. 2차 세계대전 후 조성된 냉전체제하에서는 미·소 양대진영의 세계전략에 따라 NATO나 WTO와 같은 범세계적인 동맹을 형성하였다.

그러나 지역적 동맹은 어느 특정지역에서 세력균형을 유지하기 위해 체결되는 동맹으로서 동북아의 세력균형을 위한 한미동맹이나 미일동맹과 이에 맞선 '조·소 상호원조 및 우호협력조약'과 '조·중 우호협조 및 상호원조조약' 등을 예로 들 수 있다.

1.2.2 동맹참가국의 수에 의한 분류

동맹참가국의 수에 따라 양자동맹과 다자동맹으로 분류한다. 한미동맹의 경우와 같이 참가국이 2개국인 경우에는 양자동맹이라고 한다. 양자동맹은 2개국이 상호 국가이익을 구현하기 위하여 체결하기 때문에 비교적 동맹관계를 수립하기가 용이하나 동맹결성 후 국력이 우세한 국가위주로 동맹의 성격이 조성되는 경우가 많다.

다자동맹은 3개국 이상이 체결하는 동맹을 말하며 대표적인 다자동맹은 NATO, WTO, 0AS, ANZUS 등의 경우가 있다. 다자동맹은 여러 국가들의 이익과 연계되어 있기 때문에 국제질서체제에서 강력한 리더십을 행사하는 국가가 주도되어야 동맹의 결성과 지속이 가능하다.

1.2.3 이익의 성격에 따른 분류

동맹참가국이 동맹으로부터 얻는 이익의 종류에 따라 동종이익동맹과 이종이익동맹으로 분류한다. 동종이익동맹의 예로는 제2차 세계대전 이전의 영·미동맹과 같이 독일을 견제함으로써 군사적, 경제적으로 동일한 이익을 추구한 경우를 들 수 있으며, 이종이익동맹이 예로는 한미동맹과 같이 한국은 국가의 존립, 미국은 동북아시아에서의 영향력 증대라는 다른 종류의 이익을 추구한 동맹의 경우를 들 수 있다.

1.2.4 기타

동맹의 형태에 따라 공식동맹과 비공식동맹으로 분류한다, 공식동맹은 정식으로 조약을 체결한 경우이며, 비공식동맹은 정식조약을 체결하지 않은 상태에서 동맹관계가 성립된 경우를 말한다. 또한 동맹국의 국력의 차이에 따라 균등행위자간 동맹과 불균등행위자간의 동맹으로 분류한다.

제 2 절 군사동맹의 조건

2.1 조약해당사유의 명확성 필요

효율적인 동맹이 되기 위해서는 조약해당사유에 대한 정의가 명확해야한다. 조약해당사유는 조약당사국들이 조약상의 의무를 철저하게 이행하여야 하는 조건과 의무이행절차를 말한다.

동맹조약의 경우, 동맹의 신뢰가 보장될 수 있도록 동맹 당사자 간에 동맹의 의무를 적극 이행해야 하는 조약발동조건과 조약발동절차를 필요로 한다.

조약발동조건은 어떠한 조약이 발동될 상황을 뜻하며, 상정하는 상황은 주로 적의 ① 무력침공 ② 적의 침공위협 ③ 동맹국의 요청시 로 구분한다.

동맹국이 적대세력으로부터 무력침공을 받으면 발동되는 조약은 한미동맹이나 미일동맹이 있으며, 동맹국의 일방이 군사력시위 등 무력침공의 위협만 받아도 발동되는 조약은 NATO와 WTO를 들 수 있다.

조약발동절차는 조약을 발동하기 위해 거쳐야할 정부의 정책결정과정을 뜻하며 ① 자동지원 ② 지원국의 국내 승인 ③ 동맹국간의 합의 ④ 동맹국간의 합의와 지원국의 국내승인이 동시에 필요한 유형이 있다.

동맹조약에 무력으로 침공당할 경우 자동지원 조항이 포함된 동맹은 NATO, WTO 등이며, 한미상호방위조약은 지원국의 국내 승인절차를 거치도록 되어있다. 동맹국간에 상호협의 후 결정하는 경우는 OAS [101]이며, 무

---

101) Organization of American States : 미주 기구

력으로 침공당할 위협이 있을 경우 상호협의절차를 거치는 동맹은 NATO, WTO 등이다.

어떤 조약해당사유에서 상호원조 약속이 실제 지켜질 것인가는 시대에 따라 변천해 왔다. 제1차 세계대전 이전의 동맹조약은 동맹의 상대에 대해 공격하지 않는다는 조항을 중시하였다. 그 이유는 만일 동맹국이 전쟁을 일으켰을 때, 단지 동맹국이었다는 이유로 자기나라가 공동책임을 져야할 사태를 회피하기 위함이었다.

2.2 동맹의 원칙

동맹이란 공동방위, 공동이익이라고 하는 일정한 목적을 위하여 맺어질 수 있는 것이며, 그 목적 이상으로 영속하는 것은 아니다.[102] 따라서 동맹은 성공하는 동맹이 많지만 장기간 지속하지 못하거나 별 실효를 거두지 못하고 파기되는 경우도 있다. 따라서 동맹이 성공하려면 다음과 같은 일련의 원칙이 지켜 져야한다.

2.2.1 동질성의 원칙

동맹국이 국가이념이나 문화적, 민족적, 정치적으로 동일하거나 유사하면 동맹관계가 보다 견고해질 가능성이 높다. 동일한 공산주의 이념을 가진 바르샤바 조약기구가 공산주의 이념이 절정일 때는 잘 유지되다가 공산주의가 붕괴하자 동시에 붕괴된 경우나, 이질적인 문화를 가진 국가 간의 동맹인 영·소동맹이 동질성 많은 국가 간의 동맹인 영·미동맹보다 오래가지 못했던 것이 단적인 예이다.

2.2.2 호혜의 원칙

동맹국 모두의 적대세력으로부터 공평한 안보의 혜택을 받을 때 동맹은 오래 지속된다. 적대세력의 위협으로부터 어느 한 국가만 해택을 받는다면 그 동맹은 오래 지속되기 어렵다. 동맹이란 상호이익이 존재해야 지속성을

102) 백경남, 「국제관계사」(서울: 법지사,2001),p.85.

유지할 수 있으며, 국가이익수호를 최고의 가치로 하고 있는 국제사회에서 다른 동맹국을 위하여 일방적으로 자기 국가를 희생하는 경우는 거의 존재하지 않는다.

2.2.3 균등의 원칙

통상 국력이 균등한 국가들로 구성된 동맹이 국력의 차이가 많은 국가들로 구성된 동맹보다 견실하다. 강대국과 약소국으로 구성된 동맹에서 약소국은 주로 강대국의 일방적인 안보지원으로 존립을 유지하며, 이러한 이유로 강대국은 약소국에게 조약을 이행하지 않을 경우가 발생되기도 한다. 그러나 약소국의 국력이 약해도 지정학적으로 전략적인 가치가 높거나 전략자원을 보유할 경우에는 공고한 동맹을 유지할 수 있다.

2.2.4 원조의 의무

군사동맹은 대부분 원조의무의 발생조건을 규정하고 있다. 통상 의무발생조건은 적대진영으로부터 무력공격을 받을 경우에 한한다. 때로는 적국으로부터 공격을 받을 가능성이 있는 경우와 간접적 방법으로 동맹국을 위협하는 경우도 포함된다. 원조의 의무를 이행할 수 있는 동맹발동조건이 명확하거나 동맹발동절차가 간결할수록 동맹의 신뢰도가 높아진다.[103]

제 3 절 군사동맹의 변천

3.1 고대의 동맹

국가가 존재하고 난 후, 국가 간에 어떤 갈등이 발생하면 독자적으로 해결하기보다 동맹을 통해 이를 해결하려는 경향이 많았다. 동양의 예를 보면,

103) 서춘식(2005),pp.129-130.

과거 중국의 춘추전국시대에 국가들 간의 숱한 맹약이 있었으며, 그중 합종과 연횡은 집단방위 동맹의 성격을 띤 중요한 예라고 할 수 있다.[104] 고대 그리스 도시국가에서는 델로스동맹을 결성하였다. 델로스동맹은 지중해에 위치한 에게해 연안의 그리스인 도시국가들이 맹주인 아테네를 중심으로 페르시아의 침략을 막기 위해 설립한 군사동맹이며, 공동방어를 목적으로 각 동맹국에게서 걷은 공납금을 에게해 한가운데에 위치한 델로스 섬에 보관하게 되었으므로 그 섬의 이름을 따 델로스동맹이라고 불렀다. 약 200개에 달하는 가맹 도시국가는 아테네에 대하여 공수동맹의 서약을 하였고, 가맹도시는 군선·병력의 제공 또는 연부금 납입 중 한 가지 의무를 부담하였으며, 동맹총회는 동맹 금고가 설치된 델로스섬에서 개최되었다

델로스동맹은 초기에는 전형적인 군사동맹의 성격을 띠고 있었으며, 해군력의 증강을 주목적으로 한 동맹이었다.

동맹에 가입한 도시국가는 일정 규모의 함대와 선원을 동맹에 제공하는 것을 원칙으로 했지만, 함대를 조직할 만한 여건이 되지 않는 군소 국가들이 동맹에 속속 가입함에 따라 차츰 직접적인 군사력 대신 공납금을 지불하는 방향으로 바뀌어져 갔다.

스파르타는 델로스 동맹에 가입해 있지 않았지만, 델로스 동맹을 결성하면서 상대국으로 발돋움한 아데네의 융성에 반감을 품고 주변의 도시국가들과 새로운 동맹을 맺고 아테네와 대결하게 되었는데, 맹주인 스파르타와 주요 가맹국들이 그리스 남부의 펠로폰네소스 반도에 위치하고 있었음으로 이를 펠로폰네소스동맹이라 불렀다. 그 후 스파르타를 맹주로 하는 펠로폰네소스동맹과 아테네를 맹주로 하는 델로스동맹이 그리스의 패권을 놓고 다투게 되니, 그것이 그리스 세계를 결정적으로 약화시킨 펠로폰네소스전쟁이다.

---

104) 중국 전국시대의 동맹외교전술. 합종(合縱)이란 "남북을 연합시킨다"는 뜻이며, 연나라를 섬기던 소진(蘇秦)이 조·한·위·제·초나라를 설복하여 6개국이 남북으로 이어지는 동맹을 실현시켜 서쪽의강국 진(秦)나라에 대항하였던 동맹정책이다. 이 연합으로 진나라는 수십 년간 동방으로의 진출을 저지당하였다. 연횡(連衡)이란 "옆으로 이어진다"는 뜻이며, 장의(張儀)가 결성한 동맹정책이다. 장의는 진나라의 재상이 되어 소진이 합종을 깨고 6개국을 흩어놓았다. 진나라는 개별적으로 각국과 동맹을 맺고, 고립된 다른 나라들을 위협하거나 공격을 하여 진나라와 6국이 각기 동서로 이어지는 형세를 만들었다.

3.2 근대의 동맹

16세기 이탈리아전쟁시 동맹과 중립이 갖고 있던 함정과 예기치 않은 위험은 마키아벨리[105]의 군주론에서 잘 묘사되고 있다. 오늘날과 같은 의미의 동맹은 15세기경 민족국가 등장과 더불어 구체적 모습이 나타나게 되었다.

나폴레옹전쟁을 전후하는 19세기는 왕정국가와 공화정국가의 대결시기로 볼 수 있는데 이시기에 형성된 것이 비인체제이다. 나폴레옹의 정복전쟁은 프랑스혁명사상 파급을 두려워하던 당시의 유럽 군주국가에게 크나큰 공포를 경험하게 하였으며, 나폴레옹이 패망하자 유럽 각국(오스트리아. 영국, 프러시아. 러시아)대표들은 오스트리아 수도 비인에서 나폴레옹전쟁과 프랑스혁명을 통해 무너진 왕정을 복구하고 영토를 재조정하는 회의를 개최 하였다. 비인회의에서 가장 중요한 문제는 강력한 프랑스의 재기를 방지하고 프랑스혁명 이전의 지배체제를 복구하는데 있다. 이들은 결국 1815년 쇼몽조약과 파리조약을 통해 4국동맹을 체결하였다. 4대 강국이 협조하여 유럽을 관리해야한다는 점을 기본정신으로 하는 이 4국동맹은 군대의 상호지원 의무를 규정하는 군사동맹의 성격을 띠고 있었다. 4국동맹이 체결된지 3년 후 프랑스가 합류함에 따라 5국동맹으로 발전하였으며, 5대 강국의 상호협조를 통해 국제분쟁을 피한 채 19세기후반까지 유럽의 평화를 유지하는데 기여하였다.

그러나 1971년 비스마르크가 독일을 통일하고 비스마르크 체제를 구축하면서 비인체제는 붕괴되었다.

비스마르크의 외교목적은 다른 나라들과 동맹관계를 결성하여 제2국의 안전을 도모하고, 다른 열강들과 세력경쟁을 회피하는 것이다.

비스마르크의 능란한 수완으로 외교적 주도권을 확보하고 세력균형정책을 수행하며 열강을 조정하였다.[106]

유럽은 제1차 세계대전 직전, 3국동맹과 3국협상이 형성되어 갈등을 보이기 시작하였다. 3국동맹은 1882년 독일, 오스트리아, 이탈리아 간에 체결된

---

105) 16세기 르네상스시대 이탈리아의 역사학자 · 정치이론가. 대표작《군주론》에서 마키아벨리즘이란 용어가 생겼고, 근대 정치사상의 기원이 되었다. 군주의 자세를 논하는 형태로 정치는 도덕으로부터 구별된 고유의 영역임을 주장하였다.

106) 백경남(2001),pp.53-99.

비밀 방어동맹을 말하며, 3국협상은 러시아-프랑스 동맹(1891)과 영국-프랑스 협상(1904), 영국-러시아 협상(1907)의 집합체를 일컫는다. 3국간의 협상체제는 식민지 지배체제를 유지하기위한 힘의 과시인 동시에 3국동맹에 대항하여 유럽의 세력균형을 유지하기 위한 외교관계라고 할 수 있다.

3국동맹과 3국협상의 주축은 독일과 영국으로서, 식민지경쟁에 우위를 차지한 영국의 3C정책[107]과 식민지 경영에 뒤늦게 참여한 독일의 3B정책 [108]이 충돌하면서 세계시장에서 격렬한 경제 경쟁이 전개되었다.

제1차 세계대전이후 국제적 분쟁을 평화적으로 해결하기위한 국제기구인 국제연맹을 창설하였지만 결국 제2차 세계대전을 막지 못했다. 국제연맹과 별도로 프랑스를 비롯한 유럽 국가들이 동맹정책을 추구했지만 실패하였다.

1933년 일본이, 1936년에는 독일이 차례로 국제연맹을 탈퇴하였다. 1935년 이탈리아가 에티오피아를 병합하면서 3국은 동맹으로 결성되기 시작하였다. 1936년 이탈리아 외상이 베를린을 방문 하여 영국・프랑스 세력에 대항하기 위해 베를린・로마 주축이 성립되었고, 그 후 일본이 양국에 접근하여 1937년 3국이 반공협정을 체결한 후 영국・프랑스 등에 도전적 태도를 취하게 됨으로써 제2차 세계대전이 발발되었다.

3.3 현대의 동맹

제2차 세계대전이 종료되고 세계가 미・소 양대 진영으로 재편되면서 수많은 동맹이 형성되었다. 우선 미국을 중심으로 Rio Pact(1947), NATO(1949), ANZUS(1951)[109], SEATO(1953) 등의 동맹이 체결되었고, 소련은 중・소 우호 동맹 및 상호원조조약 을 체결 후 1955년 WTO를 창설하였다. 동서 양대진영이 적대적인 관계로 발전해 나가는 시점에 비동맹 국가들도 안보에 관심을 갖고 1950년에 아랍연맹을, 1963년에는 아프리카 통

107) 3C정책: 영국의 제국주의적 정책으로, 카이로・케이프타운・캘커타를 연결하고 아프리카의 종단, 인도양의 내해 화를 꾀했으나, 프랑스・러시아의 해외진출과 대립되었다. 뒤에 독일의 3B 정책과 충돌하였다.

108) 3B정책: 독일의 제국주의적 근동 정책. 베를린・비잔티움(지금의 이스탄불)・바그다드를 연결하는 철도를 부설, 발칸에서 소아시아를 거쳐 페르시아 만에 이르는 지역을 경제적・군사적으로 이용하려 하였다.

109) 1951년 9월 1일 오스트레일리아(A)・뉴질랜드 (NZ)・미국(US) 사이에 체결된 집단안전보장 조약. 3개국명의 머리글자를 따서 앤저스 (ANZUS)조약이라고도 불린다.

일기구를 창설하였다. 양국 간의 동맹으로는 한미동맹, 미일동맹 등의 조약이 체결되었으며 한미동맹은 한국전쟁이후 현재까지 한반도의 안전에 버팀목이 되고 있다. 그러나 유동적인 국제관계의 변화 속에 동맹도 쇠퇴하기 시작했다. 1960년대 중·소 국경분쟁 이후 중·소간 군사협력이 쇠퇴하고 WTO와 SEATO에서 탈퇴하는 국가가 발생되었으며, 소련이 해체되고 냉전이 종식되면서 WTO는 해체되고, NATO도 새로운 역할을 모색하게 되었다.[110]

제 4 절 동맹의 관리

4.1 동맹의 영속성

국제정세가 불안한 시대의 동맹은 전쟁수행과 평화조약 등 쌍방국가의 전체적 이해관계를 규정하는 것이 일반적인 경향이었지만, 평화 시의 동맹은 외교목표의 일부분에 국한되는 제한적인 성격으로 축소된다.

동맹의 최대변수는 상호 이해관계이며 동맹에 내포된 이해관계의 비중에 따라 동맹의 작동여부가 결정될 수밖에 없는 것이다.

일반적으로 동맹은 지속기간이 짧으며 전쟁 시에 잘 결성된다. 전쟁 시에는 일단 전쟁에서 승리하는 것이 중요하기 때문에 승리하기 위한 수단으로 동맹을 맺지만, 전쟁이 종료된 후에는 새로운 이해관계 변화에 의해 동맹의 지속여부가 결정되는 것이다.

냉전이 종식되고 소련을 중심으로 한 WTO가 해체되어도 NATO가 존속되는 이유에 대하여 하버드 대학의 월랜드(Wallander) 교수는 "NATO의 성공은 회원국들의 군사력의 결집보다는 회원국 간 협조의 유형과 절차에 있다"라고 하면서 네 가지 주요 요인을 들고 있다.

첫째, NATO의 제도자체가 정책결정에 필요한 기반을 창조하였다. 이들은 평소에도 동맹국 상호간의 친밀도를 높이며 전시 뿐 만 아니라 평시에도 가

110) 서춘식(2005), pp. 131-139.

맹국간의 문제를 조정하는 역할을 해왔다.

둘째, 정책의 효율성과 동맹 내에서의 통합을 촉진하고 투명도를 높였다.

셋째, 다국적 통합지휘구조의 순기능으로서 연합작전 계획과 연합훈련 및 작전은 작전과정에서 발생할 가능성이 있는 문제를 해소시켜 나갔다. 또한 이들은 평화를 위한 동반자 관계로 까지 발전시키면서 전투준비태세를 높였다.

넷째, 문제를 풀어나가는 과정 자체가 성공요인의 하나이다. 평화를 위한 동반자관계의 활동을 통해 NATO는 근본적으로 변했고, 회원국 간의 장벽을 사라지게 했다.

동맹은 영속되는 것이 아니며 국가이익에 따라 항상 변화한다. 따라서 균형적인 동맹관리가 부재하는 경우에는 동맹을 포기하는 상황이 발생하거나 동맹국간에 연루를 우려하기도 한다.

동맹의 포기는 동맹국으로부터 지원을 받아야 할 경우 지원을 받지 못하거나, 한 동맹국이 위협국과의 협력관계를 맺는 경우에 주로 발생한다. 동맹을 체결 했다고 할지라도 미래 지원약속에는 항상 불확실성이 내재되어 있고, 충분히 전쟁을 회피할 수 있는 경우에도 반드시 동맹국을 지원해야한다는 의무는 다른 동맹국에게 부담이 되는 것이다. 그러한 상황에서 전쟁에 개입하는 것이 동맹으로 얻는 이득보다 손해가 더 크다고 판단할 때에는 동맹의 포기를 선택 한다.

다음은 연루의 문제이다. 연루는 자국의 국가이익과 관계가 없이 동맹국의 이익 때문에 원하지 않는 전쟁에 휘말릴 경우에 발생하며, 동맹국을 위한 전쟁의 비용 대 효과가 일치하지 않음에도 불구하고 조약에 의거 불가피하게 전쟁에 참가하는 것이다. 가장 대표적인 사례는 제1차 세계대전이며, 그 당시 참전국들은 동맹의 의무를 이행하기 위해 원하지 않는 전쟁을 하게 되었다.

대체로 약소국은 강력한 동맹국이 전쟁에 끌어들일 때, 이에 따를 수밖에 없는 종속된 상황발생을 우려하는 반면에 강대국은 자국이 다른 여러 나라와 묶여짐으로써 행동의 자유를 상실하는 연루의 상황을 우려한다.[111]

111) 서춘식 (2005), p.128.

4.2 동맹의 실효성

실효성 있는 동맹이 되려면 조약당사국 간에 일반적인 목표에 대해서 뿐 아니라 구체적 정책과 수단에 대해서도 상호 합의를 해야 한다. 많은 동맹들이 확고한 정책과 방법에 동의하지 못하여 무용지물이 된 경우가 허다하다. 그리고 동맹은 그 조약이 유사시에 얼마나 잘 이행되는 가에 따라 동맹의 실효성이 입증된다.

19세기 동맹은 대부분 외부의 침략으로부터 방어하는 데 서로가 도움을 주기로 약속한 군사조약의 성격이 강했다. 20세기의 동맹은 서로가 공격하지 않기로 약속하는 불가침조약의 성격을 띠게 되었다.

동맹에 대한 평가는 긍정적인 평가와 부정적인 평가가 있다. 긍정적인 면으로는 세력균형을 통해 상대방의 공격을 억제할 수 있고 느슨한 연합체를 하나로 묶어 국가 간의 친화력을 강화시킬 수 있다는 점이다. 부정적인 면으로는 한 동맹체가 방어능력을 향상시키기 위해 군비를 증강하면 상대방의 동맹국들도 군비를 증강함으로서 군비경쟁을 유발시켰고 이로 인해 갈등의 범위가 확대 되었다는 것이다. 이러한 맥락으로 동맹은 '잠재적 전쟁공동체' 라고 불리기도 했다.

4.3 동맹국간 비용분담

일반적으로 동맹국들은 동맹유지에 필요한 비용을 불규칙적으로 지불하려는 경향이 있다. NATO의 예를 보면, 공동의 안보이익을 갖는 국가들이 집단안보라는 집단재(collective goods)를 제공하기 때문에 다른 나라 보다 많은 비용을 분담하더라도 기꺼이 많은 비용을 지불하는 것이다. 이로 인해 동맹국간에 비용분담 불균형과 무임승차라는 문제점도 대두되는 것이다.

NATO의 존속이유를 올슨과 잭하우즈는 다음과 같이 분석하였다.

냉전시대에 미국이 네덜란드보다 NATO가 제공하려는 방위라는 공동체의 제공에 더 큰 이해관계를 가지고 있다. 네덜란드가 동참할 경우 아무리 적은 방위비를 분담해도 그만큼 미국의 부담은 경감된다는 것이다. 이런 이유로 미국은 네덜란드가 비록 적은 부담을 하더라도 동맹관계를 유지하는 것이 바람직하며, 네덜란드는 미국과의 동맹관계를 맺음으로써 적은 비용으로 안보가 가능하게 되어 정당한 몫의 비용을 물어야하는 요인이 약화되는 것이다.[112)]

4.4 동맹의 변화

동맹은 시간의 흐름에 따라 관련된 대내・외적 요인, 즉 동맹환경의 변화에 따라 강화되기도 하고 약화되기도 하며 때로는 변경되거나 소멸되기도 한다.

동맹을 변화시키는 대외환경은 첫째, 세계질서나 안보구조의 변화로서, 소련의 해체로 인한 냉전의 종식, 9・11테러와 같은 요인으로 인한 안보개념과 세계전략의 변화, 미국의 대 러시아. 대 중국관계개선 등으로 야기된 국제질서 재편 등을 예로 들 수 있다. 둘째, 동맹국간의 정치, 경제, 외교, 군사 등의 상호관계 변화로서, 한미동맹과 같이 초기에는 한국의 일방적인 수혜입장으로부터 한국의 국력신장으로 인해 점차 수평적인 호혜협력관계로의 변화와 같은 것이다. 셋째, 동맹국과 적대국간의 상호관계 변화이다. NATO는 본래 목적은 소련에 대한 집단안전보장이었으나 1990년대 초 소련의 해체로 냉전 구도에 큰 변화가 일어났다. 그 영향으로 NATO는 군사동맹에서 벗어나 유럽의 국제적 안정을 위한 정치기구로 변화를 시도하게 되었으며, 폴란드, 체코, 헝가리 등 동유럽국가도 NATO의 회원국이 되었다. 만일 한반도가 통일이 된다고 하면 북한을 주적으로 하는 기존의 한미동맹의 성격도 급격히 변화될 것이다.

동맹관계를 변화시키는 대내적 환경은 정치, 경제, 군사, 국민여론 등을 요인으로 들 수 있다.

첫째, 동맹국 내부에 새로운 정치세력이 등장하거나 이들이 집권을 할 경우 정치의 변화를 불러옴으로써 동맹관계가 변할 수 있다. 우리나라도 일부 정치세력이 집권할 당시 대북포용정책을 추진하며 한미연합사령부를 해체하기로 결정함으로써 기존의 한미동맹에 큰 변화를 가져오게 되었다. 둘째, 한

112) 서춘식(2005),pp.147-148.

나라의 국가 경제가 파탄되면 군사력을 뒷받침할 수 있는 군사비의 현격한 삭감이 불가피하며, 이러한 요인은 동맹을 성격을 변화시킬 수 있다. 셋째. 새로운 군사전략, 전쟁수행방식, 무기체계의 변화 등 군사적인 변화는 동맹 변화의 요인이 되기도 한다. 넷째, 국민여론 등으로 기존동맹관계에 비판적인 국내여론이 조성될 경우이다. 우리나라도 급진세력의 반미활동이나 주한 미군철수 주장 등으로 한미동맹의 근간이 흔들리기도 했다.

제 5 절 주요 군사동맹

5.1 북대서양 조약기구 (NATO: North Atlantic Treaty Organization)

제2차 세계대전 후 동유럽에 주둔하고 있던 소련군과 군사적 균형을 맞추기 위하여 체결한 북대서양조약의 수행기구로서, 1949년 4월에 조인하고 같은 해 8월 24일부터 효력이 발생되었다. 그 후 NATO는 유럽 내에서 반공세력을 형성하고 있던 서유럽 국가들의 집단방위조약으로 지속되어 왔으며, 미국을 맹주로 하는 자유진영국가를 옹호하기 위한 세계적 군사동맹망의 커다란 축을 형성하며 바르샤바조약기구와 대치해 왔다. 냉전이 종식된 이후에는 과거 동유럽국가들 까지 회원국이 되면서 역할을 확대하고 있으며, 2009년 현재 정식회원국은 28개국이다.

1945년 전후의 서유럽은 경제적으로 황폐해 있었고 정치적으로도 취약한 상태에 놓여 있었다. 그리고 미국・영국・프랑스 등의 연합국들은 전쟁수행으로 군사력이 약화되어 있었다. 이러한 시점에 소련이 동유럽에 공산주의 세력을 확장시키며 서유럽을 위협하기 시작하였다. 양진영은 독일점령지역에 각자 활동영역을 구축하였으며, 미국은 유럽에 원조를 제공하기 위해 유럽부흥계획(마셜플랜)을 시행하였다. 군사적으로는 브뤼셀조약에 따라 영국・프랑스・벨기에・룩셈부르크・네덜란드 5개국이 집단방위동맹을 체결하였으나 미국의 힘이 필요하게 되어 세력 확장을 위한 협상을 시작하였고,

1949년 워싱턴에서 북대서양조약을 체결하기에 이르렀다.

북대서양조약에는 그 임무 수행을 위하여 각 가맹국 대표로 구성되는 최고기관으로서 북대서양위원회가 설치되어 있다. 보조기관으로 방위계획위원회와 군사위원회가 있고, 그 아래에 1950년 NATO군이 조직되어 그 사령부를 파리에 두었으나 프랑스가 NATO의 군사기구에서 탈퇴한 뒤에는 벨기에 브뤼셀로 옮겼다.

냉전이 종식된 후 1990년 7월 런던선언에 기초해 새로운 상황에 대응하려는 NATO의 개혁이 시작되었다. 기본방침은 1991년 7월 발표된 동맹의 '신전략개념'과 1999년 4월 창설 50주년을 계기로 발표된 '동맹의 전략개념'을 통해 구체화되었다. 동맹의 목적과 임무는 동맹국이 아닌 국가로부터의 공격에 대한 집단방위를 포함하여 유럽·대서양지역의 위기관리까지 확대하였다. 전략 면에서는 기동력이 풍부하고 유연한 전력을 유지하며, 핵무기는 최소한의 전력은 유지하는 것이다.

소련의 붕괴와 WTO의 해체로 안보의 공백상태에 놓이게 된 동유럽 국가들은 NATO 가입을 희망하였다. NATO 회원국들도 NATO의 존속과 중 · 동유럽의 안정을 위해 이들 국가를 받아들이려 했으나 러시아의 강한 반대에 부딪히게 되었다. 1994년에 미국이 NATO의 확대 쪽으로 방향을 바꾸면서 1995년 9월까지 NATO 부서내의 연구를 통해 확대원칙이 재확인되었고, 1996년 봄부터 가입을 꾀하는 12개 나라와 개별 대화를 시작했다.

NATO의 팽창정책에 부정적이었던 러시아와도 대화가 진행되어, 1997년 7월 NATO 마드리드 정상회담에서 NATO와 러시아 사이에 NATO 확대원칙에 대한 기본협정이 체결되었으며, 가입희망국 가운데 폴란드 · 헝가리 · 체코의 3개 나라가 1999년에 가입하였다. 그 뒤 2002년 5월 이탈리아 로마에서 러시아를 NATO 회원국에 포함시키는 새로운 NATO협정 서명식이 열렸으며, 이 협정에 따라 설치된 NATO-러시아 이사회(NATO-Russia Council ; NRC)에서는 테러방지 · 군축 · 전술미사일방어망 · 평화유지임무 · 지역분쟁해결 등을 논의하기로 했다.

이처럼 NATO는 냉전시대 이후 동유럽 국가의 NATO 가입과 NATO-러시아 이사회 설치 등의 정세변화 속에서 코소보사태 개입, 이라크전쟁 참여 등 증가하는 테러가능성에 대비해 대테러전쟁과 평화유지활동 쪽으로 행동

반경을 넓혀가고 있다.[113]

5.2 바르샤바조약기구 (WTO: Warsaw Treaty Organization)

WTO는 서유럽연합 결성과 서독의 북대서양조약기구 가입에 자극받아 1955년 5월 14일 소련 및 동유럽 7개국이 체결한 조약이다.

정식명칭은 '우호협력 상호원조조약'이며, 제2차 세계대전 후 심각한 동서대립 속에서 서독의 재무장과 NATO에 대항하기 위해 소련을 비롯한 동구권 8개국의 총리가 1955년 5월 폴란드 바르샤바에 모여 체결한 군사동맹조약기구이다. 조약체결국은 소련·폴란드·동독·헝가리·루마니아·불가리아·알바니아·체코슬로바키아의 8개국이었으나, 알바니아는 1968년 9월에 탈퇴하였다.

이 조약은 최초 소련의 위성국들에 대한 지배강화 및 사회주의국가들의 동맹 강화를 목적으로 조약을 체결하였으나, 서독의 NATO 가입이 직접적인 계기가 되었다. 조약에는 통합사령부 설치와 소련군의 회원국 영토 주둔권을 규정하고 있다.

조약은 전문 및 11개 조항으로 무력공격의 위협에 대처하는 협의 및 무력공격에 대한 공동방위로 이루어져 있으며, 독립 및 주권의 상호존중 및 내정불간섭이 행동원칙으로 되어있다. 조직은 외무장관회의와 정치자문위원회를 비롯하여 통합군사령부 아래 WTO군과 기타 보조기관으로 구성되어 있다.

조약의 유효기간은 20년으로 되어 있으나 그 이전이라도 소련이 주장하고 있는 유럽안전보장체제가 확립되면 효력을 상실하는 것으로 되어 있다.

창설당시에는 소련 국방정책의 주안점이 서방측으로부터 기습공격을 저지하는 데 있었으므로 기구의 활동도 소극적인 대공 방위체제의 개선에 머물렀고, 기습공격을 피하기 위한 외교정책의 일환이나 유럽의 안전보장체제 확립을 서방측에 요구하기 위한 수단으로서 주로 이용되었다.

1960년대에 접어들면서 소련의 핵전력을 배경으로 더욱 견고하게 WTO군

---

113) NATE 백과사전,(검색일:2009.12.20)

을 편성하였고 군사연습과 가맹국들의 군사력도 증강하였다. 그러나 1960년대 후반에 이르러 동서대립의 완화, 다극화의 진전, 중・소 대립 등의 영향으로 가맹국들은 자유화 및 자주성을 요구하게 되었다. 그 결과 루마니아의 자주노선의 추구, 체코슬로바키아의 자유화의 진전, 알바니아의 탈퇴 등이 조약기구에 많은 영향을 미쳤다.

1972년 1월 체코슬로바키아의 프라하에서 개최된 수뇌회담에서 구주선언을 채택하였다. 이 선언에서는 동서관계의 개선을 지적하였고 미국·캐나다를 포함한 전 유럽회의의 조기 실현을 호소하였다.

그러나 그해 2월 개최한 국방장관위원회에서 대대적인 수송력 강화책을 채택하고, 4월에는 가맹국 해군이 흑해에서 군사연습을 실시하는 등 복잡한 정세를 보였다.

1985년 4월 26일 소련과 6개 조약국들은 바르샤바조약의 유효기간을 20년 더 연장하였다. 그러나 1990년 10월 독일이 통일하면서 동독이 탈퇴하였고, 소련연방의 해체와 더불어 1991년 4월 1일 바르샤바조약기구는 해체되었다.

5.3 미주기구 (OAS: Organization of American States)

1948년 미주상호방위조약에 근거하여 아메리카대륙의 지역적 협력을 위해 설치된 기구이며 약칭은 OAS이다. 콜롬비아의 보고타에서 개최된 미주회의에서 체결된 미주기구헌장에 바탕을 두고 있다. 이 기구의 목적은 서반구의 평화와 안전을 보장하고 회원국 간의 분쟁을 평화적으로 해결하며 집단안보체제를 마련하고 경제·사회·문화의 영역에서 상호협력을 도모하는 데 있다. 기구의 최고기관은 미주회의이고, 가맹국의 2/3가 승인할 경우 특별회의가 개최되며, 총회는 5년마다 1회 개최된다. 이 밖에 수시로 소집되는 외무장관협의회는 총회를 보완하며, 회원국가가 공격·침략을 당할 경우 집행기관 역할을 한다. 상설이사회는 회원국가의 대사로 구성되며, 그 직속기관인 경제·사회·사법·문화 등의 전문이사회, 상설사무국 및 13개 산하 전문기관 등이 있다. 현재 가맹국은 미국과 캐나다를 비롯해 35개국이다. 한국은 1981년 영구 옵서버 국가로 가입하였다.[114]

---

114) 야후, 백과사전(검색일:2009.11.20)

5.4 태평양안전보장조약 (Pacific Security Pact)

1951년 9월 1일 오스트레일리아·뉴질랜드·미국 사이에 체결된 집단안전보장 조약이며, 오스트레일리아(A)·뉴질랜드(NZ)·미국(US)의 3개국명의 머리글자를 따서 앤저스(ANZUS)조약이라고도 불린다.

이 조약은 1950년 한미상호방위조약, 1951년 미국·필리핀상호방위조약, 미일안전보장조약과 함께 미국의 태평양지역 방위체제의 일환으로 체결되었으며, 조약국 중 어느 한 국가가 무력침공을 받았을 때 각국이 상호원조를 제공하고 평화적으로 분쟁을 해결할 목적으로 조인되었다. 조약 내용은 가맹국의 상호안전을 무기한 보장하고, 제3국으로부터 무력 공격을 받을 경우 공동 대처한다는 것이다.

1952년 4월 이 조약을 기초로 태평양 안전보장이사회가 발족되었으며, 이 사회는 각국의 외무장관으로 구성되었다. 회의는 연 1회 개최되며, 본부는 워싱턴에 있다. 1986년 9월 뉴질랜드가 핵 탑재함선의 기항금지법을 의결하고 이 조약에서 정식 탈퇴함으로써 현재 미국·오스트레일리아만의 군사동맹조약의 성격을 띠고 있다.[115]

115) NATE 백과사전(검색일 : 2009.12.18)

제 3 부

안보외교와 위기관리

제 7 장

군사외교와 협상

제 1 절 군사외교의 개념

1.1 외교

외교란 국제관계에서 교섭을 통하여 국가 간에 맺는 대외관계를 말하며, 개별국가들이 자국이 추구하는 목적을 전쟁이 아닌 평화적인 방법으로 달성하려는 행위라고도 할 수 있다. 또한 국가 간에 의사소통 방법을 강구하고 상호 영향력을 행사하려는 가운데 무력이 아닌 협상을 통해 갈등을 해결하는 과정이다.

국제사회는 다수의 국가들이 존재하고 있다. 이들은 자국의 국가이익을 확대하는 과정에서 상호간 협력관계 및 갈등관계를 형성한다. 국가 간 갈등이 전쟁으로 비화되면 상호 많은 인적·물적 손실이 발생하게 되므로 국가들은 갈등관계를 조정하면서 동시에 최대의 국가이익을 추구한다. 이때 등장하는 것이 대외정책, 즉 외교이다.[116]

외교를 영역별로 구분하면 경제·통상외교, 군사외교, 안보·통일외교, 환경외교, 문화외교, 과학기술외교, 인권외교 등 외국과 교류하는 모든 영역이 포함되며, 외교를 대상별로 구분하면 APEC[117]외교, ASEM[118]외교, UN외

116) 전득주 외, 「대외정책론」,(서울; 박영사, 2003),p.38.

교, 서방외교, 북방외교 등으로 말할 수 있다.

또한 외교의 성격별로는 예방외교, 동맹외교, 방문외교, 파병외교, 데탕트 외교, 공개외교, 비밀외교, 강압외교 등으로 구분한다.

1.2 군사외교

군사외교는 외교의 하위 범주로서 그 대상이 군사부문에 집중된다. 군사외교는 군사적 측면에서 국가 간의 의사소통 방법을 강구하고 상호 영향력을 행사하는 가운데 협상을 통해 갈등을 해결하는 과정이라고 할 수 있으며, 일반적으로 군사외교는 대외 군사협력과 동일한 의미로 사용하고 있다.

대외 군사협력은 외국과의 군사교류를 증진하고 협력분야를 개발하여 궁극적으로 국가안보와 국익증진에 기여하는 군사적 성격의 제반 대외활동을 말한다.

국방백서에 언급된 우리 군의 군사외교 목표는 "한반도에서 전쟁을 억제하고 유사시 국제적 지지와 지원을 확보하며, 우방국들과의 상호신뢰를 구축하여 북한 핵문제를 평화적으로 해결하고 한반도 뿐 만 아니라 동북아의 평화와 안정을 증진시키며 나아가 국제 평화에 이바지하는 것이다"라고 명시하고 있다.[119]

1.3 군사외교의 범주

군사외교는 주로 군사교류와 군사협력으로 구분된다. 군사교류는 국방장관이나 고위 장성 등 군 인사 상호방문, 군사훈련 참관, 학생교류, 함정의 교환방문 등을 통해 이루어지며, 이러한 군사교류는 관련국 간 단순한 협의를 통해 이루어진다.

군사협력은 군사기지 제공, 무기판매, 국가 간 군사훈련, 방위산업협력, 적대국과의 군비통제 등이며, 이러한 군사협력은 고도의 협상능력을 필요로 한다.

---

117) 1989년 1월 B. 호크 오스트레일리아 총리의 제안에 따라 환태평양지역의 주요 경제 실체간 경제협력과 무역증진을 목표로 결성된 범정부간 협력기구.

118) 아시아와 유럽의 정상들이 2년마다 모여 국제정치 · 경제 · 안보 등에 대한 대화와 토론을 통해 양대륙의 협력을 꾀하는 국제회의.

119) 「2006 국방백서」(국방부,2006), p.95.

1.4 주변국과의 관계

우리나라 군사협력의 주 파트너는 미국이다. 미국과는 상호 방위조약을 체결한 동맹국이기 때문에 미국을 제외한 주변국과의 관계를 알아보자. 한반도 주변국은 일본, 중국, 러시아 등 우리나라와 인접한 국가들이며, 이 국가들은 세계 최고 수준의 강대국으로써 한반도 안보와 밀접한 연관을 가지고 있다.

1.4.1 한·일 관계

일본은 우리와 함께 민주주의와 시장경제라는 보편적 가치를 공유하고 있으며, '미래를 향한 성숙한 동반자 관계'로서 지역의 안정과 평화를 위해 함께 노력해야 할 주요 이웃 국가이다.

또한 일본은 2007년 방위청을 방위성으로 승격시킴으로서 군의 위상이 한층 높아졌다. 양국관계는 1994년 최초 국방장관 회담을 개최한 이래 각군 참모총장 상호방문 등 군 고위급 교류 및 국방정책 실무자회의, 안보정책협의회 등 다양한 교류를 하고 있다. 또한 각 군 대학 및 사관생도의 교류와 유학생 상호파견 등 인적교류가 활발하게 진행되고 있으며, 한·일 해상수색, 구조훈련, 수송기 상호방문 등 다양한 군사교류를 발전시키고 있다.

그러나 양국 간의 역사인식 문제, 독도 영유권 문제 등 해결해야 할 과제도 많다.

1.4.2 한 · 중 관계

남북분단으로 인한 안보구도의 특수성 때문에 한·중 군사교류는 제한을 받고 있다. 그러나 양국 간에는 북한의 핵문제 등 논의해야할 과제가 산적해 있는 관계로 중국과의 군사교류는 한반도의 평화와 안정을 위해 매우 중요하다. 중국과의 군사교류는 1993년에 주중 한국 무관부가 개설된 이래 꾸준히 발전해 왔으며, 2003년 양국 정상이 합의한 '전면적 동반자 관계'를 토대로 꾸준히 확대되어 왔다. 이명박 정부 등장 후, 2008년 5월 한 · 중 정상회담에서 한중 정부는 양국 관계를'전략적 협력동반자 관계'로 격상하고 외교당국 간 고위급 전략대화 채널을 구축하는 한편 기존 한·중 외교·안보대화를 정례화하기로 함에 따라 한 단계 높은 군사교류도 예상된다.

한 · 중 관계는 1992년 수교 이래 우호협력 관계, 협력 동반사 관계, 전면적 협력 동반자 관계로 점차 발전해 왔지만 비 전략적 차원에 그쳤다. 협력의 범위나 방법이 제한적이고 전략적 목표에 대한 이해가 달랐다는 뜻이다.

그러나 '전략적 관계'는 기존 경제, 문화, 환경은 물론, 정치, 외교, 안보분야로 대화의 범위가 확장된다. 대화경로도 고위급, 실무급, 민간 등으로 다양화되고, 양국 간의 현안을 넘어 국제적 관심사와 미래의 협력 문제까지 논의할 수 있다.

1.4.3 한 · 러 관계

한국과 러시아 양국은 1990년 수교 이래 건설적이고 상호보완적인 동반자 관계를 유지해 오고 있다. 양국 간 에는 주요인사 상호 교류 방문, 양국 함정의 상호 방문, 무기체계 도입 등 군사협력관계를 활발하게 펼치고 있다.

1999년, 한국과 러시아는 '상호 보완적인 건설적 동반자 관계'를 설정한데 이어, 2008년 이명박 대통령은 한·러 정상회담 시 '전략적 협력 동반자 관계'로 격상시킴으로서, 정치, 군사, 외교·안보 등 분야로까지 교류가 확대될 것이다.

또한 한반도 주변 정보 공유를 포함해 외교와 국방 분야까지 협력을 강화하기로 하였고, 아세안지역안보포럼(ARF)과 유엔에서의 협력은 물론 국제테러리즘, 기후변화, 핵무기 및 생화학무기의 비확산체제 등 국제 현안에 대해서도 공동대처를 다짐했다.

군사기술교류의 일환으로 한 · 러 양국은 2007년 12월, 러시아와 군사기술협력 양해각서에 서명했다. 군사기술협력 양해각서를 통해 한국은 러시아로부터 무기체계의 완성장비 및 핵심기술을 제공받고, 러시아에 제공한 경제협력차관 상환, 현금지불방식으로 대금을 처리하기로 했다.

1.5 역외 지역과의 관계

주변지역 이외에도 ASEAN을 중심으로 한 동남아 국가들과의 관계를 지속하고 있으며, 대양주는 호주와 뉴질랜드를 중심으로 교류가 이루어지고 있다. 유럽 국가들과의 협력을 통해 선진 군사교리와 기술을 발전시키고 군사과학 기술의 상호 협력과 교류를 활성화하여 방산수출 증진도 기하고 있다. 방산수출은 터키를 중심으로 진행되고 있으며 유럽 여러 국가들의 군사교육기관에 우리장교들이 위탁교육을 받고 있다.

또한 서남아시아는 인도, 파키스탄, 방글라데시를 중심으로 국방 대학원생 교환방문, 위탁교육생 파견과 순항함대 상호방문 등으로 교류를 활성화하고 있다. 중동국가들과는 자이툰 부대 이라크 파병을 계기로 우호적 여건이 조성되고 있으며, 무관부 설치와 방산물자 수출과 기술협력 등 호혜적 군사협력을 확대 해 나가고 있다.

1.6 국제 평화 활동

국제평화활동은 유엔의 평화유지활동(PKO)과 다국적군을 통한 국제사회의 평화유지활동이 있다.

1991년 유엔 회원국으로 가입한 우리나라는 1993년 부력충돌과 기아에 시달리던 소말리아에 1개 대대 규모의 건설공병부대를 파견한 이래 앙골라, 서부사하라, 동티모르 등에 공병 및 의무부대를 파견하여 유엔 평화유지 활동에 적극 참여하였다.

정전감시단은 1994년 인도와 파키스탄간의 분쟁지역인 카슈미르에 파견한 이래 그루지아, 라이베리아, 브룬디, 수단 등에 영관급 장교를 군 옵서버로 파견하고 있다.

다국적군 파견은 유엔 안보리 결의안에 따라 아프가니스탄에 2002년에 국군의료지원단(동의부대)과 2003년에 건설공병지원단(다산부대)을 파견하였고, 이라크에는 서희, 제마부대를 파견하여 의료 및 건설 활동을 통한 복구지원을 하고 있다.[120]

120) 국방백서(2006), pp.95-101.

제 2 절 협상

2.1 협상의 개념

협상이란 분쟁 당사국이 서로 대화를 통하여 각자의 주장을 조정하여 분쟁을 평화적으로 해결하는 일반적인 외교교섭이다. 외교의 핵심은 협상을 통하여 상호 갈등을 조정하는데 있다. 여기서 협상이란 '둘 이상의 국가 간에 이해관계가 상충될 경우 상호 수용가능한 제의의 교환을 통하여 당사자 간의 이해를 조정하는 과정'이다.121)

협상의 대상이 되는 분쟁은 법률적 분쟁이나 비법률적 분쟁을 망라한다. 국제법상 대화 또는 타협을 통하여 분쟁을 어떠한 방식으로 논의하고 어떻게 해결할 것인가 하는 것은 당사국들 간의 문제이다. 협상에 의하여 당사국 간의 국제법상 관계 또는 권리의무가 재확인되기도 하고 변경되기도 한다. 분쟁의 해결방법은 사법적 해결과 평화적 해결 등 여러 가지 방법이 있으며 그 중 협상은 가장 평화적인 것이다.

협상에 의한 분쟁의 처리는 전적으로 당사국간의 합의로 성립되며 어떠한 객관적 제한도 받지 않는다. 이런 점에서 분쟁해결을 위한 제3자의 개입을 필요로 하는 다른 평화적 해결방법과 구별된다. 제3자의 개입은 당사자들의 자유이다. 협상제의를 받으면 그 내용에 대하여 가부의 태도를 취하든지 아니면 수정제의하는 것이 원칙이고, 협상 그 자체를 거부하는 것은 국제법상 용인되는 것이 아니다. 만일 외교협상을 거절하는 것이 일반적으로 인정된다면 국제법 그 자체의 존립의의가 없어지기 때문이다. 대부분의 국제조약에서 '협상의무'를 규정하고 있는 것은 이와 같은 일반 국제법상의 규칙이 존재하고 있다는 것을 입증하는 것이다.

국제관계의 모든 사안이 협상을 통해 이루어진다고 해도 과언이 아니다. 물론 과학기술의 발달, 생태계의 변화, 시장제도의 확산 등 국가가 통제할 수 없는 여러 변수가 상존하고 있지만, 적어도 정부가 정책수단으로 통제할 수 있는 국제문제는 국가 간 협상을 통해 해결하고 있다. 세계체제의 변화,

121) 황진환, "군사외교와 협상" 「국가안보론」, 육군사관학교(편), (서울; 박영사, 2001), p.267.

국가들의 흥망성쇠 등 거시적인 국제현상을 굳이 협상이론을 사용해 설명하지는 않지만 이러한 거시적 변화가 크고 작은 무수한 협상의 결과라는 사실을 부인할 수 없다.122)

2.2 협상의 본질

협상의 본질은 협력적 요소와 갈등적 요소가 공존한다는 것이다. 통상 협상을 갈등적 차원으로만 인식하는 경향이 있으나, 협상은 근본적으로 협상을 하지 않았을 때보다 협상국 모두에게 보다 좋은 결과를 얻기 위해 추구하는 협력행위이다. 협상을 통해 얻는 결과가 유익하지 않다면 협상을 할 필요가 없는 것이다. 즉 협상국 모두에게 좋은 결과를 얻기 위해 협상을 하는 것이다.

협상상황이란 일방 당사자의 목표달성여부가 자신의 선택과 결정뿐 아니라 상대방의 선택과 결정에도 크게 의존하는 경우를 뜻한다. 이는 상거래 흥정과 마찬가지로 흥정이 잘 이루어지면 모두가 이익을 보지만 때로는 더 큰 이익을 얻기 위해 상호 손해를 무릅쓴 계산된 모험도 불사할 경우도 있다.

즉 협상상황은 협상자의 선택과 결정이 상호의존적인 다수간의 전략적 상호관계를 말하며, 공동이익과 공동기피 상황을 모두 포함한다.

또한 협상은 두 가지 측면이 있다. 첫째는 효율적 측면으로 양자의 정책을 조정함으로써 양자 모두에게 유리한 결과를 추구하는 경우이다. 둘째는 분배의 측면으로 얻어진 이익을 나누는 문제로서 이 경우 일방의 득은 상대방의 실로 이어지는 제로섬 상황이 된다. 전자는 통상 윈-윈 전략이라고 하며, 국제협력의 영역에 속하는 협상은 주로 후자를 뜻한다.123)

---

122) 모종린, "합리적 선택이론과 외교정책" 「외교정책의 이론과 이해」김달중 (편), (서울 :오름,1998) pp.189-190.

123) 김태현, "양면게임이론과 국제협상" 「외교정책의 이론과 이해」 김달중(편) (서울 :오름,1998),pp.375-376.

2.3 협상의 성공요소

2.3.1 협상의 요건

관련국간에 상호 갈등적인 이익을 협상을 통해 조정하는 것이 외교의 핵심이다. 그러므로 협상은 외교의 요체라고 할 수 있다. 협상은 관련 당사국간에 직접적으로 제안을 주고받으며 진행하는 명시적인 형태와 간접적인 의사소통을 통하여 진행하는 묵시적인 형태가 있다.

협상과 유사한 개념으로 협의(consultation)가 있다. 협의는 국가 간의 문제를 해결하기 위해 관련 당사국간에 이루어지는 단순한 의견교환을 말하며, 견해가 대립되어도 이를 조정하고 합의하는 절차가 없다는 점에서 협상과는 구별된다.

협상은 어떠한 경우에나 가능한 것은 아니며, 관련국 간에 다음과 같은 일정한 조건이 부합될 때 가능하다.

첫째, 당사국들이 상호 대립하는 이해관계가 있다고 인식하여야 한다. 당사국들 간에 추구하는 이익에 상호간 대립이 없고 단순한 정보나 의견교환을 위하여 수행되는 행위는 협의이지 협상은 아니다.

둘째, 당사국들이 상대방의 입장을 이해하고, 상호 양보하며 대립된 이해관계를 조정할 가능성이 있다고 믿어야 한다. 만약 어느 일방이 상호이익을 조정할 가능성이 전혀 없다고 인식한다면 진정한 의미의 협상은 시작될 수 없다.

셋째, 당사국들이 협상을 통하여 이해관계를 조정하는 것이 유리하다고 인식하여야 한다. 협상을 위하여 투자하는 노력에 비해 얻을 수 있는 결과가 보잘 것이 없다면 협상상황은 발생하지 않는다.[124]

124) 황진환(2001),pp.267-268.

2.3.2 협상의 성공요소

상대방국가와 성공적인 협상을 위해서는 협상을 유리하게 유도할 수 있는 협상능력을 필요로 하며, 때에 따라 상대방 국가에 대해 적절한 보상과 위협의 방법을 활용하는 것이 효과적이다. 협상 시 행해지는 '보상과 위협'을 통상 '당근과 채찍'이라고도 한다.

협상은 상대적이기 때문에 상대가 누가인가에 따라 협상방법도 달라진다. 즉 협상하는 상대국가에 따라 적절한 방법을 구사하여야 성공도 보장할 수 있는 것이기 때문에 협상대상국가가 달라지면 협상 시 수반되는 보상과 위협의 방법도 달라져야 하는 것이다.

협상에 영향을 미치는 중요한 요소는 국가의 협상능력과 실행의 신빙성이라고 할 수 있다.

첫째, 협상능력이란 협상국이 협상장에서 제시하는 보상이나 위협의 방법을 실행할 수 있는 국력을 갖추고 있는가의 여부이다. 여기서 국력이란 구체적으로 경제력과 군사력을 의미하며, 이러한 능력이 뒷받침되어야 상대국에 대한 설득이 가능하고 성공적인 협상목적을 달성할 수 있는 것이다.

그러나 협상능력에 국력뿐만 아니라 협상대표단의 협상력도 매우 중요하다. 실제적으로 1993년 북한이 핵 위기를 조성하였을 때, 미국과 북한이 2년에 걸친 장기협상을 한 결과, 미국은 월등한 국력을 가졌음에도 불구하고 보잘것없는 경제력과 낙후한 군사력을 가진 북한에게 협박당하고 북한의 의도대로 협상을 종결하였다.

따라서 협상력이란 정태적 요소인 국력 만이라기보다는 그 국가의 협상전술과 협상대표단의 협상능력도 포함되어야 할 것이다.

둘째, 국가능력과 함께 중요한 것은 협상 시 상대방에게 제시하는 보상이나 위협의 신빙성이다. 신빙성이란 협상상대국에게 협상조건과 협상파기시 입어야할 손실을 믿게 하는 능력이다. 만약 한 국가가 다른 국가에게 특정조건을 수락하지 않을 경우 군사적 공격을 감행하겠다고 위협할 때, 그 국가의 결행의지를 의심한다면 공격을 하겠다는 위협은 효과를 발휘할 수 없다.

즉 어떤 국가가 협상상대국에 대하여 협상목적을 달성하기 위하여 보상과 위협방안을 효과적으로 활용하기 위해서는 상대국가에 이를 반드시 이행할 것이라는 신빙성이 뒷받침되어야 한다는 것이다.

통상 협상 당사국이 협상 시 제시하는 방안에 대한 실행 능력이 있으면 신빙성이 높아진다고 할 수 있으나, 국가가 능력을 구비하고 있어도 제시하는 방안에 대한 시행할 의지가 뒷받침되지 않으면 신빙성이 저하될 경우도 있다. 신빙성은 ① 협상대상(또는 조건)의 가치 ② 협상당사국의 능력 ③ 역사적 경험 등 다양한 요소들에 의해 결정되기 때문이다.

협상국이 협상과정에서 위협의 방법을 구사할 경우 협상상대국이 자신들이 추구하는 협상의 대상 혹은 조건에 부여하는 가치가 높을수록, 위협의 방법을 구사하는 당사국의 능력이 많을수록 그 위협의 신빙성 또한 높아진다. 그러나 과거 협상 시 어떠한 위협을 천명하고서도 이를 실행하지 않는 경우가 많았다면 그 국가의 위협은 신빙성이 저하된다.

2.4 협상수단

협상 시 사용되는 주요수단은 군사적 수단과 경제적 수단이 있다. 협상국은 두 가지 수단을 이용하여 협상상대국에게 보상과 위협방안을 다양하게 구사할 수 있다.

2.4.1 군사적 수단

국가 간 협상 시 군사적 수단은 협상과정에서 상대국에게 보상 혹은 위협방안 수행에 유용하게 활용될 수 있으며, 이를 통해 협상을 유리하게 전개시킬 수 있다.

흔히 군사적 수단은 협상상대국을 위협하는 수단으로만 생각하기 쉬우나 보상의 수단으로도 널리 활용되고 있다.

협상 시 군사력을 위협수단으로 활용하는 방법은 주로 군사력 시위, 해안봉쇄, 선박의 해상검색, 직접적인 공격위협 등이며, 이러한 군사적 수단은 협상상대국을 협상장에 끌어내거나 협상에 주도권을 잡는 데 이용된다.

군사적 수단이 보상의 수단으로 사용하는 경우는 군사물자원조, 전략무기

제공, 군사협력 제공, 군사동맹 약속 등이 있다.

이러한 군사적 수단을 활용하는 데는 많은 문제점이 수반될 수 있으며, 협상상대국을 위협하는 수단으로 활용할 경우 매우 위험한 상황으로 악화되기도 한다. 대개 군사적 위협은 협상이 교착상태에 빠지거나 더 이상의 협상타결이 불리하다고 판단될 경우 활용된다. 만약 군사적 위협이 실패한다면 더 강도 높은 위협을 가하게 되고 이와 같은 상황이 고조될 때는 결국 직접적인 군사적 행동으로 이어 진다. 이와 같이 전쟁으로 확대되거나, 전쟁까지 가지는 않더라도 양국의 국민들 사이에 적대적 감정이 조성된다면 예초 협상하기 전 보다 나쁜 상황에 봉착할 수 있는 것이다. 그러므로 군사적 수단으로 위협을 가할 경우 협상에서 추구하는 이익과 전쟁으로 발전될 때 지불해야 하는 손실을 보다 면밀히 판단하고 실행에 옮겨야 한다.[125]

2.4.2 경제적 수단

경제적 수단은 군사적 수단이 지니고 있는 문제점과 위험성을 회피하며 협상에 임할 수 있는 수단이다. 경제적 수단은 활용할 수 있는 대안이 보다 다양하다. 특히 정보화시대를 맞아 범세계적인 상호 의존도가 심화되는 가운데 정치문제보다는 경제문제가 중요하게 부각되면서 국가 간의 협상에서도 군사력 사용의 유용성은 감소되는 반면 경제적 수단의 효용성은 증대 되는 경향을 보이고 있다.

경제적 수단도 군사적 수단과 같이 협상과정에서 보상과 위협의 방안으로 다양하게 활용된다. 경제적 보상책으로는 경제협력[126], 대외투자 지원, 경제교류확대 등을 고려할 수 있으며, 위협의 방편으로는 경제관계 단절, 경제지원 철회, 특정 상품의 수출금지, 상대국 상품 수입거부, 상대국의 자산 및 은행계좌 동결 등 다양한 방법이 가능하다.

미국이 적성국에 대해 적대적 정책 및 태도를 변화시키기 위한 경제제재 조치를 보면 목적에 따라 ① 외교활동 제한조치 ② 경제관계 단절조치 ③ 무역 관련 조치 ④ 국제적 테러 행위 지원관련 조치 ⑤ 대 공산권 제재조

125) 황진한(2005),pp.280-281.
126) 좁은 뜻으로는 자본에 의한 협력(자본원조)과 기술에 의한 협력(기술원조)을 가리키며, 넓은 뜻으로는 여기에다 무역에 의한 협력을 포함시킨다.

치, ⑥ 인권 관련 제한조치 등이 포함되며, 미국은 북한에 대해 위의 6가지 제재조치를 모두 취하고 있다.

미국의 대북경세제재는 북미관계 개선에 따라 조금씩 완화되었는데, 1989년 1월 자산동결규정을 일부 완화했으며, 1989년 4월 식량·의약품·의료기재 등 인도적 물품의 대북한수출을 허용했다.

보다 진전된 제재완화조치는 북한의 미사일 발사유보가 합의된 1999년 9월 베를린 북미회담에서 이루어졌다. 북한이 장거리미사일의 시험발사를 유보하는 대가로 미국이 약속한 경제제재 완화조치는 행정부의 실무절차를 거쳐 2000년 6월 19일 발효되었다.[127)]

2.5 협상전술

협상력은 군사적, 경제적 수단에 추가하여 협상전술과 협상전술을 구사하는 협상대표도 포함된다. 국력의 월등한 차이에도 불구하고 협상을 성공시킨 대표적인 예는 '한미상호방위조약' 체결이며, 우리나라 초대 대통령인 이승만은 미국에 대한 끈질긴 설득과 위협으로 이를 성사시켰다. 또한 북한이 1993년부터 전개된 미국과의 핵협상에서 초강대국인 미국에 대해 자신들의 협상안을 관철시킨 것도 중요한 사례가 되고 있다. 현재 국제적으로 통용되고 있는 협상전술은 다음과 같다.

2.5.1 대표적인 협상전술

협상전술은 협상이익 달성을 위해 그 당시 상황변화에 대응하여 나타나는 현상적 협상행태를 의미한다. 따라서 상황변화에 따라 다양하게 전개되는 협상전술은 체계화된 틀을 가질 수 없다. 즉, 협상전술은 협상조건에 따라 달라지며, 같은 전술이라도 조건이 다르면 같은 효과를 기대하기 어렵다. 따라서 동일한 협상자라 하더라도 환경이 바뀌면 사용되는 전술도 달리 나타

127) 완화된 제재조치: ① 대부분의 북한산 상품 및 원자재 수입 ② 미국회사와 외국 내 자회사를 통해 수출 및 재수출되는 대부분의 소비재 상품, 금융서비스, 민감하지 않은 산업분야 투자를 위한 민감하지 않은 물자투입 ③ 농업, 광업, 석유, 목재, 시멘트, 교통, 도로, 항만, 공항 등 하부구조와 여행, 관광 분야에 대한 투자 ④ 북한인에 대한 미국인의 송금 ⑤ 상업적인 미 선박 및 항공기에 의한 (민감하지 않은) 승인된 화물의 북한 수송, 미-북한 간 상업 항공기 운항.

나며, 반대로 특정 협상환경에서는 전혀 상이한 협상자라 하더라도 유사한 전술을 구사할 가능성을 배제할 수 없다. 실제 협상사례로부터 나타나는 협상전술은 매우 다양하며 주로 사용하는 협상전술은 다음과 같다.

1) Toughness 전술

분위기 제압전술 혹은 주도권 확보전술이며, 협상을 시작함에 있어 회담 장소나 협상의제 선정문제, 대표단 구성문제 등에 고압적 협상태도를 보임으로써 협상초기 주도권을 확보하는 전술이다.

2) Precedent 전술

전례요구와 전제조건 추가 전술이며, 전례요구나 무리한 전제조건을 제안함으로써 상대의 합의가능 범위를 견제하는 전술이다.

3) Ignorance 전술

상대 무시전술이며, 협상상대를 무시하거나 제안을 거부함으로써 상대방을 흥분하게 하고, 상대로부터 더 많은 정보를 얻어내는 전술이다.

4) Haggling

거짓양보전술 혹은 흥정전술로서 무리한 제안을 함으로써 상대의 협상안에 혼동을 주는 전술이다.

5) Deadline전술

시간벌기 혹은 지연전술로서, 어떠한 조치가 발동되는 남은시간을 최대 활용하는 전술이다.

6) Face saving

태도변화 유도전술로서 상대방의 체면을 세워주면서 협상태도변화를 유도하는 전술이다.

7) Batna전술

교착위협전술로서'배트나(BATNA:협상 결렬 시 취할 수 있는 최상의 대안)'를 확보한 후, 상대방에게 협상조건이 달성되지 않으면 교착시킬 것이라고 위협하며 최대의 양보를 얻어내는 전술이다.

8) Off the record negotiation

비밀협상전술로서 협상교착을 타개하기 위해 상대국과의 비밀접촉을 통해 돌파구를 찾는 전술이다.

9) Salami slicing (살라미전술)

상대방의 양보를 조금씩 요구하는 전술이며, 단번에 목표를 관철시키는 것이 아니라 순차적으로 목표를 성취해 나가는 방법이다. 소금에 절인 이탈리아 소시지인 살라미(salami)를 장기간 보관해두고 조금씩 얇게 썰어서 먹는 데서 유래한 말이다.

10) Bottom line (최대양보선 확보전술)

상대방에게 최대의 양보를 받아내기 위해 사사건건 트집을 잡아 상대를 궁지로 몰아넣고 양보를 받아내는 전술이다.

11) Reverse action

전환경매 혹은 대안제시전술로서, 협상에서의 합의를 해주는 대신 추가적 조건을 삽입하는 협상전술이다.

12) Raisin picking

뽑아먹기식 전술이라고 하며, 건포도를 골라먹는 풍습에서 유래한 말이다. 상대와의 합의 내용이나 제안을 자신에게 유리한 것만을 골라 자의적으로 해석하고, 상대에게도 이러한 해석을 강요하는 협상전술이다.

표.1 협상기법 36계

제 1계	인내하고 또 인내하라.
제 2계	협박에 의연하게 대응하고 역으로 이용하라.
제 3계	갑작스런 충격에 대비하라.
제 4계	말을 아끼고 상대의 말을 유도하라.
제 5계	어부지리를 노려라.
제 6계	감정을 조정하고 이용하라.
제 7계	상대의 말을 경청하는 것이 최대의 양보이다.
제 8계	때를 살펴 협상을 진행하라
제 9계	상대의 패에 따라 적절한 카드를 제시하라.
제 10계	협상의 안건를 선별하고 우선순위를 정하라
제 11계	작고 쉬운 것부터 시작하라.
제 12계	악역을 등장시켜 상대의 기대수준을 낮추어라.
제 13계	감추어진 언어를 읽어라.
제 14계	작은 것은 양보하고 큰 것은 얻어라.
제 15계	양보에도 법칙이 있다.

제 16계	양보의 법칙에도 예외가 있다.
제 17계	협상의 목표를 명확하게 설정하라.
제 18계	질문은 질문답게 대답은 대답답게 하라.
제 19계	공격적인 질문은 구렁이 담 넘어가듯 일단피하라.
제 20계	마감기일을 활용하고 그에 적절히 대응하라.
제 21계	모든 결정사항은 낱낱이 서면으로 확인해 두어라.
제 22계	허풍과 기만에 냉정히 대처하라.
제 23계	거절하기 어려운 카드를 제시하라.
제 24계	논쟁을 피하고 설득하라.
제 25계	보안을 유지하라.
제 26계	분쟁이 일어나면 조정과 중재를 효과적으로 이용하라
제 27계	단계별 재협상을 활용하여 실패를 만회하라.
제 28계	기정사실화 하라.
제 29계	최후통첩으로 두 마리 토끼를 잡아라.
제 30계	주도적으로 협상하라.
제 31계	첫 번째 제안에 만족하지 마라.
제 32계	인간관계에 의존하지 마라.
제 33계	상대의 체면을 살려주어라.
제 34계	때로는 상대를 기만하여 원하는 것을 얻어라.
제 35계	불평을 일삼기보다는 불평을 해소하라.
제 36계	자기가 원하는 선에 말뚝을 박아놓고 상대를 설득하라.

출처. 정호수, 「협상이야기」(서울: 빌해 그 후,2008)

2.5.2 북한의 협상전술

북한의 '벼랑 끝 전술'은 상대국으로 하여금 그들이 원하지 않는 벼랑 끝으로 몰고 가서 동반파멸의 위협으로 상대국으로부터 굴복을 받아내는 전술이라고 할 수 있다. 그러나 북한은 '벼랑 끝 전술'을 구사하면서도 항상 대화의 여지는 남겨둠으로서 결정적인 파국은 모면하고, 상대국이 실제 군사행동을 취할 것으로 예상될 때에는 일단 후퇴한 후 대화국면으로 전환함으로써 상대방을 김빠지게 한다.

'벼랑 끝 전술'로 표현되는 북한의 협상전술은 이미 세계적으로 정평이 나 있다. 벼랑 끝 전술은 공격적이며, 도발적인 전술을 결합해 놓은 것으로 무조건 요구하거나 고함지르기, 허세부리기, 위협하기, 교묘히 발뺌하기, 협상

시간의 설정 이외에도 심지어 협상 장소에서 퇴장하는 등의 행동이 포함된다. 이 전술은 냉전기간 중 북한의 협상가들이 효과적으로 구사한 전술이다.[128]

1993년에 북한에 의해 야기된 '1차 북한 핵 위기'시 북한이 미국과의 협상과정에서 협상단계별 동원한 전술의 주요 특징과 내용을 살펴보면 다음과 같다[129].

먼저 1993년, 1단계 북미고위급 회담 시에는 필요 이상의 고위급 대표 선정, 거짓양보 전술, 전제조건제시 전술, 최종양보선 제시, 벼랑 끝 전술 및 지연 전술을 사용하였다. 2단계 회담 시에는 체면유지 전술, 국면전환을 위한 새로운 의제추가 전술, 양보전술을 사용하였으며 3단계 회담 시는 특정 의제합의 전술, 상대무시 전술, 흥정 및 깍기 전술, 협상장소 선택 전술, 단계별 합의 전술, 대안제시 전술을 사용하였다.[130]

북한이 미국과의 협상과정에서 사용한 전술을 분석하면 몇 가지 특징을 찾을 수 있다. 북한 협상전술의 특징은 첫째, 한가지의 전술을 단순하게 적용하기 보다는 여러 가지 전술을 복합적으로 사용한다. 이는 상대로부터 보다 큰 양보를 기대할 수 있으며, 북한의 협상위치를 신축성 있게 변화시켜주는데 도움을 준다.

둘째, 일반적으로 북한의 협상전술은 강경자세로부터 온건자세로 변화하는 방법을 취하고 있다. 이 같은 방법은 유리한 위치에서 회담을 진행하는데 도움이 되는 협상방법인 바, '최대 이익, 최소양보'의 협상전술이라고 할 수 있다. 물론 이러한 선술은 진의협상을 진행하는 경우에 나타나며, 의사협상 시에는 강경 일변도의 전술을 사용하여 협상 외의 효과를 기대하기도 하였다.

셋째, 공격적인 전술을 사용하기 위해 협상상대를 우선 경쟁적 위치에 둔다는 것이다. 이렇게 함으로써 북한은 다양한 공격전술을 사용하기 용이하고 양보전술을 사용할 때 효과를 극대화시킬 수 있게 된다. 타협적인 회담

128) 스코트 스나이드 지음, 안진환 이재봉 역, 「벼랑끝 협상」(서울: 청년정신,2003),p.134.
129) 북한이 사용하는 협상전술에 해당되는 이름은 외국에서 개발된 협상전술용어를 참고하였음. David Church man, Negotiation Tactics (New York : Trimark Publishing, 1996). 참조.
130) 김도태, "북한의 핵협상 관련 전략전술 연구" 『협상연구』 제5권 제1호(서울 : 한국 협상학회, 1999), pp. 161-163.

을 진행한 북미회담 과정에서도 북한은 미국에 대한 불신을 노골적으로 나타내어 미국의 우선 양보를 유도하려 하였다. 이러한 협상자세는 협상상대를 동반자 혹은 협조자로 보는 일반적인 협상양태와 구별되는 부분이라고 할 수 있다.

넷째, 북한은 명분을 중시하여 전술상 승리에도 큰 비중을 두고 있는 것으로 보인다. 이는 전략적 승리인 궁극적 목적 달성에만 비중을 두는 일반 협상 사례와 다른 부분인 바, 북한 협상만의 특징이라 할 수 있다. 131)

표.2 북한의 협상전술 요약

- 북한의 협상전술 : 벼랑 끝 협상 132)
  - 상대국을 그들이 원하지 않는 벼랑 끝으로 끌고 가서 동반파멸을 위협함으로서 상대방으로부터 양보와 굴복을 받아내는 전술

- 준비기의 협상전술
  - 분위기 제압전술 또는 주도권 확보전술
    회담장소나 협상의제 선정, 대표단 구성 문제부터 고압적 자세. 무리한 요구를 하거나 자신의 주장을 반복
  - 전례요구와 전제조건 추가전술
    전례요구나 무리한 전제조건을 제안함으로서 상대의 합의가능 범위를 견제
  - 상대방 무시전술
    협상상대를 무시하거나 제안을 거부함으로서 상대방을 흥분하게 하고 상대로부터 더 많은 정보를 얻어내는 전술
  - 거짓 양보전술 혹은 흥정전술
    상대방에게 무리한 제안을 하여 혼란을 주고 무리한 제안을 철회하는데 대한 양보 대가요구

- 진행기의 협상전술
  - 시간벌기 혹은 지연전술
    상대방에게 희망을 갖게 하고 최대한의 시간을 벌며 유리한 협상을 유도하고 결정은 최대한 지연시켜 대방을 조바심 나게 함
  - 태도변화 유도전술

131) 조남진,「북한 핵 위기관리 연구」(동국대학교 ,박사논문, 2004),pp.156-157.

상대방의 체면을 세워주면서 협상태도변화를 유도

- 교착 위협 전술
  상당부분 합의를 했다가도 마지막 순간에 엉뚱한 제안을 하여 회담을 교착시키려 함
- 비밀협상 전술
- 살라미 전술

■ 종결기 협상전술

- 최대 양보선 확보전술
- 전환경매 및 대안제시 전술
  합의를 이루는 대신 추가적인 조건 삽입
- 뽑아먹기 전술
  합의내용을 자신들이 유리한 방향에서 해석

■ 기타

- 시간 끌기 전술
  회의시간을 무한정 지연시켜 상대방을 지치게 만들어 자신들의 주장을 관철
- 판 깨기 전술
  협상이 자신들에게 불리하게 진행되거나 원하지 않는 방향으로 결론이 날 때 엉뚱한 핑계거리를 만들어 협상을 결렬시키고 그 책임을 상대방에게 전가

출처, 「경기대 논문집」 제44집 1호(경기대학교, 2000) 요약

132) 스코트 스나이드(2003),p.134.

제 8 장

군비통제

제 1 절 군비통제의 개념

1.1 개요

손자병법의 모공(謨攻)편에 적과 싸우지 않고 승리하는 것이 최선의 승리요, 그 다음 바람식한 승리란 적의 싸우려는 의지를 분쇄하는 것이라고 하고 있다. 여기서 전쟁을 통하지 않고 적의 군사적 능력과 의도를 약화시키는 것이 군비통제라고 볼 수 있다.133)

1.2 군비통제의 정의

군비통제란 '잠재적국 사이에 전쟁의 가능성과, 전시에는 그 확산범위와 파괴력을 제한하며, 평시에는 전쟁에 대비한 정치경제적 기회비용을 감소시키기 위한 다양한 형태의 군사적 협력'을 의미한다.134)

군비통제는 '적대하는 국가 간에 상호 존재하는 군사적 위협에 대해 전적으로 군비증강수단으로 대응하기보다는 상호 합의하에 군사력의 운용과 구

133) 백종천(편), 「한국의 국가전략」,(세종연구소,2004),p.92.
134) 황진환, "군비통제론",육군사관학교(편)「국가안보론」,(서울 ; 박영사, 2001), p.284.

조의 통제를 통해 그 위협을 보다 제한·감소시킴으로써 기습공격과 전쟁발발의 위험을 제거하고 평화를 정착시키는 노력'을 의미한다. 이러한 노력은 만일 전쟁이 발발해도 그 피해의 범위와 강도를 줄이며 전쟁대비를 위한 정치적·경제적 비용을 줄여 국민생활에 대한 투자를 보장하기 위하여 추진되는 협력적 안보정책이다.[135]

다시 말하면 군사력의 건설, 배치, 운용, 사용을 확인, 제한, 금지 또는 축소하고, 합의사항 위반을 제재함으로써 전쟁위험을 감소시켜 안보를 유지하려는 개념이다. 군비통제는 결국 보다 낮고, 덜 위험스러운 수준에서 증대된 안보를 제공해 주는 조치라고 할 수 있다.

군비통제(Arms Control)는 군비축소, 군비제한, 무장해제 등의 어려운 과제와 신뢰구축 등의 쉬운 과제를 포괄함으로써 상황에 따라 융통성 있게 적용할 수 있는 안보정책이다.

1.3 군비통제 관련용어

앞에서 제시된 군비통제 관련용어를 정의하면,

'군비(armament)'란 무기와 병력의 생성, 유지 및 배치, 그리고 사용 등과 관련된 자원을 통칭하며, 국가의 유형적인 군사력인 육 · 해 · 공군의 병력 · 무기 · 장비 · 군수품 및 기지 등 일체의 인적 · 물적 군사적 준비를 통틀어 일컫는 말이다.

'군비축소(reduction of armaments)'란 이미 건설된 군사력, 즉 보유중인 무기나 병력의 수량적 감축을 의미하며, 무리한 군비경쟁을 지양하고, 이미 건설된 군비를 감축하는 것을 뜻한다.

'군비제한(limitation of armaments)'이란 군사력의 수준을 양적 또는 질적으로 일정하게 제한하는 것이며, 전면전의 가능성을 줄이고 전쟁억제 효과를 증진하기 위하여 군비의 한도를 국제조약으로 정하는 것을 말한다.

'무장해제(Disarmament)'란 군사력의 해체를 의미하는 것으로서 패전국에 대한 무장해제가 가장 대표적이며, 군대가 보유한 무기의 반납 또는 특

135) Arms Control and National Security: An Introduction(Washington, D.C: Arms Control Association,1989), p.10.

정지역 내의 군사시설을 철거함으로써 전투능력을 제거하는 것을 뜻한다.

'신뢰구축방안(Confidence Building Measures: CBM)'은 상대방 군사행동의 예측가능성을 제고함으로써 위험을 감소시키고 위기관리를 용이하게 하려는 제반조치를 의미한다.

제 2 절 군비통제의 기능

2.1 군비통제의 목적과 성립조건

군비통제를 실시하는 목적은 대체로 다음 3가지로 요약할 수 있다.

첫째, 적대하는 국가들이 상호 합의하여 군비경쟁을 완화하여 전쟁을 억제하고, 둘째, 쌍방 군사력의 감축을 포함하여 군사력의 사용범위와 사용방법을 통제함으로써 전쟁 발발시의 피해를 최소화하며, 셋째, 군사력의 건설과 유지비용을 감소시켜 경제발전에 기여하는데 근본 목적이 있다.

일반적으로 국가 대 국가 간의 군비통제가 성립하기 위해서는 군사력 규형을 바탕으로 한 자국안보에 대한 자신감이 있어야 하며, 군비통제 필요성에 대한 쌍방 간의 인식과 군비통제를 통해서 얻을 수 있는 공통이익이 있어야 하며, 상호신뢰를 바탕으로 한 진지한 자세가 요구된다.

군비통제의 기본적 모습은 공통이익에 대한 인식이다. 군비통제가 군사정책상 공통이익을 가지고 있다는 것과 군비통제와 안전보장정책이 서로 반대되지 않는다는 인식이 군비통제의 선결요건이다.

전쟁이 발발한다면 어느 한쪽이 승리는 하겠지만 결국 양국 모두 손실을 입지 않을 수 없기 때문에 전쟁에서의 승리보다 전쟁을 미연에 방지하는 쪽으로 달라지지 않으면 안 된다는 인식이 확산되고 있다. 또한 군비통제는 군사정책과 상충되는 것이 아니며 군사정책과 같은 목표를 같이하고 있다고 할 것이다.[136]

---

136) 스테펜 R. 크라우바드(편),「안보총서· 63, 군비통제 30년」(국방대학원 안보문제연구소,1991),pp.215-217.

2.2 군비통제의 기능

군비통제의 기능은 군사적 기능과 정치적 기능으로 대별된다,

군사적 기능은 ① 전쟁의 가능성 감소 ② 군비경쟁 완화 ③ 적대국가간에 상호불신 감소 및 군사적 예측성을 증대 ④ 심각한 군사적 불균형 완화 ⑤ 평화적 방법에 의한 국가 간 분쟁의 해결 ⑥ 경제 및 사회복지를 위한 투자재원 마련 ⑦ 국가 간 군사적 상호이해 및 신뢰 증진 등이다.

정치적인 기능은 ① 분쟁 국가 간 대화의 장 마련으로 외교채널 유지 ② 군비통제 협상자체가 안보에 대한 공감대를 형성하는 교육과 학습의 장을 제공 ③ 국가안보에 대한 자국 국민의 안정감 제고 ⑤ 군비통제를 통해 국가 간 정치적 변화과정을 조정하고 통제 등이다.[137]

제 3 절 군비통제의 형태

3.1 운용적 군비통제

군비통제의 형태는 분류기준에 따라 많은 구분방법이 있지만 통상 군비를 통제하고자 하는 대상에 따라 '운용적 군비통제'와 '구조적 군비통제'로 구분한다.

운용적 군비통제는 군사활동의 투명성과 예측가능성을 높이고 군사적 의도를 분명히 하여 전쟁발발의 원인이 되는 오판이나 불신을 제거하는데 목표를 두고 신뢰구축 방안수립, 특정 군사행위 금지, 완충지대나 안전지대의 설치, 공세적 배치의 해제 등 군사력의 운용분야를 통제하는 것을 뜻한다.

이를 구현하기 위한 주요조치는 상대 국가 간의 전쟁규칙을 마련하고, 위기 시 직접대화 수단으로서의 행정협정을 체결하며, 정보교환이나 상호통신을 통하여 신뢰구축 조치를 하는 것이다. 주요 조치내용으로는 첫째, 정보교환 및 통신유지 조치로서 ① 부대의 편성, 장비, 국방예산 등 각종 정보교환 ② 주요 작전사령부 간 직통전화(hot line)설치 등 통신망 구축 ③ 공동 위

137) 황진한(2005), pp.288-289.

기관리센터 설치 ④ 일정규모 이상의 군부대 군사활동 공개 ⑤ 군사훈련초청 의무화 등이다.

둘째, 기습공격 방지 및 억제조치는 ① 부대 및 장비이동 감시 ② 공세전력의 배치한계지대 설치 ③ 대규모 기동훈련 제한 ④ 조기경보 확보조치 등이다.

셋째, 선언적 조치로서 ① 무력의 선제사용 금지 및 불가침선언 ② 핵, 화학, 생물학무기 등 대량살상무기 사용금지 등이다.

1963년에 미·소간에 핵전쟁 발발의 위험성을 감소시키기 위하여 직통전화(hot line)를 설치하였는데, 이러한 것은 오해에 의한 위기의 확산을 예방하기 위한 중요한 신뢰구축 조치라고 할 수 있다.

이러한 신뢰구축조치는 1975년 헬싱키에서 개최된 유럽안보협력회의(CSCE)에서 구체적인 정책대안으로 채택되었고, 이후에 신뢰구축을 위한 다양한 조치들이 개발되었으며, 일부는 합의되어 이행되었다.

운용적 군비통제의 대표적 사례로서는 헬싱키협약(1975), 스톡홀름협약(1986),[138] 비엔나협약(1992) 등이 있다.

3.2 구조적 군비통제

구조적 군비통제는 전쟁도발 능력의 감소 및 제거를 위한 실질적인 군사력의 규모와 구조를 통제하여 군사력균형을 유지하고 안정을 달성하는 것이다.

즉 핵, 화생무기, 기상무기와 같은 특정무기의 개발을 금지하는 부분적 군사력 규제와 군비제한, 축소, 해제 등 군사력 구조 분야를 통제하는 것을 의미하며, ① 현 수준에서 군사력 동결 ② 일정수준 이상의 군비증강 제한 ③ 특정유형의 무기 또는 화력 사용금지 ④ 일정비율 또는 수량원칙에 따라 군사력 규모를 감축하는 것 등이 있다.

대표적인 사례로는 CFE(유럽재래식무기감축조약),[139] SALT(전략무기제

138) 1986년 9월 22일 스톡홀름에서 열린 유럽 35개국 군축 회의에서 우발전쟁 방지를 목적으로 체결된 협정, 제 2단계 전략 무기협정(SALTⅡ) 이후의 최초의 동서 간 안보협정이다.

139) CFE는 1990년 나토와 바르샤바조약기구(WTO) 간에 체결한 재래식 전력 감축조약으로 탱크, 전투기, 장갑차, 대포 등 재래식 전력의 보유 상한선을 정해 초과하는 부분에 대해서는 파괴, 또는 민

한협정)[140], NPT(핵확산금지조약),[141] CWC(화학무기금지협약) 등이다.

3.3 신뢰구축방안 (CBM : Confidence Building Measures)

군비통제를 위해서는 상호 신뢰구축이 필수적이다. 신뢰구축방안이란 국가 상호 간의 오해와 불신으로부터 오는 군사적 위협 또는 불안요소를 제거하기위해 상호 정보를 교환하고 군사적 활동이나 군사력의 이용가능성을 제한하는 행동이다.

신뢰구축방안에는 학자들마다 여러 가지 방안을 제시하고 있는데 그 중 상대방의 인식에 영향을 미치는 주관적인 방안과 상대방의 공격의도에 제약을 가하는 객관적 방안이 있다.

주관적 신뢰구축방안이란 국가 간의 관계에서 계량화할 수 없고 확인할 수 없는 심리적 의도를 과거의 상황을 분석함으로써 파악하여 상대방 인식에 영향을 미칠 수 있는 조치를 취하는 것을 말한다.

객관적 신뢰구축방안이란 참관인교환, 정찰비행, 비무장지대설치, 기동의 사전통고와 감시 등 객관적으로 구분 가능한 방안이다.

신뢰구축방안의 구체적인 내용은 역사적으로 가장 성공적이었다는 1986년의 스톡홀름협약에 잘 나타나 있다.

스톡홀름협약은 군사적으로도 그 의미가 크며 정치적으로 구속력이 있고 적절한 검증방법도 포함하고 있다. 스톡홀름협약은 1975년의 헬싱키 협약[142] 보다 안보문제에 관해 보다 구체적이고 한 단계 발전한 것이라는 점을 나타내기 위해 CBM을 'Security' 라는 말을 포함하여 신뢰안보구축방안(CSBM)이라고 명명하였다. 스톡홀름 CSBM을 부분별로 살펴보면 다음과 같다.

수용 전환 등의 방법으로 감축을 실행하는 것을 규정하고 있다.

140) 전략무기 제한협정으로 미국과 소련이 핵무기 개발 경쟁의 억제를 위해 1969년 헬싱키에서 시작한 핵무기 제한협정이다. 1972년부터 77년까지의 SALT Ⅰ과 1979년부터 85년까지의 SALT Ⅱ로 구분된다.

141) NPT는 핵확산금지조약을 뜻한다. 핵보유국의 핵무기, 기폭장치 및 그 관리의 제3자에 이양금지, 비핵보유국의 핵무기 무기의 수령금지, 원자력 시설에 대한 국제사찰의 인정 등 전면 완전군축조약에 관한 교섭을 성실히 행할 것 등을 규정한 국제조약이다.

142) 유럽안보협력수뇌회의 · 헬싱키수뇌회담이라고도 한다. 미국 · 캐나다, 유럽국가(33개국) 등 모두 35개국이 참가하여, '상호간의 국경 존중' 등 10개 원칙을 중심으로 한 유럽의 안전보장 의제 최종문서에 서명하였다.

1) 사전통보 CSBM

13,000명 이상이나 300대 이상의 탱크, 200대 이상의 항공기가 출격하는 훈련(헬리콥터 제외), 3,000명 이상의 해병대나 공수부대가 참가하는 훈련은 훈련 시작 최소한 42일전에 사전 통보한다.

2) 정보 CSBM

매년 11월 15일 이전에 다음해의 군사훈련에 관한 정보를 통보한다. 특히 40,000명 이상이 참가하는 훈련은 1년 전에 75,000명 이상의 훈련은 2년 전에 통보한다.

3) 검증 CSBM :

(1) 자발적 검증방안 : 17,000명 이상이 참가하는 군사훈련이나 5,000명 이상이 참가하는 상륙, 공수훈련에는 참관인을 초청한다. 각국은 군 사요원이나 민간인을 2명씩 참관시킬 수 있고 초청국은 모든 편의를 제공한다. 관측기간은 훈련참가 병력수가 참가허용 숫자 이하로 감소 때까지 관측이 가능하며 초청국과 참관국이 함께 결정한다. 금지구역은 관측대상이 아니다. 훈련참가부대도 미리 통보받지 못한 비상 훈련의 경우에 72시간 이내에 끝나는 훈련은 참관인을 초청할 필요가 없다.

(2) 요구현장검사 방안 : 스톡홀름협약을 준수하고 있지 않다고 생각되 는 훈련에 대해 기습적 현장검사를 실시할 수 있다. 그러나 1년에 4 회 이상의 기습적 현장검사와 동일국가로부터 2회 이상은 받을 필요 가 없다. 지상, 공중 검사가 모두 허용되며 검사팀은 검사요청 후 36 시간 내에 피검사국 영토에 입국하도록 허용되어야 하며 검사시간은 48 시간이다. 그러나 일부 민감한 지역은 검사에서 제외될 수 있다.[143]

143) 전성훈, "유럽의 신뢰구축방안" (blog.naver.com/hjinju70/46684846, 검색일:2009.11.25)

제 4 절 군비통제 유발요인

분쟁국가 간 군비통제의 필요성은 인식을 하지만 군비통제의 가능성과는 별개의 문제이다. 군비통제를 위해서는 상호간의 신뢰를 포함하여 해결해야 할 다양한 국내·외적 변수가 상존하고 있기 때문이다. 군비통제의 가능성에 대한 대표적 이론은 다음과 같다.

4.1 기본가정

개별국가들의 행위 패턴을 보면, 적대관계에 있는 국가들 사이에 군비통제에 대한 관심과 가능성은 군비경쟁과 마찬가지로 무정부주의적인 국제체제 구조에 기인한다고 가정한다. 무정부상태에서 국가들은 항상 국가생존의 위협에 노출되어 있으며, 이러한 상황에서 살아남기 위하여 개별 국가들은 자신을 지킬 수 있는 힘을 가져야 한다는 논리이다.

'모간'의 이론은 국제체제하에서의 개별 국가는 네 가지의 기본속성이 있으며, 이러한 속성이 군비통제를 실현할 수 있는 요인이라고 본다. 무정부체제하에서의 모든 단위국가들은 첫째, 국가안보에 관한 한 최대한 자율성을 유지하려한다. 국가안보문제는 국가존망이 걸린 문제이며, 국제관계에 있어서 다른 어떠한 분야보다 민감하기 때문이다. 둘째, 국가의 국가독립성 유지를 최우선 국가목표로 상정하며, 셋째, 국가 간 갈등이 유발될 때 이를 타개할 군사력 보유 및 사용의 필요성이 대두하며, 넷째, 군사력 보유에는 막대한 비용이 요구되며 유사시 치명적인 파괴력을 수반한다.[144]

4.2 결정요인

분쟁국간 군비통제의 가능성에 대한 일반적 조건은 다음과 같다.

첫째, 국가 간 군비통제는 정치적 현상유지에 대한 상호 공감대를 형성할 때 가능하다.

둘째, 군비통제는 분쟁 당사국간의 정치적 갈등완화를 필요로 한다. 군사

144) 황진한,(2005),p.305.

력 보유의 원인은 국가 간 갈등의 결과이기 때문에 먼저 군사력을 통제하여 갈등을 완화하고자하는 노력은"마차가 말을 끄는 오류"와 같다고 한다.

셋째, 관련국 각자의 군사비 부담이 자국의 독립성 유지에 치명적 부담이 될 수록 군비통제 가능성은 높아진다.

넷째, 적대국가 간의 군비통제는 쌍방이 공히 상대방에 대하여 군사적인 최소한의 억제능력을 보유하고 있을 때 그 가능성이 증대된다.

다섯째, 강대국과의 동맹관계를 유지하고 있는 분쟁국가의 경우 동맹국과의 관계가 급격히 악화되거나 혹은 새로운 동맹국획득이 좌절될 경우 적대국과의 군비통제에 관심을 갖게 된다.145)

제 5 절 군비통제의 절차

5.1 준비단계

군비통제는 일반적으로 준비단계, 협상단계, 실천단계 등 3개 단계를 거치면서 구체적으로 군비통제 방안이 구현된다.

준비단계에서는 피아간의 정치적, 경제적, 사회적, 군사적, 전략적인 군비통제의 여건을 평가하여 안보이익을 증진할 수 있는 군비통제 방안을 준비하는 단계이다. 군비통제방안은 대상국가간의 정치·군사현실에 바탕을 두고 있기 때문에 매우 다양하다.

군비통제방안에 대한 예를 들면

1972년 6.25전쟁 후 최초로 남북대화를 한 후 발표된 '7.4남북공동성명'에서는 긴장완화와 신뢰분위기 조성을 위해 ① 중상 비방 및 무장도발 금지 ②군사적 충돌방지를 위한 적극적 조치 강구 ③ 돌발적 군사사고의 방지와 분쟁처리를 위한 서울-평양 간 직통전화의 설치 등에 합의하였다.

1973년 3월에 개최된 남북조절위원회에서 북한은 남북 간 긴장상태를 완화하고 군사적 대치상태를 해소하기 5개 항목의 군사제안을 하였는데 그 내

145) 황진한, (2005), pp.305-307.

용은 다음과 같다. ① 무력증강과 군비경쟁 중지 ② 상호 10만 또는 그 이하로 감군하여 군비를 축소 ③ 외국으로부터의 일체무기와 작전장비군수물자의 빈입중지 ④ 미군을 포함한 외군철수 ⑤ 상기문제의 해결 및 무력 불행사를 보장하는 평화협정 체결이다.

5.2 협상단계

협상단계는 준비된 군비통제 방안에서 얻을 수 있는 공동이익을 찾아내고 의견을 합치시키는 노력을 하는 단계로서 협상제의, 상대방의 제의수락, 교섭 혹은 흥정과정, 합의 순으로 진행된다. 일방의 협상제의를 상대국에서 수락할 경우 본질적 문제에 대한 교섭과정에 들어간다. 이 교섭과정이야말로 협상의 핵심적 위치를 점유하며 사안에 따라서는 당사국간에 인내심을 요구하는 상호작용과정이다.

군비통제협상이 합의에 이르게 되는 과정에서 가장 복잡하고 어려운 문제는 합의에 대한 효과적인 검증과정을 마련하는 것이다. 군비통제 조약에서 규정하는 제반조치들은 조약 가맹국의 국가안보 문제와 직결 되어 있기 때문에 상대방이 합의내용을 준수할 것이라는 확신을 줄 수 있는 적절한 방안이 마련되지 않는 한 조약을 체결할 수 없는 것이다.

5.3 실천단계

실천단계에서는 합의된 군비통제 방안을 이행하면서 상대방의 실시 여부를 감시, 확인하고 위반 시 제재를 가하여 그 실효성을 보장한다. 군비통제는 국가 간에 합의하고도 이행하지 않는 경우가 허다하며, 실제 확인한다고 하여도 제재하기가 어렵다. 때로는 이행여부를 확인하는 과정에서 긴장이 조성되고 분쟁으로 까지 확대되는 경우도 있다.

1991년 남북한은 한반도에서 핵무기를 개발하거나 배치하지 않도록 하는 한반도 비핵화 공동선언을 하였으나 북한이 이를 무시하고 핵개발을 계속하여 핵무기를 제조하고 핵실험까지 감행 하였다.

군비통제를 감시하는 것도 매우 민감한 문제이다. 북한은 1992년 국제원자력기구의 사찰을 받기로 하는 핵안전조치협정에 서명을 하고 나서도 영변의 미신고 핵시설에 대한 사찰요구를 거부하며 한반도 위기를 조성하였다.

제 6 절 검증

6.1 개요

군비통제의 검증은 합의한 것을 준수하느냐를 확인하는 행위이며, 상대방의 조약준수에 대한 확신을 주고 이를 보장함으로써 조약체결을 촉진하는 동시에 조약의 원활한 이행을 보장하는 필수적인 요소라 할 것이다.

국제적인 협상에서 합의를 하고도 이에 대한 약속을 이행하지 않은 경우가 많으며, 군비통제에 관해서 합의했다고 하더라도 검증의 방법과 수준에 대한 합의를 하지 못하면 그 합의는 의미가 없다고 할 것이다.

검증은 상호불신이라는 국가 간의 속성으로 인해 군비통제조약상에 합의된 규정을 성실히 이행하는가에 대한 여부를 확인하여 이를 위반한 국가에 대해서는 합의된 제재는 물론 궁극적으로 조약의 파기도 초래할 수 있다는 우려에서 정치, 군사, 또한 기술적 측면에서 군비통제의 핵심적 요소라고 할 수 있다.

검증의 개념은 제1차 세계대전 이후 히틀러가 베르사이유 조약을 거부한 역사적인 경험과 군비통제에 관한 협정들이 어느 한 국가에 의해 위반될 수도 있다는 상호불신의 선입견으로부터 형성되었다.

검증하는 방법은 사찰과 검증을 들 수 있는데, 먼저 사찰이란 공식적인 합의에 의해 규정된 절차와 보호규정 하에 실행되는 행위로, 합의된 한 국가내의 지역과 장소를 현지에서 검사하는 것을 말한다.

검증이란 사찰과 정보라는 2가지 방법에 의해 상대국이 협정을 규정대로 준수하는가를 확인하는 것이다.

6.2 검증의 기능과 수준

검증은 신뢰구축기능과 억제기능이 있다. 먼저 신뢰구축기능은 검증을 통하여 군비통제 당사국간의 조약준수에 대한 확신을 제고함으로써 상호 신뢰감을 증진시키고, 다른 군비통제조약 체결에도 영향을 주어 성공가능성을 높이는 역할을 수행한다. 억제기능은 효과적인 검증기능을 마련함으로써 적대국의 조약위반여부와 상대국의 군사적 의도에 대한 사전탐지가 가능하기 때문에 군사적 행동을 억제할 수 있는 것이다.

검증의 수준은 무 검증, 상징검증, 적절검증, 효과검증, 완벽검증까지 다양한 수준에서 이루어진다. 무 검증은 검증에 대한 구체적 검증기준을 두지 않으며, 특정국의 조약위반 여부는 자국의 독자적인 첩보수집 혹은 제3국을 통해 조약의 개괄적인 준수여부를 파악하는 방법이다. 대표적인 사례로서는 1975년에 체결된 헬싱키협약이라고 할 수 있다.

상징검증은 조약위반 징후 발견 시 이를 해결하기 위한 해명과 협의 절차를 명시하고 있는 것으로 1972년 체결된 '생물 및 독소무기 금지협약'이 있다.

적절검증은 주권을 크게 침해하지 않는 범위 내에서 구체적 검증조항을 명시하는 것으로 미・소간에 체결된 SALT I 협정이 그 예이다.

효과검증은 주권침해가 강한 현장검증을 허용하는 것으로서 1986년 체결된 스톡홀름 협약이나 IAEA가 실시하는 검증방법이다.

완벽검증은 당사국들이 100% 검증을 허용하는 것으로서 남극조약이 유일하다.146)

6.3 검증수단 및 절차

검증수단은 독자검증수단과 협력검증수단이 있다. 독자검증수단은 상대국의 협조 없이 자체첩보수집수단인 항공기, 레이더, 정찰위성, 첩보원 등을 활용하는 것으로 편리하나 확실한 검증수단으로는 한계를 지닌다.

협력검증수단은 조약체결 국가 간 협력 하에 실시하는 검증수단으로, 통

---

146) 황진한,(2005),pp.312-313.

제 및 감시대상을 지정하고 투명도, 불간섭, 비 은폐 방법을 사용하거나 현장사찰을 실시한다. 사찰방법은 정기 혹은 일반 사찰, 임시사찰, 특별 및 강제사찰 등이 있다. IAEA에서는 (표.4)와 같이 핵사찰을 실시하고 있다.

군비통제 검증절차는 정보를 수집하고, 위반징후 발견 시 이에 대한 판단과 대응 순으로 실시된다. 정보수집단계는 사찰 등 검증수단을 통해 자료를 수집· 분석을 하는 것으로 통상 정보 전문분석가에 의해 이루어진다. 대응 및 판단단계는 위반사항 발견 시 대응하는 조치로서, 이는 매우 정치적이며 주관적인 과정으로 상대국과의 정치, 외교, 군사관계 전반에 걸친 고려가 필요하다.

표.3 IAEA핵사찰 종류

○ 임시사찰(ad hoc inspection)
- IAEA와 핵안전조치협정을 체결한 당사국은 IAEA에 최초 보고서를 제출하게 되어있는데, 이 최초 보고서의 내용이 실제와 같고 정확하고 안전한지를 확인하기 위한 사찰

○ 일반사찰(routine inspection)
- 최초 보고서에 의한 임시사찰이 끝난 핵시설 및 핵물질에 대해 변동사항을 검증하는 제도
- 통상 원자력발전소는 연 4회, 연구용원자로는 연 1회 IAEA 일반사찰 실시

○ 특별사찰(special inspection)
- 임시사찰이나 정기사찰을 통해 미진한 부분이나 핵시설 또는 핵물질의 존재가 의심스러울 때 IAEA와 당사국간 합의에 따라 필요한 사찰을 받는 제도

출처: 조남진, 「북 핵 위기관리연구」 (동국대, 2004),p.61.

제 7 절 군비통제 사례

7.1 유럽 재래식무기 감축조약

CFE(The Treaty on Conventional Armed Forces in Europe)는 1990년 나토(NATO)와 바르샤바조약기구(WTO) 간에 체결한 재래식전력 감축조약으로서 재래식전력의 보유상한선을 정해 초과하는 부분에 대해서는 파괴, 또는 민수용 전환 등의 방법으로 감축을 실행하는 것을 규정하고 있다.

1990년 11월 19일 북대서양 조약기구(NATO) 16개국과 구 바르샤바조약기구(WTO) 14개국 간에 체결한 재래식전력 감축조약으로 재래식전력의 보유 상한선을 정하여 초과하는 부분에 대해서는 파괴 또는 민수전용 등의 방법으로 감축을 실시하기로 약속하였다.

1999년 11월 유럽안보협력기구(OSCE) 정상회의는 재래식 무기에 대한 기존의 NATO와 WTO간의 집단적 보유상한을 국가별 보유상한으로 전환하였다.

또한, 중부유럽국가의 전차, 전투기, 대포 등 재래식 무기를 10% 추가 폐기하고, 2001년 중반까지 러시아의 4개 군사기지 중 2개를 해체하여 주둔 병력과 장비를 철수하기로 합의하였다.

표.4 NATO와 WTO의 장비별 감축규모

구분	보유상한선	NATO 삭감 (보유)	WTO 삭감 (보유)
전차	20,000	2.757 (22,757)	13,191 (33,191)
장갑차	30,000	0 (28,197)	12,949 (42,949)
화포	20,000	0 (18,404)	6,953 (26,953)
전투기	6.800	0 (5,531)	1,572 (8,372)
공격용 헬기	2,000	0 (1,685)	0 (1,642)

7.2 전략무기제한회담 (SALT: Strategic Arms Limitation Talks)

전략무기제한 회담을 미국과 구소련이 핵무기 개발 경쟁의 억제를 위해 1969년 헬싱키에서 시작한 핵무기 제한협정이다.

핵무기 개발에서의 선두주자는 미국이었으나, 1949년, 소련이 핵무기를 개발하면서 동서 간 핵무기 군비경쟁에 돌입하였으며, 1968년경에 이르러서는 수량 면에서 미·소의 핵전력이 동등하게 되었다.

한 핵전력의 질적인 면에서는 미국이 월등히 앞서 있었으나 수량적인 면에 있어서 미·소간에 균형이 이루어진 1968년 이후, 양국은 이미 ABM(anti-ballistic missile:탄도탄요격미사일)을 보유함으로써 제2타격(2nd strike) 능력도 갖추게 되었다.[147]

이와 같이 양국이 제2격 능력을 갖추게 되자 핵 군비 경쟁에서 오는 불안과 경제적 부담으로 인하여 한계를 느끼기 시작하였다.

이러한 것을 배경으로 하여 시작된 것이 곧 미 · 소 양국 간의 전략무기제한회담이다. 이 회담은 지금까지 3단계로 진행되었으며, 회담의 단계는 다음과 같이 구분할 수 있다.

SALT I에서는 ABM 규제에 관한 협정[148]과 공격용 전략무기 제한에 관한 잠정협정이 체결되었다.

ABM 규제에 관한 협정은 각국이 2개의 기지(수도권 및 ICBM 기지)에 각각 100기씩 200기까지의 ABM을 가질 수 있다는 것이 그 내용이다. 이에 대해서는 1974년 다시 양국 간에 합의가 이루어져 2개 기지를 1개 기지로 축소하고 수량도 100기를 상한선으로 하였다.

공격용 전략무기 제한에 관한 잠정협정은 ICBM(대륙간 탄도미사일)과 SLBM(잠수함발사 탄도미사일)의 수량을 제한하려는 것인데, 미국의 경우는 ICBM 1054기, SLBM 710기, 소련의 경우는 ICBM 1618기, SLBM 950기 까지 보유할 수 있다는 것이 그 내용이다. SALT I 잠정협정의 유효기간은

---

147) 제2격(2nd strike) 능력이라 함은 핵무기의 수량적 증가를 포함하여, 전략공군 핵잠수함 등을 개발함으로써 핵공격을 받아 본토가 괴멸된다 하더라도 전략공군이나 원자력 핵잠수함으로서 보복을 가할 수 있는 능력을 의미한다.

148) 미·소간에 체결된 탄도탄요격미사일(ABM) 제한에 관한 조약이다. 1972년 모스크바에서 미국의 닉슨 대통령과 소련의 브레즈네프 서기장 사이에 체결된 탄도탄요격미사일(ABM) 제한에 관한 조약으로 SALT I 협정 중 체결되었다.

1977년 10월까지로 되어 있다. 그리고 두 협정은 모두 1972년 5월 닉슨 대통령의 소련 방문 때 조인되었다.

1972년 11월부터 개시된 SALT II회담에서는 전략공격무기제한에 관한 조약과 그에 관련된 부속문서 등이 채택되었다. 일명 'SALT II 조약'이라고도 불리는 이 조약은 1979년 6월 빈에서 조인되었다. 그 내용은 양측이 보유할 수 있는 ICBM, SLBM, ASBM(공대지탄도미사일) 및 중폭격기의 총수를 2,250기로 한다는 것과 이 가운데서 MIRV[149]화할 수 있는 운반수단은 1,320기를 초과할 수 없다는 것, ICBM, SLBM은 1,200기를 넘지 못한다는 것, 이 중에서 MIRV화할 수 있는 ICBM은 820기를 초과하지 못한다는 것으로 되어 있다. 이 조약의 유효기간은 1985년 12월 31일까지이나 아직 발효하지 않은 채 있다.

1982년 6월부터 개시된 SALT III 은 1979년 6월 빈에서 열린 카터-브레즈네프의 SALTII를 주제로 하는 수뇌회담을 앞두고 5월 중순 브레즈네프가 카터 미 대통령에게 친서를 보내 제3차 전략무기제한협정을 제안했다.

SALTIII의 주제는 ① MIRV— ICBM을 500기 이하로 한다.(SALTII에서는 820기), ② MIRV-SLBM이나 전략폭격기 등 모든 전략핵무기 운반수단의 총수를 1500기(SALTII에서는 2250기)로 제한한다. ③ 이러한 '명확한 전략무기'외에 쌍방이 유럽에 증강하고 있는 MRBM(중거리탄도탄) 등 전략무기인지 전술무기인지 구별하기 어려운 '회색무기' 규제가 협상대상에 올랐다.

거시적으로 보아 SALTII는 확장중인 미·소 해무기가 아직 도달하지 못한 선에 상한선을 긋고 있는 데 비해 SALTIII은 처음으로 제한에서 삭감으로 방향전환을 한 데 의의가 있다.

소련의 아프가니스탄 침공으로 카터 대통령은 1980년 1월 상원에 SALT II의 비준심의 중지를 요청함으로서 SALTIII 협상도 중단됐다.

---

149) MIRV [Multiple independently targetable re-entry vehicle] 다탄두미사일:1개의 미사일에 실려 각기 다른 목표를 공격하도록 유도되는 복수의 탄두.

7.3 전략무기감축회담 (START: STRATEGIC ARMS REDUCTION TALKS)

전략무기감축회담(START)은 미국과 소련 간에 맺은 전략무기 감축협정을 말하며, 미국 레이건 대통령의 대폭적인 전략무기 삭감을 추구하자는 제안에 따라 그해 1982년 6월 제네바에서 시작했다. 전략무기제한협정(SALT)이 제한적 교섭이었던 것에 비해 전략무기감축회담은 적극적인 감축교섭이라고 할 수 있다.

미국정부는 전략무기의 양적 동결을 원칙으로 한 SALT 방식보다는 대폭적인 삭감을 추구하는 정책으로 전환하였으며, SALTⅢ를 START로 개칭하고 대륙간탄도미사일(ICBM)과 잠수함발사미사일(SLBM)의 탄두수를 각각 5,000개로 감축할 것을 제안하였다.

그러나 SALTⅡ를 기준으로 전체 무기수의 삭감을 고려하였던 소련이 미국 안에 대해 소련의 ICBM의 삭감을 겨냥한 일방적인 안이라고 반발함으로써 1983년 12월 협상이 일단 중단되었다.

1984년 소련의 우주무기금지교섭 제안과 미국의 무기관련 6개 분야의 통합교섭방식인 엄브렐러 방식의 제창으로 1985년 미·소 포괄군축교섭이 이루어졌다. 1989년 부시 미국 대통령과 소련 고르바초프 대통령 간의 합의로 1990년 전략무기감축협상이 타결, 최종합의에 이르렀고, 제2차 전략무기감축회담(STARTⅡ)의 기본 방향이 정해졌다.

1993년 1월 부시 미국 대통령과 옐친 러시아 대통령은 STARTⅡ를 조인하였으며, 주요 내용은 효력 발생 후 7년간 핵탄두의 총 보유 규모를 3800~4250개로 감축하고, 2003년 1월 1일부터 3000~3500개로 감축한다는 것이다. 이 회담은 전략핵무기의 과감한 폐기와는 거리가 멀지만 핵무기로 인한 긴장과 공포를 다소 해소했다 점에서는 의의가 있다고 할 것이다.

7.4 핵확산금지조약 (NPT: Treaty on the Non-Proliferation of Nuclear Weapons)

NPT는 핵확산금지조약을 뜻한다. 핵보유국의 핵무기, 기폭장치 및 그 관리의 제3자에 이양금지, 비핵보유국의 그러한 무기의 수령금지, 원자력 시설에 대한 국제사찰의 인정 등 전면 완전군축조약에 관한 교섭을 성실히 행할 것 등을 규정한 국제조약이다.

NPT는 1970년 3월 3일 발효됐으며 유효기간은 25년이다. 이 조약의 이행상황은 5년마다 검토하게 되어있다. NPT는 핵보유국이 비보유국에게 핵무기, 재료, 정보 등을 제공하지 않을 것, 비핵보유국으로부터 핵무기, 재료, 정보를 취할 수 없음을 의미한다.

이 조약은 핵무기 확산금지원칙의 이행여부를 강제하기 위한 수단으로 3조 1항에 국제원자력기구(IAEA)를 통한 '핵안전조치협정'을 의무화하고 있다. 또 NPT 가입국은 18개월 이내에 핵 안전조치협정을 비준, 발효토록 강제하고 있는 데 한국은 1975년 정식 비준국이 되었다.

NPT는 미·소 양국이 핵무기 보유국 증가 방지를 주목적으로 추진한 조약이며, 정식 명칭은 '핵무기 비확산에 관한 조약'이다. 1960년 프랑스 핵실험에 이은 중국의 핵실험이 서독(당시) 등으로의 확산이 우려되어 미국과 소련은 1964~65년부터 부분적 핵실험금지조약(1963년 10월 발효) 이후의 주요과제로 핵확산 방지를 다루기 시작하였다.[150] 미·소 교섭에 의해 초안을 작성하고 비핵무기국과의 교섭을 거처 큰 수정 없이 1968년 6월 12일 유엔총회에서 이 조약에 대한 권고결의가 채택되었고, 1970년 3월 발효되어 2002년 3월 현재 187개국이 가입되어있다.[151]

한국은 1975년 4월 23일 정식 비준국이 되었으며, 북한은 1985년 12월에 가입하였고, 특별핵사찰 요구에 반발하여 1993년 탈퇴를 선언하였다가 보류하였으나, 다시 불거진 북한 핵개발 문제로 2003년 1월 또다시 탈퇴를 선언하였다. 그 외 미가입국은 인도, 파키스탄, 이스라엘, 쿠바 등이다.

---

150) 전성훈, "1995년 NPT 연장회의와 한국의 대책" 「민족통일연구원,연구보고서」(1994. 12),p. 4.
151) iaea.org (검색일 : 2004. 12. 1)

이 조약은 미국, 소련, 영국, 프랑스, 중국을 핵무기국으로 규정하고 제1조에서 이들 핵무기국이 비핵무기국에 핵무기와 그 관리 또는 핵무기 제조에 대한 원조를 제공하지 않을 것, 제2조에서는 비핵무기국의 핵무기 제조와 이와 관련된 개발·실험·취득을 일체 금지한다는 것과 제3조에서는 비핵무기국은 의무 이행을 확인하기 위한 사찰을 포함한 보장조치협정을 국제원자력기구와 체결할 것을 의무화하고 있다.

조약 제1조의 내용은 현실적으로 일어날 가능성이 없으므로, 이 조약은 주로 제2조 즉 횡적 핵확산(핵무기보유국 증가) 방지에 목적을 둔다고 할 수 있다.

7.5 미사일기술통제체제 (MTCR: Missile Technology Control Regime)

MTCR은 미사일기술의 확산방지를 위해 1987년 미국을 포함한 서방 7개국에 의해 설립된 다자간협의체이며, 2001년 현재 회원국은 33개국이다.

MTCR의 설치목적은 미사일과 무인비행체 및 이와 관련된 기술의 확산을 방지하고 핵·화학·생물학무기 등 대량살상무기를 발사할 수 있는 장치의 수출을 억제하는 것으로, 특히 500kg이상의 탄두를 300km이상 발사 가능한 미사일의 확산을 통제하는데 중점을 두고 있다.

이 체제에 가입해 회원국이 되면 미사일 개발과 기술이전에 대해 통제를 받게 되지만 평화적 목적에 의한 우주개발을 보장받아 우주산업에 본격적으로 진출할 수 있는 발판을 마련할 수 있게 된다. 즉 회원국이 되면 우주개발에 필수적인 우주발사체, 위성 및 지상운용 장비 등에 대한 핵심기술을 선진기술 보유국으로부터 지원을 받을 수 있다.

그러나 비회원국은 우주개발을 추진할 때 필요한 기술과 장비, 부품을 지원받을 수 없지만 독자적인 개발에 대해서는 별다른 제재를 받지 않는다.

MTCR은 공식적인 사무국은 없고 프랑스 외무성의 1개 부서에서 전반적인 행정업무를 담당하고 있으며 매년 모든 회원국이 참여하는 정기회의를 개최한다.

한국은 2001년 MTCR에 정식 가입하면서 미사일의 사거리를 늘릴 수 있게 됐으며 러시아로부터 합법적으로 기술을 이전받아 한국형 위성발사체인 KSLV-I 개발에 나설 수 있게 됐다.

표.5 탄도 미사일의 종류

○ 단거리 탄도 미사일 (SRBM: Short-range ballistic missile) - 사정거리 1000km 이하
○ 준중거리 탄도 미사일 (MRBM: Medium-range ballistic missile) - 사정거리 1000~2500km
○ 중거리 탄도 미사일 (IRBM: Intermediate Range Ballistic Missile) - 사정거리 2500~3500km
○ 준 대륙간 탄도 미사일 (SCBM: Semicontinental ballistic missile) - 사정거리 3500~5500km
○ 대륙간 탄도 미사일 (ICBM: Intercontinental ballistic missile) - 사정거리 5500km 이상(대포동 2호 등)
○ 장거리 미사일 (LRICBM: long-range (ICBM) - 사정거리 5500~8000km
○ 최장거리 대륙간 탄도탄 (FRICBM: Full Range ICBM) -사정거리 8000~12000km
○ 잠수함 발사 탄도 미사일 (SLBM: submarine-launched ballistic missile)

7.6 화학무기금지협약 (CWC: Chemical Weapons Convention)

화학무기금지협약은 화학무기의 포괄적 금지 및 폐기를 통하여 전반적이고 완전한 군축을 실현하는 것이다.

1997년 4월 29일 화학무기금지협약이 발효한 이래 어느 국제협약보다도 광범위하고 포괄적인 협약인 동시에 강력한 검증체계를 가지고 있는 군축조약으로서, 현재 회원국은 181개국이며 북한을 비롯한 몇 개국은 참가하지 않고 있다, 우리나라를 포함한 모든 당사국들은 협약이행의무 준수와 국가간 집단적 이익증진을 목표로 모든 조치를 강구하고 충분한 이행을 위해 강력히 추진되고 있다.

협약에 가입된 회원국들은 화학무기의 개발, 생산, 취득, 저장, 보유, 인도 및 사용을 하지 말아야 하며, 소유하고 있는 화학무기 및 자국의 관리하의 다른 장소에 있는 화학무기를 폐기하여야 한다. 뿐만 아니라 다른 나라에 버려진 화학무기도 폐기해야 한다.

협약이 발효된 후 30일 이내에 가입국은 화학무기 및 화학무기 생산시설 보유여부와 그 위치, 총량, 내용 등을 신고하고 10년 이내에 폐기하여야 하며, 폐기에 관한 종합계획서, 연간계획서와 폐기결과에 대한 연간보고서를 화학무기금지기구(OPCW)에 제출하여야 하며 OPCW는 신고사항, 폐기계획서 실행여부, 폐기결과들에 대한 사찰을 실시한다. 사찰방법은 현장사찰과 현장감시 장비의 설치를 통한 지속적인 감시를 병행한다. 또한 화학무기 생산시설을 화학무기 폐기시설로 전환할 수 있도록 규정되어 있다.

가입국은 평화적 목적을 위하여 독성화학물질과 그 전구체를 개발, 생산, 취득, 보유, 인도, 사용할 권리를 가진다. 평화적 목적으로 사용하기 위해서는 협약발효 후 30일 이내에 생산, 가공, 소비시설들을 OPCW에 신고하여야 하며 사찰을 받아야 한다.

OPCW는 총회, 집행이사국, 기술사무국 등으로 구성된다. 모든 가입국으로 구성되는 총회는 협약상의 모든 활동 등을 심의·감독한다. 집행이사회는 41개국으로 구성되며 총회가 위임한 기능과 협약상의 권한과 기능을 수행하고 동시에 기술사무국을 감독한다.

기술사무국은 총회와 집행이사회의 기능 수행을 지원함과 동시에 OPCW의 사업계획과 예산안 작성, 제출, 신고사항 접수, 가입국과의 연락, 사찰통고와 제반 검증활동, 가입국에 대한 기술원조를 제공한다.

제 9 장

위기관리

제 1 절 위기(Crisis)의 개념

1.1 개요

'위기'라는 용어는 오늘날 여러 분야에서 별다른 개념정의 없이 아주 자주 쓰는 통상적인 용어가 되었다. 그러나 국제정치 현상이나 국가안보문제를 다루는 학문적 영역 또는 정책적 영역에서 '위기' 혹은 '위기관리'는 전쟁과 평화의 문제와 함께 중요한 연구 대상일 뿐만 아니라 국가안보전략의 큰 부분을 차지하고 있다. 여기서는 위기란 무엇인가를 살펴보고 위기관리의 개념과 그 범주를 설정해 보고자 한다.

위기(Crisis)는 사전적으로 다음과 같이 정의되고 있다.

Oxford Advanced Learner's Dictionary에서는 Crisis를

① a time of great danger, difficulty or uncertainty when problems must be made : 문제들을 반드시 해결해야 하는 매우 위험하고 어렵고 불확실한 시기

② a time when a problem, a bad situation or an illness is at its worst point : "어떤 문제, 좋지 않은 상황이나 병이 가장 악화된 시점"이라고 정의하고 있으며, American Heritage Dictionary of English Language에 의하

면 위기라는 말은 ① 어떤 사건의 과정에서 결정적인 시기 혹은 상황, ② 전환점, ③ 불안정한 상황, ④ 갑작스런 변화, ⑤ 저항의 긴장상태 라고 정의되어 있다.

Webster's Third International Dictionary에 의하면 위기라는 말은 분리한다는 뜻의 그리스어 Krinein에 어원을 둔 의학적 용어로서 환자의 상태가 좋아지거나 악화되는 전환점으로 환자의 고열이 떨어져 정상적인 체온으로 돌아와 심한 통증이 줄어들면서 갑자기 좋아지는 분기점을 의미한다는 것이다.

위기의 이와 같은 사전적 의미는 국가의 경우에도 적용될 수 있다. 즉, 어떤 국가가 전쟁을 택할 것인지 아니면 평화적 해결을 택할 것인지를 결정하여야 하는 전환적 국면을 국가위기라고 할 수 있다.

허만(Charles Hermann)은 위기를

① 최고 목표를 위협하는 상황 ② 결정이 내려지기 전에 반응을 하기 위한 시간적 여유가 제한되는 상황 ③ 위기발생시 정책결정자를 놀라게 하는 상황이라고 정의하였다.[152)]

그러나 국가안보전략의 관점에서 위기는 보다 복잡하고 중요한 의미를 지닌다. 일반적으로 국가가 처하게 되는 위기는 다음과 같이 정의되고 있다.

① 국가의 중요한 가치나 핵심적인 목표에 대한 심대한 위협으로 인해 즉각적인 대응의 필요성이 인식되는 긴박한 상황

② 평화와 전쟁의 연속선상에서 다른 국가와의 상충된 이해관계가 표출되어 갈등이 극도로 고조된 전쟁발발에 준하는 상황

③ 국내외의 제반 위협으로 인해 국가가 심대한 위험상황에 직면한 것을 정책 담당자가 인지하고 즉각적인 대응책을 강구하여야 할 필요성을 느끼는 긴급 상황 등이다.

이와 같은 위기의 상황은 ① 예상 여부 ② 시간적 여유 ③ 위협대상의 가치의 세 가지의 개념적 요소를 기준으로 판단된다. 예상 여부란 정책결정자가 위기가 발생할 것을 예상하였느냐 아니냐를 말한다. 시간적 여유란 위기에 대처하기 위한 정책을 결정하는 데 어느 정도 시간이 있는가를 말한다.

---

152) 이용필,「위기관리론」(서울: 인간사랑,1992),p.15.

위협대상의 가치란 얼마나 중요하다고 생각되는 목표가 위협을 받고 있는가를 말한다. 이러한 개념적 요소를 적용해 볼 때, 위기의 상황은 ① 국가의 상위 가치에 대한 위협(threat to high value) ② 상황 발단의 돌발성 또는 의외성(surprise) ③ 반응에 필요한 시간의 제한성(limited time respond) ④ 사태발전의 불확실성(uncertainty)을 특징으로 하고 있다.[153]

삼성경제연구소에서 연구한 시스템관점의 위기관리에서는 "위기란 특정사건을 계기로 조직이나 시스템이 추구하는 핵심가치가 현저하게 훼손될 가능성이 높아지거나 훼손되거나 훼손된 상태를 의미한다"고 하였으며, 여기에서 국가차원의 핵심가치는 주권, 경제적 번영, 삶의 질, 사회 안정 등으로 국가위기란 이러한 가치가 위협받는 상황이다.[154]

지금까지 위기에 대한 여러 가지 주장을 알아보았지만 이 내용들을 종합하여 보면 위기는 "적대행위의 가능성이 현저하게 증가되고, 반응할 시간이 짧은 가운데, 중대한 목표나 가치가 심각한 위협을 받고 있다는 사실을 정책결정자들이 인식하는 국제적 혹은 국내적 환경의 변화"[155] 라고 말할 수 있다.

1.2 위기의 유형

위기의 유형을 분류하는 기준은 여러 가지가 있다. 그 중 대표적인 것은 폭력정도에 따른 분류, 지속기간에 따른 분류, 위협의 성격에 따른 분류 등이 있다.

Paul Winner는 위기의 유형을 분류하는 4가지 기준을 ① 조직의 최우선적 가치를 위협하는 정도 ② 사태에 대처하는 시간적인 제약 정도 ③ 위기 발생의 예측가능 여부 ④ 위기의 발생조건 이라고 하였다.

그런데 위기관리의 차원을 국가안보라고 할 때, 위기관리의 목적이 궁극적으로는 국가위기에 대한 효과적이고 효율적인 위기관리방안을 모색하려는 것이기 때문에 위협받는 국가목표의 종류에 따른 분류를 해보기로 한다.

---

153) 이동훈. "위기관리론" ,육군사관학교(편)「국가안보론」(서울; 박영사,2005),p.202.

154) 방태섭, 전효찬, 임수효, 박성민, "시스템관점의 위기관리 프로세스" 「CEO Information 699호」(삼성경제연구원, 2009.4.8),p,1.

155) 조남진,「북한 핵 위기관리 연구」(동국대학교 ,박사논문, 2004),p.12.

국가의 핵심이익을 크게 '국가안보'와 '국가의 성장과 번영'이라는 두 가지 범주로 구분해 놓고 보면, 국가위기의 유형도 국가의 안보를 위협하는 위기와 국가의 성장과 번영을 위협하는 위기로 구분할 수 있다.

첫째로 '국가안보를 위협하는 위기'란 국가의 존립에 대한 도전을 의미한다. 이는 외부로부터 직접적 도발이나 무력 침략으로 인해 영토의 보전이나 주권과 국민의 생명 및 재산의 보호에 심대한 지장을 초래하는 위협과 국내의 심각한 질서교란행위로 인한 사회안정의 파괴, 정권전복기도 등과 같은 위기상황을 뜻한다.

이런 유형의 위기를 야기하는 위협은 적의 전면적인 무력도발, 국지도발, 대규모 테러, 내란 및 폭동 유발, 후방침투 및 교란 등이 있다.

위기의 두 번째 유형에 속하는 것은 '국가성장과 번영에 대한 위협'으로 인해 야기된 위기다. 이는 국가안보에 대한 위기보다 광범위하고 비군사적 분야에 대한 위기를 포함한다.

즉, 국가경제의 성장과 번영, 국민복리의 증진 등에 대한 위협이라고 할 수 있으며. 이러한 위기는 태풍이나 홍수 등 자연재해, 대형사고 및 화재 등 인위재난. 신종전염병, 환경파괴 등을 예로 들 수 있다.

1.3 위기상황의 전개과정

위기상황이 전개되어가는 과정은 상황에 따라 일치하지 않지만 대략 시간이 경과함에 따라 변화하는 과정을 분석해 볼 필요가 있다. 위기전개과정은 위기의 종류에 따라 달라진다. 적대세력이 있는 국가안보에 대한 위기와 적대세력이 없는 재난과 같은 위기는 진행과정이 근본적으로 다르다.

따라서 통상적으로 국가 간의 이해관계가 상충되면서 발생되는 국가안보위기의 전개과정은 다음과 같다.

위기의 첫째 단계는 돌발적으로 발생된 예기치 못한 상황으로부터 전개된다. 예를 들어 1968년의 '푸에블로호 납치사건', 1976년도 판문점에서 발생한 '8.18도끼만행사건' 등은 어떠한 징조와 암시도 없이 갑작스럽게 발생한 위기이다.

그러나 대부분 상황발생 이전에 어떤 징조나 암시가 나타나지만 무관심과 부주의로 감지하지 못하는 경우가 많다.

둘째 단계는 정책결정자가 공식·비공식적 보고계통을 통해 발생되는 상황에 대한 보고를 받고난 후, 위기에 대한 최초의 상황판단과 대응방안에 대한 검토가 이루어진다. 이 단계에서는 사태에 관한 정확하고 신속한 정보가 매우 중요한 역할을 하게 된다. 그러나 통상 위기발생 초기에는 정보가 너무 빈약하고 위기가 진행 될수록 너무 과다하다는 문제점이 있다.

다음 단계로는 상황판단결과에 따른 대응조치가 취해지고, 이에 대한 상대국의 맞대응이 이루어져 긴장이 고조되고 대립이 첨예화되면, 사태는 작용→반작용→상호작용의 확대과정을 거치면서 대결국면으로 접어들고 위기는 절정에 달하게 된다.

위기가 최고조에 이르면 결정적인 파국을 피하기 위한 본격적인 위기관리 조치들이 취해진다. 바로 이때가 강압과 양보의 적절한 조화를 통한 상호 이해조정과 분쟁해결 노력으로 더 이상의 갈등 증폭을 방지해야 하는 결정적인 위기의 분수령인 셈이다.

위기관리는 위기가 시작될 때부터 시작되며 초기에 사태가 진정되기도 하지만 상황이 계속 악화되고 여러 가지 위기관리 노력들이 실패하게 되면 사태는 파국으로 치닫게 되는 것이다. 그러나 위기관리 조치들이 효과를 발휘하면 사태가 수습되고 위기가 해소되어 성공적으로 상황이 종료되는 것이다.[156]

표.6 위기상황 전개과정

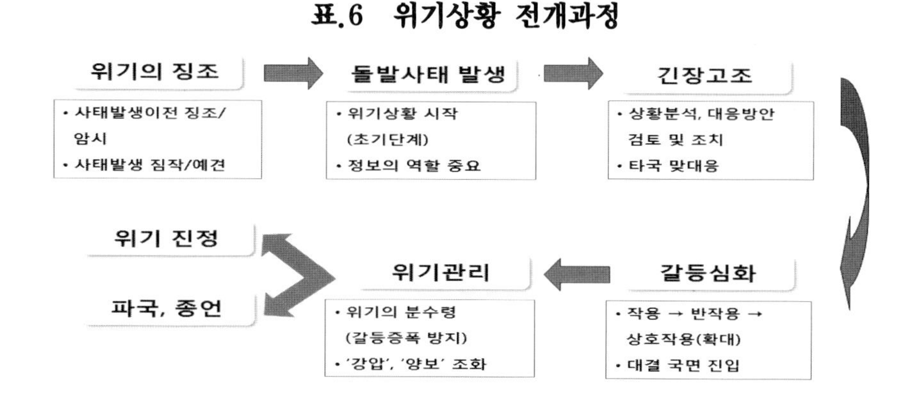

156) 이동훈(2005).pp.204-205.

제 2 절 위기관리의 개념

2.1 개요

위기관리는 일반적으로 조성된 위기상황이 더욱 악화되어 파국이나 종언으로 치닫게 되는 것을 방지하기 위해 가용한 모든 수단을 동원하여 그 사태를 수습 또는 원상회복하려는 노력을 의미한다. 특히, 국가의 존립이나 체제를 위협하는 위기가 전쟁으로 비화되는 것을 방지하는 노력을 의미한다.

위기는 평화로부터 전쟁으로의 진행과정이며 그 전환점 또는 분수령이라 할 수 있다. 따라서 위기를 성공적으로 관리하면 평화로 되돌릴 수 있지만 위기관리에 실패하게 되면 전쟁으로 치닫게 된다.

즉 위기관리란 양국 간 또는 여러 국가 간의 국가이익이 상충으로부터 발생하는 갈등과 분쟁상태가 전쟁으로 돌입하느냐 아니면 평화로 향하느냐를 결정하여야 하는 기로에서 분쟁 당사국들이 전쟁으로의 확대를 방지하고 그 사태를 수습하는 노력인 것이다.

통상 위기관리(crisis management)는 인지된 위기상황이 더 이상 악화되지 않도록 취하는 일련의 조치를 말하는 것이나, 때로는 위기의 해결점을 찾지 못하고 우발상황으로 발전하는 경우도 적지 않기 때문에 평시부터 위기정책과 대안을 강구하는 것이 바람직하다.

앞에서 언급한 바와 같이 국가의 안위를 위협하는 위기상황은 전쟁으로부터 대규모 자연재해·인위재난과 테러·폭동·내란 등 사회혼란, 인터넷 마비로 인한 정보대란에 이르기까지 사회구조와 과학기술이 발전됨에 따라 그 영역이 확대되고 있다.

따라서 위기관리란 전·평시를 막론하고 국내외적으로 발생할 것으로 예상되는 군사적 혹은 비군사적 성격의 모든 위협에 대비하여 국가와 국민을 보호하기 위한 종합적이고 총체적인 제반 대응책을 체계적으로 강구하는 것을 말한다. 특히 전쟁의 우려가 있는 위기사태를 평화적으로 해결하는 것이다.

국가 간에 갈등이 발생하여 전쟁으로 확대될 위기가 조성될 경우, 어느 한 나라가 양보하거나 손해를 감수한다면 위기가 쉽게 종료되어 전쟁으로의 발전은 피할 수 있게 될 것이다. 그러나 대부분의 국가들은 자국의 이익을 지키기 위해 양보나 손해를 감수하지 않으려 하기 때문에 위기는 심화되고 확대되게 된다. 당사국들은 모두 자기 국가이익을 보호하고 증진시키기 위한 조치를 취하여야 하나 위기를 고조시키는 대안 선택은 회피하여야 한다. 정책결정자들은 예기치 않게 발생하는 위기를 극복하기 위한 위기관리 전략과 방책을 평시부터 준비해 놓아야 한다.

국가의 정책결정자들은 자국의 이익과 입장을 지키면서도 사태가 악화되는 것을 피하기 위해 외교적 노력을 전개하되 한편으로는 협상을 뒷받침하고 사태 악화에 대비하여 군사적 대비를 사전에 강구하여야 한다.

외교적 노력과 군사적 수단을 병행하되 위기가 전쟁 상황으로 확대되지 않고 적절한 수준에서 해결하기 위해 어떻게 조화시킬 것인가 하는 것이 위기관리의 본질이다.

위기관리에 있어 외교적 방책은 목표를 제한하고 목표를 달성하기 위한 수단들을 제한하는 데 중점을 둔다. 국가이익의 상충과 갈등은 일방 또는 쌍방이 자신들의 목표를 조심스럽게 제한하고 타협점을 찾을 때 전쟁으로 확대되지 않고 해결될 수 있다.

상대방의 희생을 요구하는 목표를 추구하게 되면 상대방은 강하게 저항하게 되고 위기는 전쟁 상황으로 확대될 위험성이 커지게 된다.

위기관리는 궁극적으로 국가이익에 부합하도록 당면한 사태수습은 물론 미래 안보상황에 미치는 영향까지 충분히 고려하여 목표를 설정하고 대안을 모색하여야 한다. 이러한 점에서 위기관리는 평시 수행하고 있는 제반 안보정책의 연장선장에서 이루어 져야 하며, 유사시에는 전쟁수행체제로 간단없이 전환될 수 있도록 체계 구성과 기능 및 역할배분이 적절하게 이루어져야 한다.[157]

157) 정춘일, 유영철, 서남열, 『위기관리체계 정비방안 연구』(서울: 한국국방연구원. 1998), pp.32-35.

2.2 위기관리의 유형

국가위기를 성공적으로 관리하려면, 첫째, 위협을 가하는 상대방을 제압하거나 그렇지 않으면 적어도 자신이 패배자가 되지 않는다는 목표와 둘째, 전쟁으로 확대되는 상황을 방지하는 목표를 동시에 추구해야 한다.

따라서 위기관리의 본질은 전쟁을 회피하면서 동시에 자신의 이득을 최대화하거나 손실을 최소화할 수 있도록 강압과 회유 두 가지 전략을 최적의 비율로 혼합하여 구사하는데 있다.

위기관리유형은 위기의 종류에 따라 달라지지만, 통상 위협을 해소하는 방식에 따라 교섭적 위기관리, 수습적 위기관리, 적응적 위기관리라는 세 가지의 종류와 새롭게 대두된 방법인 시스템관점의 위기관리가 있다.

첫째, 교섭적 위기관리란 위협의 근원이 상대방의 고의적이고 직접적인 도발행위로부터 유발된 위기를 해결하려는 노력을 말한다.

이 경우 위기관리업무의 요체는 성공적인 협상의 수행이다. 즉 군사적 수단과 경제적인 수단을 이용한 보상과 제재방안의 제시, 이익의 상호조정을 위한 흥정을 통한 상호작용적인 위기의 해결을 시도하는 것이다.

두 번째 위기관리의 유형인 수습적 위기관리는 국가 간 우발적인 사건에서 유발된 위기와 자연적·인위적 재난 또는 대형사고로 인해 발생된 긴급사태에서 야기된 경우로 나누어진다. 이 경우 위기관리의 요체는 신속하고 효과적인 사태수습이라고 할 수 있으며, 사태수습의 최종목표는 원상회복 차원을 넘어 원래보다 발전되거나 개선된 상태를 지향하기도 한다.

수습적 위기관리 시 수행되는 구체적 조치내용은 다음과 같다.

먼저 국가 간 우발적인 상황발생으로 야기된 위기의 경우에는

① 상황에 대한 통제 및 대책논의를 위해 유관기관들과의 협조기구 설치

② 동맹국이나 관련 국제기구와의 긴밀한 협의 및 공조체제 확립

③ 관련정보의 교환과 공동노력으로 신속하고 효과적인 사태의 해결방안 강구

④ 사후 보상 또는 재발방지를 위한 대책 마련 등이다.

다음 대형재해 및 재난으로 인한 비상사태가 발생한 경우에는
① 일원화된 지휘통제기구의 설치와 비상통신망의 구축
② 피해확산 방지를 위한 사태진압 조치와 응급 구호 및 구난조치를 위한 제반활동 전개
③ 상황발생 지역의 주변정리 및 질서유지
④ 사태에 대한 분석 및 평가, 향후 개선방향 검토 등 사후관리활동이다.

세 번째 유형인 적응적 위기관리는 국제질서나 구조의 갑작스런 변화, 즉 국제 상황의 변화에 대처하는 경우이다. 이러한 경우의 예로는 주변국의 새로운 군사력 증강, 지역적 세력균형의 변화, 주요 동맹관계의 변화, 새로운 국제적 행위자의 등장, 국제적 원칙이나 규범의 변화 또는 인접 국가정세의 급작스런 변화 등이 있다.

적응적 위기관리는 당면한 상황을 신속·정확하게 파악하고, 이에 대한 장·단기적 대응방안을 강구하여 변화된 상황에 대해 효과적으로 적응하는 것이다.

적응적 위기관리의 주요 조치내용은
① 상황변화나 사태추이에 관한 신속·정확한 정보 수집
② 향후 전망에 대한 면밀한 관찰과 분석
③ 정책적 대응방향 정립과 구체적인 실천방안 모색
④ 결정된 대응방안 집행과 실시에 대한 감독 및 분석·평가 등이다.[158]

넷째, 시스템관점의 위기관리는 국가위기에 대응하는데 있어서 체계적인 위기관리를 핵심으로 보고 사전예방조치를 취하여 위기발생 확률을 최소화하는 한편 위기가 실제로 발생하면 확산경로를 차단하고 피해를 최소화하여 국가가 추구하는 핵심가치를 최소한의 비용으로 보존하는 것을 국가위기관리의 목표로 한다.

위기관리 시 위기를 인지하기 위한 현황파악에서부터 오판을 최소화하기 위한 정보수집 및 분석이 중요하며, 위기발생요인을 잘못 식별하거나 위기 전개양상을 잘못 판단하면 위기관리의 효율성이 저하될 수 있다.

또한 표면에 드러나는 단견적 처방은 위기요인을 축적시켜 향후 더 큰 위

158) 이동훈(2005),pp.205-208

기를 초래할 수 있으며, 전체가 아닌 부분만 보고 위기확산경로를 예측하면 위기전개양상을 오판할 우려가 있다.

따라서 위기관리에도 시스템 사고와 분석을 적용하여 위기상황에 관련된 다양한 요인들을 전체의 관점에서 파악하고 이들 요인의 복잡한 관계를 고려하여 대응방안을 마련해야한다.

여기서 시스템사고는 사건의 원인과 결과를 단선적으로 파악하는 것이 아니라 시스템 전체의 다양한 사건의 연관관계속에서 상호간의 피드백을 고려한 연결고리 관계로 파악하는 것을 뜻한다.[159]

2.3 위기관리원칙

1962년에 발생한 쿠바 미사일 위기를 연구한 학자들이 합의한 위기관리원칙을 리차드슨(J. K. Richardson)이 정리한 것을 요약하면 다음과 같다.

첫째, 다양한 의견을 수렴하여 정확한 판단을 한다.

둘째, 결정된 정책을 실행에 옮길 때 시행착오가 발생하지 않도록 면밀한 통제를 하여야 한다.

셋째, 위기관리의 목표를 어느 정도 제한해야 한다. 분명하고 제한적인 목표추구는 위기관리에 도움이 된다.

넷째, 유연하고 점진적인 대안을 선택을 해야 한다. 유연성이 결여된 선택은 굴욕적인 패배가 아니면 위기를 확대시킨다.

다섯째, 시간적 여유를 가지고 위기를 수습해야하며 상대방에게도 충분히 판단할 시간을 허용해야 한다. 극심한 시간제약은 긴장도를 증가시켜 대안선택의 폭을 줄이게 된다.

여섯째, 상대방의 입장에서 인지하고 이해하려는 노력을 해야 한다. 상대방이 잘못 이해하면 선의의 행위도 일을 그르칠 수 있다.

일곱째, 분명하고 정확한 의사전달이 요구된다. 직통전화 설치나 특사의 파견은 의사전달에 큰 도움이 된다.[160]

159) 방태섭, 전효찬, 임수효, 박성민(2009.4.8),p,2.
160) 이용필1992),pp.77-78.

2.4 위기관리절차

2.4.1 군사적 상황에서의 위기관리 절차

실제 위기상황에서 어떤 절차에 따라 대응책을 취해나가야 하는가는 매우 중요하다. 위기의 유형에 따라 절차도 달라지겠지만 미국 합동참모본부가 고안하여 긴급 상황에 활용하고 있는 위기조치절차가 매우 합리적이고 타당성이 있을 것으로 판단되어 이를 소개한다. 이 위기조치절차는 위기상황 전개, 위기평가, 방책개발, 방책선정, 실행계획 수립, 실행 등의 6단계로 구성되어 있다.

첫째, 상황전개(situation development) 단계에는 국가안보에 위협이 되는 문제나 사건이 발생하게 된 상황을 말하며, 이 단계에서는 ① 상황감시 강화 ② 문제의 정확한 인지 ③ 위기징조에 대한 신속한 보고 등을 하게 된다.

둘째, 위기평가(crisis assessment) 단계는 위기관리기구나 자문기관에 기초적인 첩보분석과 상황보고가 이루어진 상태로서 주요 활동내용으로는 ① 정책결정기구나 건의기구에 의한 문제의 인식과 의미 분석 ② 지속적인 정보의 수집과 종합적 분석 ③ 상황에 대한 평가 등을 실시한다.

셋째, 방책개발(course of action development) 단계에서는 상황분석과 평가를 기초로 가용한 대응방책들을 정리하고 방책별 장단점을 비교평가 한다. 주요 활동은 ① 가능한 방책들의 정리 및 평가 ② 각 방책별로 실행가능성 평가분석 ③ 방책에 대한 종합적 검토 및 평가 등이다.

넷째, 방책선정(course of cation selection) 단계에서는 실무담당부서의 분석과 평가를 토대로 종합한 최선의 대응방책을 최고정책결정자에게 건의하여 최종적인 결정을 내리도록 한다. 주요 내용은 ① 우선순위를 부여한 방책의 작성 및 제출 ② 최고결정자에게 실무적 차원의 조언 제공 ③ 최종적인 방책의 선택 등이 해당된다.

다섯째로는 실행계획 수립(execution planning)단계에서는 선택된 방안을 집행하는 데 필요한 세부적인 행동계획을 마련하고 최종적인 실행 준비를 한다.

여섯째는 실행(execution) 단계에서는 ① 최종결정자에 의해 선택된 방책의 실행결심 및 명령 하달 ② 담당부서별로 부여된 임무수행 ③ 실행에 대한 지휘·통제 및 지속적인 상황보고를 한다.

이상과 같이 미국의 합참에서 활용하고 있는 6단계의 행동절차가 모든 상황에 적합한 것은 아니다. 그러나 이를 토대로 사안별 특성을 고려하여 행동지침과 실행계획들을 수립한다면 상당히 유용할 것으로 생각된다. 그리고 시간과 여건이 허락한다면 방책선정 시나 최종계획 수립시 시뮬레이션을 활용하여 모의훈련을 실시하는 것이 효과적이며, 또한 기 수립된 계획도 문제점 보완과 개선책을 지속적으로 도모해야 할 것은 물론 상황이 예상치 않는 방향으로 진행될 때에 대비한 우발 계획을 반드시 마련해야 한다.[161]

위기관리절차는 위기상황에 따라 확연히 달라진다. 절차를 구분하는 가장 분명한 기준은 위협하는 적의 존재여부이다.

미국 합동참모본부에서 적용하는 위기관리절차는 국가를 위협하는 적이나 적대세력이 존재하는 군사적 위협으로 조성된 위기 시에 적용한다.

표.7 군사적 상황의 위기관리절차

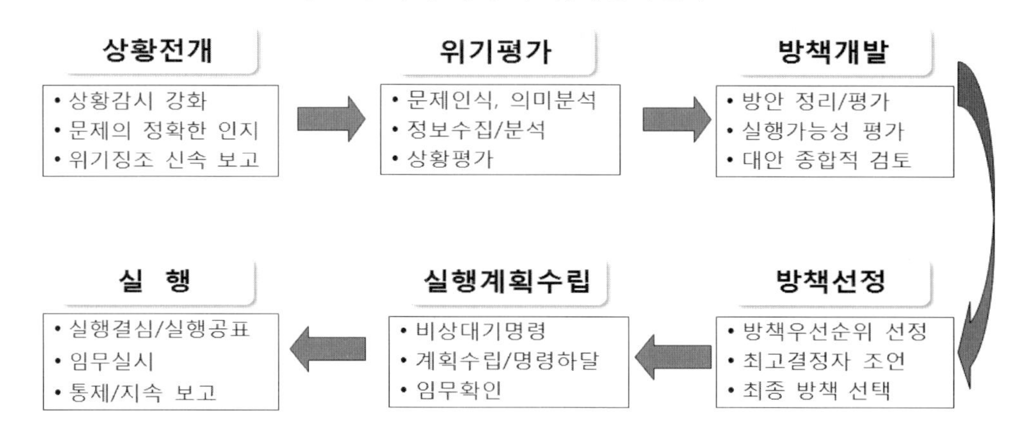

161) 육군대학,「합동참모장교 지침서」(군사과학자료 제 203호,1993),pp.283-293. 이동훈(2005),pp.216-217. 재인용.

2.4.2 비군사적 상황의 위기관리절차

적이 존재하지 않는 재난 등의 비군사적인 위기는 일반적으로 재난관리절차를 적용한다. 재난 유형은 자연현상에 의해 발생하는 홍수, 지진 등과 같은 자연재난과 과학·기술의 조작이나 운용상의 부주의나 실수, 방사능 오염, 가스폭발, 구조물 붕괴 등의 인위재난으로 구분한다. 재난관리절차는 통상 예방, 대비, 대응, 복구단계로 구분되며 세부절차는 재난 및 안전관리기본법에 명시되어 있다.

예방단계는 재난이 실제로 발생하기 전에 상황촉진요인을 미리 제거하거나 가급적 일어나지 않도록 억제 또는 완화하는 과정을 의미하며, 대비단계는 상황발생시 수행해야 할 제반사항을 사전에 계획, 준비, 교육, 훈련함으로써 대응 능력을 제고시키고, 상황 발생 시 즉각적으로 대응할 수 있도록 태세를 강화시켜 나가기 위해 취해지는 제반활동을 말한다.

대응단계는 국가의 자원과 역량을 효율적으로 활용하고 신속하게 대처함으로써 피해를 최소화 하고 2차 피해 발생가능성을 감소시키려는 일련의 활동이다. 마지막으로 복구단계는 재난으로 인해 발생한 피해를 위기 이전의 상태로 회복시키고, 제도개선 및 운영체계 보완 등을 통하여 재발을 방지하고 재난관리능력을 보완하는 일련의 사후관리 활동이다.

2.4.3 시스템관점의 위기관리절차

시스템관점의 위기관리절차는 현황파악, 위기관리지표설정, 위기전개과정 분석, 대응방안도출 의 4단계 과정으로 진행된다.

첫째, 현황파악 단계는 특정사건이 발생할 우려가 있거나 발생했을 때 위기상황으로 볼 것인지 아닌지를 판단하는 것이다.

먼저 정확하게 상황을 인지하기 위해 관련된 정보수집을 통해 특정사건과 주변상황의 관계를 파악해야한다. 상황판단을 위한 충분한 정보수집과정이 없으면 섣불리 판단하여 불필요한 대응을 하거나 사태의 심각성을 과소평가할 우려가 있다.

다음 상황분석을 통해 특정사건이 특정가치에 끼칠 악영향의 심각도를 파악하여 위기여부를 판단하여야 하며, 분석 결과 위기로 판단될 경우 해당위기분석 및 대응범위를 설정한다.

둘째, 위기관리지표설정 단계이다. 이 단계에서는 먼저 국가위기 상황에서 지켜야할 다양한 가치들 가운데 핵심보존가치를 설정해야 한다.

여기서 핵심보존가치란 국가가 위기관리를 통해 지키고자 하는 가치 중 핵심이 되는 것을 말하며, 위기가 발생하였을 때 그로인해 훼손될 우려가 있는 가치를 도출하고 그 가치들이 훼손되는 과정을 분석하여 핵심가치를 선정한다.

다음은 핵심가치가 훼손되는 과정을 분석 후 위기의 진전을 방지하기 위해 관리할 위기관리핵심지표를 설정한다. 위기관리핵심지표 설정이란 선정된 핵심보존가치를 통해 위기관리프로세스에서 가장 핵심적인 요인을 도출하고 이를 지표화하는 것을 뜻한다. 위기관리핵심지표를 평상상태로 유지하거나, 일단 하락했을 때 원상복구하려는 노력을 통해 위기의 효과적으로 관리가 가능하다.

정부의 각 부처는 자체 위기관리핵심지표를 설정하여 위기에 대응하되 국가차원의 위기관리핵심지표를 공유하고 그 성과를 측정해야 한다.

셋째, 위기전개과정 분석단계이다.

먼저 위기전개과정 분석을 위해 우선 위기와 관련된 사건 및 그 직접발생요인 정황 등 인과관계를 파악해야 한다.

이를 위해 위기와 관련된 다양한 사건, 요인, 정황 등이 인과관계로 복잡하게 얽혀 있는 그 자체를 하나의 시스템이나 복잡계[162]로 보고 분석하며, 분석범위는 위기의 근본적인 원인부터 발생 가능한 사건 및 그 결과의 예측까지 포괄한다.

또한 위기와 관련된 사건과 변수를 파악하고 파악된 사건과 변수의 인과관계를 분석하여 편향된 현황파악의 가능성을 최소화하기 위하여 현상으로 드러난 인과관계뿐만 아니라 이면에 숨어 있는 관계까지 분석한다.

다음은 변수들 간 피드백 효과까지 반영하여 위기관리핵심지표를 중심으로 전체 인과관계를 재구성하고 분석한다. 이때 재구성한 모든 인과관계들의 영향을 받게 되는 변수가 위기관리핵심지표가 되도록 여러 변수들과 인

162) 복잡계(complex system): 미시적인 소자들이 모여서 서로 상호작용하면서 거시적인 한 패턴을 만들어내는 시스템.

과관계를 재조정하며 변수들 간 순환적 영향관계를 파악한다.

마지막으로 재구성된 위기전개과정 인과관계에서 잠재위기요인과 트리거를 규정한 다음 이를 가지고 위기의 전반에 걸치는 영향을 파악한다.

잠재위기요인은 트리거(trigger)를 촉발하고 위기를 심화시키는 내재적 위험요인으로 통제가 안 될 경우 위기전개과정에서 부정적인 영향을 증폭시킨다.

트리거는 위험상황을 위기국면으로 전환시키는 계기가 되는 사건을 뜻하며 위기의 성격에 따라 위험상황이 즉각적으로 위기국면으로 전환되기도 하고 차후에 있을 위기의 계기로 작용하기도 한다. 잠재위기요인과 트리거로 인한 영향은 잠재위기요인이나 트리거가 발생된 이후 변수들의 연쇄적인 변화의 정도를 기준으로 파악한다.

넷째, 대응방안도출 단계이다.

먼저 위기관리핵심지표로 재구성된 위기전개인과과정에서 순환루프를 통제하기 위한 구체적인 개입지점을 선별한다.

이때 순환루프 선상에 존재하는 여러 변수들 중에서 실질적으로 통제 가능한 변수들을 선정하여 제어해야 하며, 위기관리핵심지표를 악화시키는 악순환루프를 차단하고 선순환루프를 활성화하여야 위기관리핵심지표 상승이 가능하다.

다음 잠재위기요인과 트리거가 관리 가능한지 판단하고 억제 가능한 방안을 모색해야 하며 설정한 잠재위기요인 이외에 예상치 못한 잠재위기요인들이 돌발적으로 발생하는 경우 억제가 불가능함으로 발생초기 대응에 주력해야 한다.

또한 시스템의 안정성 여부와 트리거의 예측가능성 여부에 따라 대응이 달라지며 위기가 전개되는 시스템이 비교적 안정되고 트리거의 종류나 발생이 예측 가능한 경우 트리거차단이 위기발생억제에 효과적이다.

반면 시스템이 '혼돈의 가장자리'[163]에 있을 경우 트리거를 차단해도 사소한 사건들이 트리거역할을 할 수 있기 때문에 트리거차단은 효과적인 위기대응방법으로 부적절하다.

---

163) 혼돈의 가장자리는 시스템이 안정된 질서정연한 상태와 불안정한 혼돈의 상태의 경계에 놓여 있어 작은 외부의 충격에도 시스템의 급격한 붕괴가 발생될 수 있는 상태를 지칭

그러나 통제 불가능한 요인에 의해 위기가 발생하거나 사전 억제력이 부족할 경우는 불가피하게 사후수습에 주력해야 한다.164)

표8. 위기관리의 프로세스

현황파악	위기관리지표 설정	위기전개과정 분석	대응방안 도출
1. 상황인지 1) 관련정보수집 **2. 상황분석** 1) 심각도 파악 2) 위기여부 판단 3) 분석 및 대응 범위 확정	**1.핵심보존가치 선정** 1) 위기에 대한 다양한 관점의 가치 공유 2) 핵심보존가치 선정 **2. 위기관리핵심지표 설정** 1) 핵심보존가치 지표화 모색 2) 위기관리핵심지표 설정	**1. 다양한 인과관계 파악** 1) 위기 관련 사건, 변수 파악 2) 사건, 변수간 인과관계 파악 **2. 위기관리핵심지표를 중심으로 인과관계 재구성** 1) 위기관리 핵심지표에 핵심적으로 영향을 미치는 인과관계 추출 2) 변수간 피드백 루프 반영 **3. 잠재위기요인과 트리거 규정 및 특성파악** 1) 잠재위기요인과 트리거 규정 2) 시스템 전반에 미치는 영향 파악	**1순환루프 관리방안 모색** 1) 순환루프 관리를 위한 개입 지점 선별 2) 부작용을 고려한 개입방안 모색 **2. 잠재요인, 트리거 관리방안 모색** 1) 잠재요인과 트리거의 관리가능 여부 판단 2) 억제 방안 모색

출처 : CEO Information 제699호 (삼성경제연구소.2009.04.08)

2.4.4 국가위기관리기본지침

노무현 정부에서는 당시 국가안보회의 사무처에서 국가위기관리기본지침을 만들었다. 위기관리기본지침에 따라 국가위기유형을 33개로 구분하고 이를 시행하기위한 표준매뉴얼과 285개의 실무매뉴얼을 만들어 위기상황발생시 각 행정부서와 공공기관에서 대응토록 하였다.

국가위기관리기본지침에 따라 중앙재해대책본부에서는 재난관련 비상사태 발생시 위기관리경보를 상황의 강도에 따라 관심, 주의, 경계, 심각으로 구분하여 발령하고 있다.

군사적 위기와 비군사적 위기상황 전개의 가장 큰 차이는 독립변수, 매개변수 등 변수의 차이이다. 군사적 위기는 상황발생으로부터 위기전개과정에 변수가 많아 상황예측이 매우 불확실하기 때문에 다양한 대안을 수립하고 이를 시행해야 하지만, 재난의 경우 변수는 발생시간과 장소, 규모가 주를

164) 방태섭, 전효찬, 임수효, 박성민(2009.4.8),pp.3-7.

이루기 때문에 전개되는 과정이 거의 일정하다. 따라서 사전에 대비계획을 수립하여 이를 법규화 함으로써 정책결정과정을 대부분 생략하고 기계적으로 신속히 대응할 수 있는 것이다.

제 3 절 위기관리 정책결정

3.1 위기정책결정의 영향요소

위기관리방안을 선택하는 과정은 하나의 정책결정과정이다. 평상시 정책의 결정과정과는 달리 상황의 특이성, 즉 돌발성, 긴급성, 불확실성 등으로 인해 보다 많은 압력과 스트레스가 정책결정자에게 주어진다.

위기가 발생할 때에 정책결정과정에 관련되는 주요 영향요소는 독립변수, 매개변수, 종속변수라는 세 개의 변수 군으로 분류된다.

첫째, '독립변수'는 위기사건 자체와 위기가 발생한 배경이 되는 국내외적 환경요인들을 포함한다.

둘째, '매개변수'는 정책결정을 하는 소규모 정책결정이 개별적으로나 전체적으로 상황을 인식하는 과정에 영향을 미치는 요인들을 의미한다.

셋째, '종속변수'는 정책결정을 하는 소규모의 정책결정 집단에서 고려한 방안 중에서 선정된 정책을 말한다.[165]

정책결정에 가장 나쁜 사례는 집단사고 이다. 집단사고의 개념은 케네디 정부가 1961년 결정한 쿠바 피그만 침공의 패인을 학자들이 분석하면서 도출했다. 카스트로 공산정부가 수립된 1961년 미국의 케네디 정부는 미국에 망명한 쿠바인 1400여 명을 쿠바의 피그만에 상륙시켜 카스트로 정부를 전복시키려 했으나 상륙한 인원 대부분은 현장에서 사살되거나 체포됨으로써 미국의 역사상 가장 참담한 외교적 실패를 하게 되었다. 당시 각료회의에 참석했던 안보보좌관에 따르면, 여러 가지 문제가 많은 계획이었지만, 출신 성분이 비슷한 각료회의에서 그 계획에 반대하는 사람은 없었다고 한다.

---

165) 이동훈(2005), pp. 209-210.

집단이 공동으로 의사결정을 내려야 하는 상황에서, 구성원이 비슷한 배경과 사고방식을 가지고 있을 경우 집단사고의 오류에 빠지기 쉽다는 것이다. 특히 어느 한 부서 출신들이 위기관리 라인을 독점할 경우 이러한 집단사고의 우려는 매우 높아질 수밖에 없다.

3.2 위기관리정책결정모형

안보정책 결정모형은 학자들 마다 여러 가지 모형을 제시하였는데 그중 가장 대표적으로 잘 알려진 모형이 소위 '엘리슨의 3대 모델'이다. 엘리슨(Graham T. Allison) 은 1962년 발생한 쿠바 미사일 위기를 사례로 하여 다음과 같은 모형을 제시하였다.

3.2.1 합리적행위자모형 (Rational Actor Model)

이모형은 국가를 인격체로 보고 하나의 국가가 합리적인 의사결정과정을 통하여 자국의 안보와 관련된 정책목표를 실현시키기 위해 최적의 대안을 선택하게 된다는 것으로서, 국가는 통합능력을 보유하고, 대안을 고려하고 분석할 수 있는 전지전능한 자, 합리성을 가진 자라는 가정에 토대를 두고 있다.[166]

3.2.2 조직행위모형 (Organizational Behaviour Model)

조직행위 모형은 국가나 정부가 하나의 행위자라고 보기보다는 나름대로의 독자적 영역과 권한을 갖는 여러 개의 조직들로 느슨하게 연결되어 있다고 본다. 정책결정은 정형화된 표준행동절차(SOP)에 따라 움직이는 관련 정부조직들의 선택에 의해 영향을 받으며, 이러한 맥락에서 결정과정은 곧 조직행위로 그리고 정책은 조직과정의 산물로 간주된다.[167]

안보사건이 발생되면 정부 각조직의 대응은 사전에 준비되어있는 표준행동절차에 의해 결정된다. 따라서 이모형에 의하면 정책은 정부조직과 조직

166) Graham Allison, Philip Zelikow (김태현 역), 결정의 엣센스」(서울; 모음 북서,2005), p.65-67
167) Graham Allison, Philip Zelikow (2005), pp.193-212

과정의 상호작용으로 결정되는 산물이다.

3.2.3 정부정치모형 (Governmental Politics Model)

정책결정의 주체가 국가나 조직이 아니며 직위를 가진 개인, 즉 관료들이라고 보며, 정책은 곧 상이한 이해관계를 가진 관료들 사이의 타협과 흥정의 산물이라고 보는 입장이다. 이모형은 합리적 행위자 모형과같이 단일한 행위자로 보지 않고, 많은 행위자들이 참가하여 게임을 하며, 이들은 일관된 국가이익이 아니라 각자가 생각하는 국가이익, 조직이익, 개인이익에 따라 정책을 흥정한다. 이들은 정부지도자들 뿐만 아니라 관련된 외부 인사들도 포함되며, 이들은 국회의원, 이익집단, 로비스트, 시민단체 대표들, 외국관리들을 망라한다.[168]

3.2.4 기타 학자들이 제시한 모델

기타 학자들이 주장한 점증주의 모형, 혼합탐사 모형 등이 있다.

'점증주의모형'(Incrementalism Model)은 정책결정자들이 정책대안을 선택함에 있어서 정보, 시간, 분석능력의 제한과 대안선택의 명확한 기준의 결여 등과 같은 상황에서 과거에 비히여 소폭의 변화가 가미된 대안을 선택한다는 모형이다.

'혼합탐사모형'(Mixed-Scanning Model)은 합리적 행위자 모형과 점증주의 모형의 장점을 취하여, 중요하다고 생각되는 정책대안을 우선적으로 탐색하는 근본적 결정을 한 이후 이 테두리 내에서 소수의 정책대안에 대하여 세밀하게 분석하는 세부적 결정을 하는 모형이다.

168) Graham Allison, Philip Zelikow (2005), pp.321-323

제 4 절 위기관리 체계

4.1 미국의 위기관리 체계

위기관리체계를 연구하기위해서는 미국의 체계를 잘 연구할 필요가 있다. 미국은 국가안보회의를 주축으로 한 대통령 중심의 국가안보정책결정체계가 위기관리의 전략개념과 방책을 토의·결정하고 그 실행을 지도하고 있다.

미국의 국가안보회의는 행정부가 바뀌면서 조직이 재편되어 왔으나 근본적인 조직과 기능은 그대로 유지되고 있다. 국가안보회의는 본 회의, 정책검토위원회(Policy Review Committee : PRC), 특별조정위원회(Special Coordination Committee : SCC), 상설 참모조직으로 구성·운영되어 있으며, 국가위기관리와 전쟁지도에 관한 전문적 기능을 수행하도록 하였다.

본 회의는 주로 정책의 조정과 조언을 통하여 대통령의 안보정책 결심을 지원하는 기능을 수행한다. 국가안보회의 구성인원은 대통령, 부통령, 국무장관, 국방장관, 재무장관, 국가안보보좌관 등으로 구성한다. 합참의장과 국가정보국장[169]을 자문위원으로 참석시키고 필요시에는 비상임위원을 추가할 수 있도록 하였다.

정책검토위원회는 외교와 국방, 국제경제, 정보 분야 등에 대하여 포괄적이고 장기적인 정책을 개발하는 기능을 수행한다. 특별조정위원회는 특수하고 구체적인 안보현안을 조정하는 기능을 수행한다.

그러나 실질적으로 국가안보회의는 대통령의 정치적 성향과 정책결정 스타일에 따라 그 위상과 기능 및 조직이 여러 차례 바뀌어 왔다. 어떤 정책도 최종적으로 결정되어 나오기까지의 과정에는 의사결정권자의 신념과 정치철학, 이해관계, 개성, 직무상의 권한과 책임이 크게 반영되는 것이 불가피하였기 때문이다.

미국의 국가안보회의는 다음과 같은 특징을 지니고 있다. ① 미국은 국가

---

169) 정보국장실(Director of National Intelligence: DNI)은 2005년 5월에 창설된 정보관련 총괄기구로서 9.11테러사태 이후 정보기관 간의 협조를 더욱 원활히 할 필요가 있다는 판단 하에 탄생하였다. 주요 임무는 정보관련 부서들을 총괄, 통제, 조정하는 최상위 행정기관으로서 CIA보다 상위 기구이다.

안보회의 내에 안보정책을 조정·통제·체제를 발전시켜 안보정책의 일관성을 유지하고 정책집행의 효율성을 도모한다. ② 국가안보회의는 단순한 위원회나 회의체로서만 운영되지 않고 전문적인 참모조직을 설치하여 안보정책 및 전략을 개발·발전시킨다. ③ 국가안보회의는 필수적인 각료들만 참석하기 때문에 신속하고 효과적인 정책결정이 가능하다. ④ 국가안보회의가 지속적으로 운영됨으로써 국가안보에 관한 전문성과 일관성이 제고되고 그 기구의 안정성이 유지되고 있다.170)

4.2 한국의 위기관리 체계

4.2.1 업무절차

한국은 대통령 중심제를 기본 골격으로 하고 있기 때문에 위기관리 의사결정체계를 구성하고 있는 정부기구들은 대통령을 중심으로 운영된다. 대통령은 위기관리의 최종 결정권을 가지며, 조언과 자문을 제공받을 수 있는 참모조직을 설치, 운영하고 있다. 대통령은 각료와 측근 참모 그리고 상설 및 한시적 보좌기구 등을 통하여 특정의 조언 및 건의를 받아 위기관리 정책을 결정하며, 정부 부·처, 기관에 결정된 정책의 추진 및 집행을 지시한다.

위기관리 의사결정과정을 보면 소관 정부 부·처 기관에서 분야별, 영역별 정책을 입안하고 관련 정부기관과의 협의를 거쳐 국무회의에 상정하게 된다. 국무회의에서는 상정된 정책안건을 총괄적으로 조정, 심의하고 대통령이 최종적으로 결정하게 된다. 대통령은 최종적인 결정에 앞서 국가안보회의로부터 해당 사안에 대한 전문적 조언과 자문을 받는다.171)

국가안보와 관련된 주요 조직 및 기구를 보면, 우선 대통령이 안보정책을 최종적으로 결정하는 지위에 있으며, 국무회의가 국가안보문제에 관한 정책심의, 조정기관의 지위를 갖는다. 또한 대통령에 대한 자문기구로서 국가안보회의가 있다. 그리고 국방부와 외교통상부 및 통일부를 비롯한 각 정부부처가 분야별 정책 수립 및 집행기관의 역할을 담당한다.

170) 정춘일, 유영철, 서남열 (1998), pp. 26-28.
171) 정춘일 외 (1998), p. 37.

4.2.2 국무회의

우리나라는 대통령책임제이면서도 국무회의를 구성·운용하는 특성으로 인하여 위기관리 관련법규와 운용체제에서 정리되지 않은 부분이 있어서 관련법규를 비교 분석하여 논의하여야 할 부분이 있다.

즉 국무회의는 헌법과 국무회의법에 의거 국가정책의 기본적인 계획과 일반적인 정책을 심의하고, 행정 각 부처 및 기관의 정책을 조정하는 등 광범한 분야에 걸쳐서 국가정책의 수립에 기여하고 있으며, 국가의 중요 정책들에 대해 대통령이 최종적인 결정을 내리기 전에 심의하는 기능을 수행한다. 또한 국무회의는 외국과의 선린 및 강화 등 주요 대외정책, 대통령 비상조치 및 계엄의 선포와 해제, 군사에 관한 중요 사항을 국가 정책의 일부로서 다루고 있으며, 주요 안보정책은 안보회의의 자문을 거쳐 국무회의에서 심의하도록 되어 있다.

그러나 국무회의는 국정 전반에 걸친 정책 안건들을 모든 국무위원이 참여한 가운데 심의하게 되어 있기 때문에 대외정책 및 군사·안보정책과 관련하여 부처 간 상호 중복된 분야에 대하여는 각기 상이한 의견들이 나오기 쉽다. 문제점은 위기관리와 전쟁수행에 관련된 대부분의 안보사안들은 긴급한 의사결정을 요하는 경우가 많으므로 국무회의에서 부처 간 의견을 조율하기가 쉽지 않다는 점이다. 즉 국무회의는 의제를 토의하고 조정하는 기능보다는 이미 차관급 이하에서 협의 조정된 안건을 추인하는 형식을 갖추고 있으며 협의가 완료되지 않은 사안은 유보하는 형식으로 운용되고 있다.

따라서 긴급한 안보사안을 국무회의에서 다루는 것은 비효율적이고 오히려 시간을 낭비할 가능성이 높다는 지적이 많이 제기되고 있다. 또한 국무회의는 정책을 결정할 권한이 없고 대통령을 법적으로 구속하는 등의 실질적인 영향을 미칠 수 없기 때문에 하나의 보좌기관으로서의 의안을 심의하는 역할만을 수행하고 있는 실정이다.

4.2.3 국가안보회의

국가안보회의는 헌법 제91조의 "국가안전보장에 관련되는 대외정책, 군사정책과 국내정책의 수립에 관하여 국무회의의 심의에 앞서 대통령의 자문에 응하기 위하여 국가안전보장회의를 둔다"라는 조항에 근거를 두고 있다.

한국의 국가안전보장회의는 제 3공화국 수립과 더불어 1962년 개정된 헌법에 의거 국가안전보장에 관련된 대외정책, 군사정책과 국내정책 수립에 관하여 국무회의 심의에 앞서 대통령의 자문에 응하기 위해 설치되었다.

국가안보회의 구성은 정부가 바뀔 때마다 다소 변화가 있었으나 대통령이 의장이 되고 국무총리, 외교·국방·통일부 장관 및 국정원장 등이 주요 위원이 되었으며 비상기획위원장이 상근위원이 되어 회의를 준비하는 등 실무를 담당하였다.

1998년 김대중 정부 등장과 더불어 국가안전보장법을 개정하여 국가안전보장회의는 비상기획위원회와 분리하여 대통령 외교안보수석이 국가안보회의 사무처장을 겸직토록 하였다. 또한 산하에 상임위원회을 두되 상임위원회 위원장은 통일부장관이, 위원은 외교통상부장관, 국방부장관, 국가정보원장 및 안보회의 사무처장이 되도록 하였다.

2003년 노무현 정부 출범과 더불어 기구가 대폭 확장이 되어 장관급 국가안보보좌관이 사무처장직을 수행하고 차관급 사무차장을 두었으며, 그 밑에 전략기획실, 정책조정실, 정보관리실, 위기관리센타 등의 참모조직과 상황실을 갖추어 국가안보에 관한 업무를 총괄하였다. 역대 국가안보회의와 다른 점은 전통적인 군사적 안보 뿐 만 아니라 재해､재난을 포함한 포괄적 안보분야에 까지 통할하였다는 점이다, 이때 국가위기관리 매뉴얼이라는 문서를 만들어 가시적인 절차를 마련하기도 하였다.

2008년 이명박 정부 출범과 더불어 국가안전보장회의 법을 개정하여 상임위원회와 사무처를 폐지하고 외교안보정책회의를 신설하였다. 외교안보정책회의에는 외교·국방·통일부장관과 국가정보원장, 국무총리실장, 청와대 외교안보수석이 참석하며 의장은 외교부장관이 맡는다. 외교안보수석은 외교안보부처 실 · 국장 또는 차관보급이 참여하는 실무조정회의를 소집, 주재한다.

위기상황발생시 보고절차는 위기상황센터를 중심으로 이루어진다. 외교안보수석비서관이 겸임하는 위기상황센터장은 위기상황 발생시 대통령에게 직접 보고하고 동시에 대통령실장 및 관련 수석비서관들에게 내용을 통보해 국가안전보장회의, 관계장관대책회의, 긴급수석비서관회의 등에서 후속조치를 협의한다.

재난과 사회 분야 위기 상황은 정무수석비서관과 긴밀한 협조체제를 갖춘다.

제 4 부

한국의 안보환경과 주요 현안

제 10 장
한국의 안보환경

제 1 절 개요

1.1 안보환경변화와 한반도의 지정학적 특성

미래학자 엘빈 토플러는 그의 저서「부의 미래」에서 한반도의 지정학적 특싱을 다음과 같이 기술하고 있다.

지정학적 시나리오를 작성하는데 열중하는 전문가 사이에서 한반도만큼 더 관심을 끄는 지역은 없다. 이곳만큼 미래에 대한 이미지가 다양하면서 예측 불가능한 곳이 없기 때문이다.

이곳에 존재하는 2개의 국가, 민족과 정체성의 동질성을 공유하면서도 극단적으로 대조되는 경제, 정치, 문화를 가지고 있는 국가에게 어떤 미래가 준비되어 있는가? 한 국가는 지식에 기반을 둔 제3물결의 경제와 문명으로 향하는 거대한 변혁의 선두에 서있는 반면, 다른 한 국가는 제1물결과 제2물결로 대표되는 굶주림과 빈곤사이에 허덕이고 있다.

한국이든 북한이든 세계적인 슈퍼파워와는 거리가 멀다. 하지만 북쪽이 탄도미사일과 핵탄두기술을 확보했을 때, 두 국가 사이에서 발생하는 일이 전 세계에 영향을 미칠 수 있다.[172)]

172) 엘빈 토플러(김중웅 역),「부의 미래」(서울 : 청림출판,2006),pp.490-491.

1991년 소련이 붕괴되면서 40년 이상 지속되었던 냉전이 종식됨에 따라 인류는 평화로운 세계가 도래할 것인가 하는 기대도 하였으나 미국의 중심부에서 발생한 9·11테러로 국제질서는 테러국가와 반테러국가로 재편되면서 아프가니스탄과 이라크를 비롯한 세계 도처에서 테러와의 전쟁에 휘말리고 있다.

9·11테러 시 첫 선을 보인 뉴테러리즘[173] 은 테러가 21세기 국가안보를 위협하는 최대 요인이 될 것임을 경고하였다. 또한 테러분자 19명이 미국국적의 항공기 자체를 무기화하여 100분 이상 미국의 영공을 장악하고 수많은 인명을 살상함으로써 테러도 전쟁에 못지않은 가공할 위협임을 전 세계인들에게 주지시켰다.

그리고 2004년에 동남아를 휩쓴 쓰나미, 2005년 미국 뉴올리언즈를 수몰시킨 허리게인, 2008년 중국 사천성 대지진, 2009년 세계를 공황상태로 몰고간 신종인플루엔자, 2010년 1월 아이티 대지진 등 대규모 재난과 신종 전염병은 인류의 안전에 큰 위협이 되고 있다.

이에 따라 국가안보의 개념도 기존의 전통적인 군사적 안보에 추가하여 테러, 재난, 신종 전염병, 인권유린 등 인류의 평화로운 삶을 위협하는 모든 분야로 확대시키는 '포괄적 안보'라는 새로운 안보개념이 등장하였다.

그러나 한반도 안보환경은 냉전이 종식 된지 20여년이 경과하여도 냉전시대와 별로 달라진 것이 없고, 북한이 대량살상무기를 확산함으로써 유발된 군비경쟁은 더욱 가속화되고 있는 실정이다.

1980년대 후반부터 농유럽이 급격히 붕괴되고, 이어서 소련이 해체되면서 북한은 사회주의 체제의 몰락이라는 역풍을 맞이하였다. 국제적인 고립과 더불어 공산권 시장의 상실로 심각한 경제난에 처하게 되면서 김일성 유일체제와 정권의 생존에 심각한 위기를 느끼게 되었다. 북한은 처참하게 붕괴되는 동구권 국가의 전철을 밟지 않기 위해 자유화 바람이 북한으로 들어오지 못하도록 경계하면서 주민에 대한 사상무장을 강화하였다. 그러나 식량부족으로 인한 대기근과 주민들의 대규모 탈북사태를 맞으면서 체제유지의 불안은 날로 가중되었다.

173) 테러의 대상이 무차별적이며, 테러의 목적이 불분명한 새로운 개념의 테러리즘

북한은 국가존망의 위기를 극복하기위해 핵무기와 장거리 미사일 개발이라는 방법으로 대내적으로는 주민을 단결시키고 대외적으로는 군사력을 과시하는 정책을 펴왔다.

한국은 1990년경부터 북한의 핵무기 개발에 대응하여 주변국과 협력하여 평화적인 한반도 비핵화를 달성하기위한 노력을 해왔다. 1991년에는 한반도에서 전쟁을 방지하고 평화를 달성하기 위한「남북기본합의서」를 체결하기도 하였다.

1993년부터 북한 핵 위기라는 심각한 안보위기에 봉착하면서 미국과 협조하여 한반도의 위기를 관리하였다. 그러나 2000년대 초부터 한국 내에서는 반미감정이 격화되기 시작하였으며, 미군철수와 국가보안법폐지 주장이 격렬하게 전개되었다. 급기야 당시의 대통령이 전시작전권 환수를 적극적으로 주장함에 따라 한국과 미국이 공동으로 행사하고 있던 한반도 전시작전통제권은 2012년에 환수하기로 결정이 되었고, 동시에 세계에서 가장 효율적인 연합작전을 수행하고 있는 한미연합군사령부도 해체될 운명을 맞이하게 되었다.

북한의 핵무기 개발과 핵실험으로 안보에 대한 불안감이 팽배하고 있는 가운데 연합사 해체라는 악재가 겹치게 된 것이다.

또한 한국은 단기간 내에 단독으로 작전통제권을 행사하기 위하여 지휘통제체계와 정보장비 등 고가의 무기체계 도입이 불가피하게 됨으로써 세계적인 경제난에도 불구하고 막대한 국방예산 투입을 필요로 하고 있다.

1.2 동북아의 안보질서

제2차 세계대전 이후 동북아시아의 정세는 일본 제국주의를 대체한 새로운 세계질서로 미 · 소 냉전체제가 대두함에 따라 커다란 변화를 맞게 되었다.

일제의 퇴조와 함께 다가온 중국대륙의 공산화와 6.25전쟁을 계기로 중국이 공산권 신흥강국으로 등장하였다. 이에 따라 제2차 세계대전의 전범국가인 일본이 중국의 세력을 견제하기위한 반공전선의 중심기지가 되면서 부활하였다.

중국은 1960년대 중·소 분쟁이후 미국과의 국교를 회복하였고, 모택동 사후 등소평이 개혁·개방 정책을 추진하며 동아시아에서의 냉전체제 해체와 다극체제 형성에 주요한 역할을 하였다. 중국은 개혁·개방이후 사회주의 경제정책을 탈피하고 시장경제를 표방하며 자본주의 세계질시에 동참하였으며, 지속적인 경제발전을 이룩하면서 거대규모의 중화경제권을 거느린 다민족 대국으로 성장하고 있다.174)

일본은 6·25전쟁 시 미군의 군수물자보급기지가 되면서 경제부흥을 시작할 수 있었고, 미국의 안보 우산아래 최소의 방위예산을 투입하며 세계적인 경제대국으로 부상하였다.

소련이 해체된 후 동북아시아에서 러시아의 영향력은 다소 퇴조하였으나 푸틴이 등장한 후 국가경제의 어려움을 극복하고 동아시아 국가들과 유연한 외교정책을 펴면서 영향력 회복을 위한 노력을 하고 있다.

동북아의 역학관계를 보면, 미국은 일본과의 안보동맹관계를 밀착·일체화하면서 역내 잠재적 안보위협에 공동으로 대처해 나갈 것임을 공개적으로 천명하였다. 미국은 괌과 일본열도를 중심축으로 삼고 미군을 재배치하여 중국을 견제하는 전략구도를 형성하고 있고, 일본은 미국에 편승하면서 '보통국가'의 '보통군대'를 추구하면서 자위대의 활동범위를 확대하려는 시도를 하고 있다.

이에 대응하여 중국과 러시아도 미국과 일본의 세력을 견제하는 축을 형성하며 전략적 제휴관계를 준 동맹의 수준으로 격상시키려는 모습을 보이고 있다.175)

이와 같이 동북아 지역은 미국·중국·러시아·일본 등 강대국의 세력이 교차하는 지역으로 세계적인 패권체제와 지역적 세력균형체제가 병존하고 있는 양상이다.

세계질서를 주도하고 있는 미국의 패권강화, 중화사상으로 무장하고 있는 신흥경제대국 중국의 급부상, 세계 제2의 경제대국인 일본의 보통국가 노선, 지난날 공산블록 종주국인 러시아의 재등장, 남북한의 첨예한 군사적 대립과 북한의 핵무장 등으로 동북아지역은 언제든지 분쟁이 격화될 수 있는 요인이 잠재해 있는 곳이다.

---

174) 역사학회, 「전쟁과 동북아의 국제질서」(서울 : 일조각, 2006),pp.15-17.
175) 정형근,「21세기 동북아 신 국제질서와 한반도」(서울 :Book,2007),pp.49-50.

제 2 절 주변국가의 안보정책

2.1 미국의 안보정책

2.1.1 개요

건국 이래 고립주의의 정책으로 세계 분쟁에 개입을 하지 않는 원칙을 고수해온 미국은 20세기를 맞아 2차례의 세계대전에 개입한 후 세계의 최강의 경제력과 군사력을 보유한 초강국으로 위상을 확립하였고, 미·소 냉전체제에서 자유진영의 맹주가 됨으로서 세계 도처의 지역분쟁에 불가피하게 개입하지 않을 수 없었다.

1991년, 소련이 붕괴되고 냉전시대가 종식되어 다원적인 국제질서가 성립된 후에도 미국은 유일의 초강대국으로서 미국적 가치를 지키기 위한 대외정책을 구사하여 왔다.

현재 미국은 과거 로마나 영국 등 세계를 재패했던 어느 제국보다 막강한 힘을 바탕으로 세계 전체에 깊은 영향을 미치고 있으며, 세계 최고의 경제력과 군사력을 보유하고 있다.

미국은 2001년에 발생한 9·11테러사건은 미국의 안보정책을 종전보다 과격하고 공격적으로 변모시키는 계기가 되었으며 '개입 및 확산정책'기조 하에 국제적인 테러를 분쇄하기 위한 적극적인 안보정책을 추진하고 있다.

개입정책은 미국과 이미 동맹관계를 맺고 있는 국가나 지역에 대한 미국의 정책으로서 기존 동맹관계를 재확인 또는 강화하며, 해외에 주둔하고 있는 미군의 수준을 유지하겠다는 것이다.

확산정책은 미국이 전 세계 모든 지역을 향해 적용할 수 있는 일반적인 정책개념이다. 확산정책은 민주주의 확산 및 자유무역주의 확대 등 미국이 중요하다고 생각하는 정치적·경제적·문화적 가치를 범세계적으로 확산시키는 정책이다.[176]

---

176) 전득주 외, 『대외정책론』 (서울;박영사,2003),pp.260-261

2.1.2 21세기 미국의 국가안보전략

1) 국가안보 전략 보고서
(The National Security Strategy of the United States: NSS)

미국의 행정부는 1986년 골드워터·니콜스법에 따라「국가안보전략보고서」를 2년마다 의회에 제출하게 되어 있다. 2000년 1월 클린턴 행정부의 국가안보전략보고서 발표에 이어, 부시 행정부의 경우 2000년 초에 발표하게 되어 있었으나, 9·11 사태로 인해 연기해 오다 2002년 9월 20일 안보전략의 대강을 담은 보고서를 발표 하였다.

부시 행정부는「국가안보전략보고서」를 통해 테러 및 대량살상무기의 위협 제거를 국가 안보정책의 최우선 목표로 설정하고, 필요시 단독행동 및 선제공격 불사, 그리고 이를 위한 반테러 국제연대 및 동맹 강화의 필요성을 역설하는 공세적인 안보전략을 제시하였다.

2) 부시행정부 국가안보전략

부시 행정부의 국가안보정책 기본방향은 2회에 걸친「국가안보전략보고서」를 통해 밝힌 내용은

(1) 향후 대테러전 수행 과정에서 국제적 연대를 유지하고 동맹국들과 지속적으로 협조할 것이나, 적성국가와 테러조직에 대해서는 억제전략 대신 선제공격 전략을 사용할 것임을 강조하였으며

(2) 탈냉전 이후 지속되고 있는 미국의 군사적우위에 대한 도전을 불용

(3) 미국은 강력한 힘과 세계적인 영향력을 가지고 있으며, 이러한 힘은 자유를 위해 사용되어져야 하고, 국가전략 목표는 세계를 평화롭고 보다 좋게 만드는데 있다고 강조하고 있다.

(4) 분야별 주요내용

첫째, 대테러 전쟁은 종전의 전쟁형태와 다른 것으로서, 광범위한 지역에서 장기간 지속될 것이다. 대테러전의 우선순위는 테러조직을 파괴분쇄하고 그들의 지도부와 지휘·통제·통신 및 물적 자원과 자금을 공격하고 차단하는 것이다. 또한 테러위협이 본토에 도달하기 이전에 이를 파악하여 제거하는 것이며, 필요한 경우 자위권 차원에서 선제공격조치를 취하는 것을 주저하지 않을 것이다.

또한 대량살상무기 위협으로부터 미국과 미 동맹국을 보호하기 위해 테러조직과 불량국가가 WMD를 사용하기 이전에 이를 차단할 것이다. 둘째, WMD대응을 위한 포괄적 전략은 ① 불량국가나 테러조직이 WMD 개발에 필요한 물질·기술·전문가 획득을 사전에 차단하고, ② 이들 집단이 WMD를 사용할 경우 이에 대응할 효과적인 대응체계를 발전시키고, ③ WMD의 반 확산노력을 지속적으로 수행해 나가는 것이다.

3) 미국의 국방전략

(1) 21세기 안보위협유형

2005년 3월 19일, 21세기 새로운 안보위협에 대비한 국방전략보고서를 통해 발표한 21세기 안보위협의 유형은 4가지이다.

첫째는 '전통적 위협'으로 재래식군사력으로 미국에 도전하는 전통적 의미의 분쟁이나 전쟁이며, 둘째는 '비정규적 위협'으로 비 재래식 방법으로 전통적 우위의 상대방을 위협하는 테러, 폭동, 내전 등을 들었다. 셋째는 '재난적 위협'으로 대량살상무기나 유사한 효과의 무기로 미국의 상징물에 기습적인 공격을 가하는 것이며, 넷째로 '파괴적 위협'은 생물공학무기, cyber전, 우주무기, 지향성 에너지무기 등에 의한 치명적 공격이다.

미국은 북한을 전통적·비정규적·재난적 위협사례로 들면서 이라크와 아프가니스탄을 전통적·비정규적 위협국가로 분류하고 알카에다와 같은 테러집단을 비정규적·재난적 위협으로 구분하였다.

(2) 국방전략 목표

미국의 국방전략 목표는

첫째, WMD등 외부의 직접적 공격으로부터 미국의 보호를 최우선으로 하고, 둘째, 핵심지역에 대한 전략적 접근과 전 세계적 차원에서의 행동의 자유를 확보하며, 셋째, 동맹 및 협력 관계를 강화하여 방어능력을 증대하고 공동이익을 확산하고, 넷째, 타국과 안보협력을 통한 유리한 안보여건을 구축하는 것이다.

(3) 목표달성방안

이러한 국방목표를 달성하는 방안은 첫째, 동맹국과 우방국의 신뢰를 확보하는 것이며, 공동이익을 보호하기 위하여 동맹국과 긴밀한 협력을 증진하는 것이다. 둘째, 잠재적 적국의 적대행위 포기를 유도하는 것으로 군사능력의 핵심 분야에서 우위를 유지시키거나 제고하여 적의 군사적 야망·방법·위협·능력을 포기하도록 유도하는 것이다. 셋째, 공격행위 억제 및 제압으로서 신속 전개 가능한 군사력으로 공격행위를 억제하고 필요시 최단시간 내에 분쟁을 해결 하며, 넷째, 최선의 방법으로 적시에 적을 격퇴하는 것으로 동맹국과 함께 미국 본토 방어에 최우선을 두며, 테러리즘에 대응하는 이데올로기를 지원하고, 테러리스트 조직을 파괴, 격멸하는 것이다.

4) 2010 4년주기 국방검토 보고서(QDR:Quadrennial Defense Review)

미 국방부는 1996년에 제정된「미 공법 104-201」에 의거하여 2010년 2월1일 4번째「4년 주기 국방검토 보고서」를 발표하였다.

「QDR 2010」에서 미국은 엄청난 속도로 변화하는 복잡하고 불확실한 안보 환경에 처해있으며, 이러한 안보환경에서 미 국방부의 임무는 미국인을 보호하고 국익을 증진하는 것이다

「QDR 2001」에서 제시된 국방목표는 첫째, 미래의 위협을 대처하기 위해 현대전에서 압도할 수 있는 능력의 균형을 추구하며, 둘째, 필요로 하는 무기를 구매하고 예산의 효율적사용을 위한 국방부의 제도와 질차를 개혁하는 것이다.

국방전략은 첫째, 수행중인 전쟁에서 압도적으로 승리하는 것으로서 아프가니스탄과 이라크 그리고 세계 주요 지역에 병력을 전개하고, 동맹국, 협력국들과 함께 아프가니스탄과 파키스탄 정부가 알 카에다를 격퇴시키고 그 은신처를 제거할 수 있도록 도와주는 것이다.

둘째. 국제질서의 관리자로써 분쟁을 예방하고 억지하는 것으로서 억지력은 제한전과 대규모전 능력 확보를 위해 육해공의 병력으로 대비되어 있어야 하고, 미사일 방어계획과 대량살상무기 무력화를 통해 적의 공격목표를 방어할 수 있는 능력을 구비해야 하는 것이다.

셋째, 억지가 실패하고 적이 미국의 이익을 침해하려 할 경우 적을 격퇴하고 광범위한 우발적 상황에 대처하며, 넷째. 분쟁지역에서 상당한 병력을 지속적으로 배치하기 위하여 정신적, 물질적 노력을 다하며 장기적인 전쟁을 수행하기 위해 주기적인 병력 교대로 군대를 보전하고 강화하는 것이다.

2.1.3 동북아 및 대 한반도 정책

미국은 중장기적으로 동북아지역에 주둔하고 있는 미군의 전략적 유연성을 유지하여 역내 위기사태 발생 시 신속히 대응할 수 있는 체제를 갖추고 이를 바탕으로 미국 중심의 질서를 유지해 나가고자 하고 있다. 특히 미국은 동북아지역에서 패권적 리더십을 유지하고 새로운 지역 패권의 등장을 저지하는데 우선적인 목표를 두고 있다.

미국은 중국과 인도가 2020년까지 세계의 지정학적 풍경을 바꿔놓는 주요 역할자로 등장할 것이라고 전망하고 있다.

미국은 중국의 부상을 저지하기 위하여 미일동맹을 강화하고 그 바탕위에 한미동맹과 대만과의 특수 관계를 유지하며 지역안정을 추구하고 있다. 또한 일본의 전략적 역할을 아시아전체로 확대시켜 중국에 대한 견제를 시도하고 있다.[177]

탈냉전 후 미국의 대 한반도정책은 한반도의 비핵화와 대량살상무기 확산방지, 그리고 한반도의 평화와 안정유지에 목표를 두어왔다. 동시에 미국은 대 중국정책을 전제로 미·일 동맹을 보완하는 측면에서 한반도 정책을 모색해왔다.

냉전시대에는 주로 한반도의 지정학적 특수성과 이에 따른 안보이익이 주요 관심사였으며, 지금도 한반도의 전략적 가치는 미국의 안보이익에 중요한 영향을 주고 있다고 보고 있다. 특히 북한의 핵무기와 장거리미사일 개발 등 WMD확산은 한·미 안보관계에 새로운 요소로 대두되었다.

북한의 핵무기와 장거리미사일은 한국에 대한 위협으로만 국한된 것이 아니라 미국의 안보에도 위협을 줄 수 있기 때문에 어떤 문제 못지않게 상호

177) 정형근(2007),pp.55-61.

긴밀한 협력을 필요로 하고 있다.

한국과 미국은 2008년 4월, 워싱턴에서 개최된 한미정상회담에서 '21세기 전략적 동맹관계'로의 발전을 합의하였다. 이에 따라 미국은 군사동맹관계를 넘어 정치, 경제, 문화 등 다 방면에 걸쳐 한국과의 협력을 강화할 것이다.

2.2 중국의 안보정책

2.2.1 개요

19세기 서세동점의 세계조류 속에서 무기력하게 후진국으로 전락하였던 동양의 맹주 중국은 항일투쟁과 공산혁명, 개혁 · 개방 등 현대사에서 괄목할만한 변화를 겪은 후 최근에는 세계를 움직이는 주요세력으로 급부상하였다. 미·소 냉전시대의 국제질서 속에서 중국은 제한된 역할에 만족해야만 했으나, 소련이 붕괴되고 중국의 경제력이 급속도로 성장하고 있는 지금은 미국에 대항할 수 있는 잠재적인 슈퍼파워 로 주목받고 있다.

1949년 사회주의혁명 이후, 중국은 이념과 실천을 어떻게 조화시킬 것인가에 관심을 두고 모택동사상과 맑스-레닌주의를 바탕으로 한 정책기조를 유지하였다.

1970년대 소련과의 대립 속에서 국제적 위치를 확보하기위해 제3세계 일변도의 외교노선을 탈피하고, 미국과의 외교적 접촉을 비롯한 전 방위 외교를 통해 자국의 역할을 강화하는 실용주의적 외교노력을 추구하였다.

특히 등소평이 등상한 1978년부터 낙후된 중국의 경제를 발전시키기 위해 과감한 개혁·개방정책을 시도함으로써 고속적인 경제발전과 군사력의 현대화를 달성하였고, 2008년도에는 올림픽을 개최함으로서 국제적인 위상을 과시하였으며, 그 후 다가온 세계적인 경제침체에서도 최대 외화보유국으로서의 영향력을 행사하고 있다. 이제 중국은 등소평이 주창한 도광양회(韜光養晦)[178]의 시대를 넘어 화평굴기(和平屈起)[179]의 시대에 우뚝 서 있는 것이다.

178) 도광양회(韜光養晦) : "칼을 숨기고 때를 기다린다" 의 뜻으로 등소평의 국정운영기조
179) 화평굴기(和平屈起) : "평화롭게 우뚝 일어선다" 의 뜻으로 후진타오의 국정운영기조

2.2.2 안보정책

1) 국가목표

중국의 국가목표는 부국강병의 통합된 국가를 유지한다는 원칙하에 총체적 국력, 즉 종합국력을 신장시켜 21세기 세계 최강국의 위치를 확보하는 것이다.

이를 위해 경제발전이 선행되어야 한다는 인식의 공감대를 형성하고 있다. 등소평의 경제발전우선전략도 바로 이러한 중국의 국가목표를 실현하기 위한 국가전략이다.

2) 국가이익

중국이 추구하고 있는 핵심적인 국가이익은 5가지로 나눌 수 있다. 즉 국가방위, 경제발전, 정권안보, 국가통합, 주권수호이다.

(1) 종합적 국가방위

중국은 국가방위를 위해 국방 현대화와 병행하여 전 방위적 안보외교에 주력하는 것이다. 국가방위의 개념은 영토 및 주권보호 수준을 넘어 경제, 기술전쟁으로부터 비군사적 위협에 대응하는 것 까지 포함하고 있다.

(2) 경제발전 여건조성

경제발전은 중국의 번영을 회복하는 핵심적인 요소이기 때문에 안보정책은 경제발전전략 수행 시 발생할 수 있는 안보 위협을 제거하는데 중점을 두고 있다. 근본적으로 경제발전에 따른 정치적자유와 대외개방의 증대는 중국식 사회주의 정치체제와 대립하거나 충돌할 우려가 있다.

(3) 정권안보 유지

중국의 시장경제 체제는 공산당 일당독재 체제를 위협할 수 있다. 따라서 서구식 자유민주주의로의 전반적인 변화를 거부하고 중화사상에 기반을 둔 국가와 사회의 안정과 통합을 강조하며, 서구 기준과 다른 방식으로 대응할 것으로 전망하고 있다.

(4) 국가적 통합유지

중국은 하나의 문명권으로써 단일정치체계를 통한 통합국가를 유지하고 있다. 그러나 중앙과 지방정부, 연안지역과 내륙지역, 도시와 농촌 간의 갈등과 분열의 위험요소를 안고 있다. 따라서 저 개발된 서부내륙 개발하고 부패근절운동을 전개하면서 소수민족 분리운동에는 단호하게 대처하고 있다.

(5) 주권수호

중국은 주권문제에 대해서는 일관되고 단호한 입장을 견지해 오고 있다. 특히 미 수복지로 여기는 대만에 대한 통일의지는 매우 강하다. 따라서 대만 회복을 통해 정치적 정통성을 과시하고, 미국의 대 중국 봉쇄정책을 저지함으로써 중국의 정치적 위상을 제고하고 있다. 또한 남사군도 확보를 통해 전략자원의 주요 수송로와 매장된 석유 및 천연가스 자원의 지배권을 노리고 있다.

중국과 대만은 통일방식부터가 다르며 현재 대만은 통일대신 완전한 독립국가가 되려는 의지가 강하다. 중국은 대만의 독립을 저지하기 위해 2005년 '반국가분열법'을 선포하였으며, 이법은 대만이 독립을 추진하거나 평화통일의 틀을 파괴할 경우 무력을 사용할 의지를 보이고 있다.

중국과 대만간의 문제는 양안문제(兩岸問題)라고 하며, 이지역에서의 핵심적인 안보문제로 부각되고 있다.

3) 중국군 현대화

중국은 '정보화 조건하 국지전 승리 전략'을 달성하기 위해 국방비를 지속적으로 증액하면서 군 현대화를 추진하고 있다. 특히 육군은 신속대응능력, 해군은 원양작전능력, 공군은 장거리작전능력을 향상시키는 데 주력하고 있다. 육군은 공격헬기부대를 주축으로 한 육군항공단을 증설하는 한편 기동전술미사일부대를 창설, 동남부지역에 배치한 것으로 알려졌다.

중국은 2007년 1월에 탄도미사일로 자국의 위성을 파괴하는 실험에 성공했고, 같은 해 10월에는 달 탐사위성을 발사하고 우주정거장건설계획을 세우는 등 우주개발노력을 강화하고 있다.[180]

2009년 10월 1일 중국건국 60주년 기념열병식에는 중국의 신형무기가 대량 소개되었다.

열병식에는 중국이 자체 제작한 조기경보기와 공중급유기를 비롯하여 대륙간탄도미사일(ICBM)인 둥펑-31A와 크루즈미사일 둥펑-21C 등 이 선보였다. 둥펑-31의 개량형인 둥펑-31A는 핵탄두를 탑재할 수 있으며 사정거리 1만 1,970㎞로 미국 본토까지 도달할 수 있다.

중국 공군의 차세대 전투기 젠-10과 젠-11, 공중경보기도 공개되었다.

중국은 상하이에서 항모 건조에 착수한 것으로 알려졌으며 핵추진 잠수함 상당수도 개발되어 있는 상태다.

이와 같이 중국은 자국에 유리한 안보환경 조성을 위해 국내 경제개혁과 발전을 지속시키고, 군의 현대화를 지속적으로 추진하며, 동북아의 국제질서가 미국에 의해 일방적으로 주도되는 것과 러시아의 팽창주의 재등장을 방지하는데 중점을 두고 있다.

2.2.3 중국의 대 한반도 정책

중국이 1949년 건국한 이듬해, 한반도에서는 6.25 남침전쟁이 발발하였다. 전쟁초기에 중국은 북한이 일방적으로 승리하고 있었기 때문에 전세를 관망하고 있었으나, 맥아더의 인천상륙작전으로 전세가 역전되고 전선이 한만국경선으로 북상하자 위기의식을 느끼고 중국인민지원군이라는 이름으로 참전하게 되었다. 북한군이 6.25전쟁초기에 거의 궤멸되었기 때문에 중공군은 북한군을 대신하여 전쟁의 주역이 되었고, 6.25전쟁이 종식될 때 휴전의 당사자의 자격으로 휴전협정에 조인을 하였다. 그 후 북한에 대한 후견인역할을 하면서 순치(脣齒)의 관계를 유지해 왔으며, 현재에도 북한의 최대 지원국이자 교역국의 위치에 있다.

냉전종식 후 중국의 대 한반도 정책은 한반도 안정유지에 우선을 두고 그

180) 국방백서(2008), p.17.

바탕 위에서 중국의 영향력을 확대하는 것이다.

중국은 한반도에서 심각한 분쟁이 야기될 경우, 중국의 경제발전과 안보에 큰 위협이 될 것으로 인식하고 있다. 만일 한반도에서 분쟁이 발생하면 일본의 군사력 확대와 미일동맹의 강화구실이 되뿐 아니라 미군의 동북아 주둔과 개입을 항구적으로 가능하게 할 것으로 보고 있다.

또한 중국은 북한의 핵개발로 인한 위기악화를 방지하는데 많은 노력을 기울이고 있다. 북핵 문제와 관련한 중국의 정책원칙은 비핵화, 안정과 평화, 대화를 통한 문제해결이다. 중국은 북한의 핵 위기가 고조될 경우 미국의 영향력이 한반도에 커지는 현실을 경계하는 것이다.[181]

한국과는 1992년 수교 이래 1998년 11월 한중 정상회담 시 '21세기를 향한 협력 동반자관계'를 구축하였고, 이어서 주요 인사들의 상호방문을 통해 양국 간의 교류를 활성화해 왔으며, 2007년에는 우리나라의 최대교역국이 되었다. 2008년 5월, 이명박 대통령의 중국방문 시 양국 간의 관계를 전략적 협력 동반자 관계로 격상시키는 데 합의했다.

중국은 상대국가와의 외교적 관계를 '전략적 관계'와 '비 전략적 관계'로 나누고 있다. 비 전략적 관계는 양국 간의 이해도와 친밀도를 높이는 것을 목표로 하며, 주로 양국 간의 문제를 주요 현안으로 다룬다. 전략적 관계는 양국 간의 협력관계가 주요 현안 뿐 아니라 정치, 경제, 문화, 환경, 국제문제 등으로 확대되며, 양국 간의 관심사와 전략적 이슈에 대한 목표를 공유하고 협조한다.

그러나 2001년 시작된 중국의 '동북공정'[182] 추진은 한국과의 역사문제를 야기 시킬 수 있는 현안으로 등장할 가능성이 잠재되어 있다. 동북공정은 동북아 지역의 전략적 가치가 증대함에 따라 중국이 이 지역에 대한 역사적 연고권을 선점하려는 의도로 해석하고 있으며, 이 중에는 우리 고구려사를 중국의 역사에 편입하려는 시도도 포함되어 있다.

또한 북한체제의 급속한 변화와 돌발사태 발생 시, 한반도 북부 지역에 대한 적극적인 관여와 개입을 정당화하기 위한 사전 포석이라는 예측도 힘

181) 정형근(2007),pp.74-75.
182) 중국 국경 안에서 전개된 모든 역사를 중국 역사로 만들기 위해, 2002년부터 중국이 추진하고 있는 동북쪽 변경지역의 역사와 현상에 관한 연구 프로젝트.

을 얻고 있다.

2.3 일본의 안보정책

2.3.1 개요

세계 제2의 경제대국인 일본은 21세기에 접어들면서 제2차 세계대전의 전범국이라는 멍에를 벗고 국가 경제력에 걸맞은 정치적·군사적 강국으로 등장하고 있다. 일본은 2차 세계대전 후 미국의 주도로 제정된 평화헌법의 틀 속에 묶여 군사력 발휘를 억제하여 왔다.

평화헌법이란 2차 세계대전에서 패한 일본이 1946년 11월에 공포한 헌법 9조의 별칭이다.

평화헌법에는 "일본국민은 정의와 질서를 기조로 하는 국제 평화를 성실히 희구하고, 국권의 발동에 의거한 전쟁 및 무력에 의한 위협 또는 무력의 행사는 국제분쟁을 해결하는 수단으로서는 영구히 이를 포기한다. 이러한 목적을 성취하기 위하여 육 · 해 · 공군 및 그 이외의 어떠한 전력도 보유하지 않는다. 국가의 교전권 역시 인정치 않는다"라고 명시하고 있다.

평화헌법으로 인해 일본은 군대를 갖지 못하였으나 한국전쟁이 발발하자 일본국내 치안유지의 목적으로 1950년에 미 점령군 명령에 의해 경찰예비대를 창설하였으며, 1954년에 자위대로 개편하였다. 자위대는 사실상 군대이나 평화헌법 때문에 군대라는 이름을 갖지 못하고 자위대라고 부르며 오늘에 이르고 있다

일본의 자위대는 겉으로는 허술하게 포장되어 있지만 실질적으로는 구 일본제국의 군사력운용 경험과 군사기술의 잠재력을 바탕으로 꾸준하게 전력증강에 힘써 왔으며, 현재는 최신장비로 무장된 최정예 전력을 보유하고 있다.

2007년 1월 일본 방위청이 방위성으로 승격되었다. 당시 아베 신조 일본총리는 방위성의 출범에 대해 "일본이 전후체제에서 탈피해 21세기 새로운 국가를 만드는 첫걸음"이라고 말했다. 일본은 평화헌법을 포기하고 정치·군

사적 수단의 행사를 통해 적극적으로 국제사회에 개입하는 '군사적 보통국가'로의 변신을 꾀하고 있다.

2차 세계대전에서 패한 후 미국의 안보우산 아래서 뉴부신 경제발전을 이룩한 일본은 국력을 바탕으로 '대동아 공영권'이라는 잃어버린 꿈을 되찾기 위해 서서히 조심스럽게 국제사회에 부상하고 있는 것이다.

2.3.2 안보정책

1) 일본의 방위정책

냉전시대 일본 안보정책은 미・일 안보동맹을 기본 축으로 하여 미국의 핵우산 아래 전수방위정책을 수행해 왔다. 일본 안보의 주 고려사항은 전수방위에 기반을 둔 자조노력, 미・일 안보조약에 근거하는 동맹관계, 동서관계를 중심으로 하는 국제환경의 세 가지 요소였다.[183]

일본의 방위정책은 1957년 5월, 각의에서 결정된「국방의 기본방침」에 기초를 두고 있다.

「국방의 기본방침」은 첫째, 유엔 활동을 지지하고 국제협력을 도모하여 세계평화를 실현하고, 둘째, 민생을 안정시키고 애국심을 고양하여 국가의 안전을 보장에 필요한 기반확립하며, 셋째, 자위를 위해 필요한 한도 내에서 효율적 방위력을 점진적으로 정비하고, 넷째, 외부 침략 시 미국과의 안전보장체제를 기조로 이에 대처한다는 것이다.

일본은「국방의 기본방침」을 바탕으로 전수방위를 유지해 왔다. 다른 나라에 위협을 주는 군사대국이 되지 않고, 미・일 안전보장체제를 견지하며, 문민통제를 확보하고, 비핵 3원칙을 견지하며, 방위력을 자주적으로 정비하였다.

전수방어란 '일본방위는 적절한 규모의 방위력 및 미·일 안전보장의 틀 속에서 전쟁억제의 효과를 발휘하며, 만약 전쟁억제가 실패하면 미국의 협력을 얻어 침략을 조기에 배제하여 평화를 회복한다'는 개념이다. 즉 전수방어는 수비위주의 방위정책으로서, 핵에 의한 침략이나 전면전쟁은 미·일 안보체제에 의해 격퇴시키고, 재래식 무기에 의한 제한된 소규모전쟁은 자국

183) 전득주 외,「대외정책론」(서울: 박영사,2003),p.312.

의 능력으로 격퇴시킨다는 것이다.

또한 일본은 비핵 3원칙을 고수하고 있다. 비핵3원칙은 1967년 12월 11일 중의원에서 제기되었으며, 주된 내용은 '일본은 핵무기를 제조하지 않고, 핵무기를 보유하지 않으며, 핵무기의 반입을 허용하지 않는다'는 것이다.

비핵 3원칙 중 핵무기를 반입하지 않는다는 것은 미국 핵잠수함 의 일본해 통과 등과 같이 실제로 지켜지고 있지 않는 것도 있지만, 핵무기가 일본 영토 내에 공공연히 배치되지는 않고 있으며, 이것이 미국의 핵전략을 제약하고 있기 때문에 아직도 실효성이 있다고 할 것이다.

그 외에도 군에 대한 문민통제 견지, 비 군사대국, 무기금수 3원칙, 자위대 해외파병금지, 방위비를 GNP 1% 이내 사용 등의 원칙을 정하여 정책을 수행해왔다.

그러나 냉전이 종식되고 난 후 일본은 국제질서의 재편과 일본의 국제적인 위상증대로 미일동맹의 목표를 재정의 하면서 보통국가화를 추진하기 시작하였다.

2) 미일동맹

미일동맹은 미국과 일본이 1951년「미 · 일 안전보장조약」을 체결하면서 성립됐다. 이 조약에서는 미군의 주둔을 규정하고, 일본 내의 기지를 제3국에 대여할 경우 미국의 동의를 필요로 한다는 것을 비롯하여, 일본에 대규모 내란이나 소요가 발생할 때, 일본정부의 요청이 있거나 일본에 대한 외부로부터의 공격이 있을 때, 미군이 출동할 수 있도록 되어 있다.

구 안보조약으로 불리는 이 조약은 전후 일본 국가경영의 기본이었던 '경무장'과 '경제우선'을 결정지은 문서였다.

미일동맹은 국제정세와 미일 간의 역학관계를 반영하며 차츰 그 성격을 바꾸어 나갔다. 일본경제가 발전하면서 미국의 요구에 따라 일본은 안보비용을 분담하였지만, 실질적으로는 일본이 능란한 외교를 통해 점진적으로 자국 방위력을 증강시키고 군사적 역할의 확대를 달성한 동맹의 역사라고 할 수 있다.

1960년 안보조약의 개정은 당시 기시 노부스케(岸信介) 내각이 높은 수준의 자주성 회복과 대등한 협력자로서의 관계를 요구함으로서 이루어졌다.

개정된 신 안보조약에서는 일본 국내의 정치적 소요발생 시 미군이 개입할 수 있는 조항과 일본이 제3국에 기지를 대여할 경우 미국의 동의를 필요로 한다는 조항이 삭제되었으며, 군사적인 위협에는 미국과 일본이 공동으로 방위한다는 내용을 골자로 하고 있다.

신 안보조약은 명실 공히 독립국인 일본의 체제를 존중한 것이며, 그 후 양국 간에 더 이상 조약 개정은 없어 오늘날까지 미일동맹의 근거로 통용되고 있다.

이 조약의 유효기간은 10년이었으나 1971년 자동연장조약을 함으로써 현재까지도 유효하며, 폐기의사를 통고하기 전에는 계속 그 효력을 지니게 되어있다.

일본은 미일방위조약에 의거하여 전후 자국의 안보비용을 미국에 전가시킴으로써 비약적인 경제발전을 성취할 수 있었다.

미국은 1970년대 후반으로 접어들면서 경제대국으로 성장한 일본에 대해 방위비 분담 요구를 강화했다. 일본은「미일 방위협력을 위한 지침」을 마련하고, 미군에 대한 '배려 예산'을 책정하는 등 성의를 보였다.

1996년 빌 클린턴 미국 대통령과 하시모토 류타로(橋本龍太郎) 총리가 발표한「미·일 안보공동선언」은 냉전 종식 후 변화한 상황에 부응하기 위한 안보조약의 '재정의'라고 할 수 있다. 이 선언은 지리적 개념을 종래의 '극동'에서 '아시아·태평양'으로 확장하고, 미일 간 방위협력을 더욱 긴밀하게 규정한 것이 특징이다.[184]

3) 유사법제

일본은 보통국가를 추진하면서 미일동맹의 재정의를 배경으로 유사법제화를 추진하였다.「유사법제」란 일본이 타국으로부터 무력공격을 받는 등의 비상사태가 발생했을 때 자위대와 정부의 대응방침을 규정한 법규다. 유사법제는「무력공격사태법안」,「자위대법 개정안」,「안전보장회의설치법 개정안」등 3개 안으로 구성되어 있다. 이 법에 의해 정부는 비상사태 시 민간의 인적·물자동원 등이 가능하다. 이 법은 우리나라의「비상대비자원관리

184) 한국일보, 2006.01.22

법」과 유사하다.[185]

유사법제는 1977년부터 검토를 시작하였으며 검토기간 중 국내외 반대여론에 밀려 제정이 연기되어왔으나, 2001년 고이즈미 총리가 입법화를 지시하여 2003년 5월 15일 중의원을 통과하고, 6월 6일 참의원을 통과하면서 법제화되었다,[186] 이로써 일본 패전 58년 만에 전시에 대비한 국가체제정비를 목적으로 한 법제가 일본에서 처음으로 효력을 갖게 됐다.

4) 신 방위대강

「방위대강」은 일본 방위정책의 기본 지침을 결정하는 중요 문서로「방위계획대강」의 준말로 사용하고 있다. 최초 1976년에 제정되었으나 1995년에 개정하였고 2004년에 다시 이를 대치하는「신 방위계획대강」을 수립하였다. 9년 만에 수정된 방위대강은 일본의 전수방어, 문민통제 원칙준수, 비핵 3원칙이 그대로 포함되었고, 미일 안보체제의 중요성이 강조되었으나 '테러, 탄도미사일' 등의 새로운 위협에 대비하고 국제평화협력활동에 적극적으로 개입한다는 기본방향을 제시하였다.

신 방위대강은 9·11 테러 이후, 국제 테러조직의 활동과 대량살상무기, 그리고 탄도미사일의 확산 등을 '새로운 위협'이라고 규정하고 이러한 새로운 위협에 대한 대비를 최우선 과제로 제시하고 있다

이와 함께, 북한과 중국에 대한 위협 인식과 경계심을 드러내고 있다. 북한의 군사적 움직임을 '중대한 불안정 요인'으로 간주하면서, 동시에 중국의 군사력 현대화와 해양 활동 범위의 확대를 지적하고 있다.

중국이 핵과 미사일 전력, 해군 및 공군력의 현대화를 추진하는 것에 대한 우려와 북한의 탄도미사일에 대한 위협 인식을 명확하게 하고 있다.

신 방위대강에서 중국과 북한의 위협에 대한 경계심을 강조한 것을 통해 탈냉전기 일본의 안보정책 결정 요인의 중요한 부분을 명확하게 인식할 수 있는 것이다. 또한 안보에 있어서 미일 일체화와 자위대 해외파병을 '본래임무'로 격상시켰다.

185) 비상시에 자원을 효율적으로 활용할 수 있도록 하기 위해 제정한 법률(일부개정 2009.4.1 법률 제9571호)이며 , 전시·사변 또는 이에 준하는 비상사태 발생 시 국가의 인력·물자 등 자원을 효율적으로 활용할 수 있도록 제정한 법이다.

186) 김희상(2003),pp.149-150.

중동에서 동아시아에 이르는 지역에 대한 안보문제에 적극적으로 관여해 갈 방침을 명확하게 제시하였고, 자위대의 임무를 '국제적인 안전보장 환경을 개선하고 일본에 위협이 미치지 않도록 하는 것'으로 재설정하였다.

그리고 중요한 것은 미사일방어시스템(MD)을 확립하여 탄도미사일 위협에 대처하겠다고 명시한 것이다. 신 방위대강을 결정한 날 관방장관은 담화를 통해 미사일방어 시스템의 공동연구개발과 생산을 위해 '무기수출 3원칙'을 완화하겠다고 했다.[187] 국제적인 무기거래의 장애를 제거함으로써 미국과 공동개발 및 생산을 추진하고 있는 미사일방어 추진에 박차를 가하겠다는 것으로 해석된다.

또한 신 방위대강에서는 새로운 안보환경에 대처하기 위해 '다기능적이고 탄력적이며 실효성 있는 방위력'을 구축하겠다는 목표를 설정하고 있다. 조치 중 하나가 방위력 공백 지역인 남서 도서지역과 게릴라, 특수부대 등의 공격에 대처할 수 있는 부대를 설치하기로 한 것이다. 그리고 육상자위대 정원을 15만 5,000명으로 축소하고, 전차와 전투기, 호위함 등 재래식 무기를 감축키로 한 대신, MD 등 첨단무기 개발에 예산을 투입하기로 했다. 항공기의 항속거리를 늘리기 위한 공중급유기 부대의 신설하기로 하였는데, 이는 일본의 전수방위 원칙이 무너졌다는 증거라는 논란을 불러왔다.

5) 보통국가화

냉전이 종결된 이후 일본은 급속히 변화하고 있다. 평화헌법과 전수방위, 경제적 국제공헌이라고 하는 기본원칙들이 대대적으로 수정되고 있다. 교전권을 포기하고 군대를 갖지 않는 '평화국가'에서 정상적인 군사력을 보유한 '보통국가'로 변모하고 있는 것이다.

또한 '유사법제' 및 '이라크 파병법'제정에서 나타나는 바와 같이 일본은 종래의 소극적 안보정책에서 탈피하여 정치·군사적 수단의 행사를 통해 적극적으로 국제사회에 개입하는 '군사적 보통국가'로의 변신을 꾀하고 있다.

2007년 1월 9일 일본 방위청이 방위성으로 승격했다. 내각부의 외국(外局)

---

187) 무기수출3원칙은 △공산권 국가 △유엔이 금지한 국가 △국제분쟁 당사국에 무기 수출을 금지한 원칙이다. 1967년 사토에이사쿠(佐藤榮作) 내각에서 발표된 정부통일견해로서 비핵3원칙과 함께 전후 일본 안보정책의 중요한 축으로 인식되어왔다.

으로 있던 방위청이 성(省)으로 승격되면 방위상이 직접 중요 안건을 각료 회의에 제출할 수 있으며, 재무성에 독자적으로 예산을 요구할 수 있다. 유엔 평화유지활동(PKO)과 같은 자위대의 해외활동도 종전의 부수적 임무에서 본연의 임무로 격상된다. 방위성 승격은 새로운 국가를 만드는 커다란 첫걸음이며, 이는 일본의 전후시대를 총정리하고 새로운 정상적인 보통국가의 탄생을 의미한다.

자위대는 24만여 명의 병력구조를 유지한 채 구형 무기체계를 도태시키고 첨단 무기체계를 증강하고 있으며 신형 이지스함, 신형 아파치 공격헬기 등을 최근 전력화하고 있다.

2.3.3 대 한반도 정책

일본은 한반도의 안정이 일본의 안보에 매우 중요하다는 인식하에 미일안보동맹을 축으로 하여 한반도에서 세력균형을 유지하고 중국의 영향력 확산을 차단하는 데 우선적인 목표를 두고 있다. 또한 현실적으로 일본을 위협하는 북한과의 관계도 적당한 선에서 유지하는 것이 필요하다는 인식을 갖고 있다.

전통적으로 일본은 한반도를 대륙으로의 진출로 혹은 대륙국가의 침략을 차단하기 위한 완충지대로서 중시해 왔다. 이러한 한반도의 지정학적 중요성으로 인해 일본은 한반도의 분쟁이나 적화통일이 일본의 안보에 심각한 영향을 미친다는 기본인식하에 한국에 대한 북한의 군사적 위협에 대처하기 위한 전략을 수행해 왔다.

일본의 대 한반도 정책의 목표는 한반도의 위기상황 발생 방지, 일본에 적대적인 정권의 수립 저지, 한반도에 대한 정치·경제적 영향력 확보를 통한 최대한의 이익추구 등이다.[188] 또한 일본은 한반도에 강력한 통일국가가 등장 시 중국의 편에 설 가능성도 있다고 우려하며 남북한의 통일보다 현상유지를 바람직하게 보고 2개의 한국 정책을 추진하여왔다.[189]

일본의 전통적인 안보전략은 중국의 군사력 현대화 및 해양진출에 대한

188) 김동진, "일본의 대한반도 정책",(민족통일연구원,1992),p.2.
189) 김희상(2003),p.158-159.

경계감과 북한의 핵 및 미사일전력에 대한 위협의식에 바탕을 두고 있다. 일본의 「신방위대강」에서 북한의 군사적 움직임이 지역안정보장에 중대한 불안정요인이 되고 있으며, 이에 따라 북한이 유발한 위협요인을 제거하는 것이 일본의 핵심적인 안보정책목표가 되었다.

일본은 이러한 목표를 달성하기 위해 정보전력의 강화, 대테러전에 대비한 특수부대양성, 일본 서북부해안에 고속미사일함 부대편성 등의 전력을 보강하였다. 나아가 북한의 핵무기 개발을 수용하지 않는다는 입장을 고수하며, 북한이 핵실험을 하거나 미사일 발사시험을 할 때 일본은 정부차원에서 매우 신속하게 대응하며 대비태세를 강화하였으며, 유엔이 북한에 대한 제재를 가할 수 있도록 대북제재결의안을 주도하거나 국제적인 압력을 가하고 있다.

결국 북한의 핵무기와 미사일개발은 일본이 군사강국이 되기 위한 보통국가화 정책을 수행하는데 매우 좋은 명분을 제공하고 있는 것이다.

일본은 한국과는 전통적인 우방으로서 경제적·군사적 우호협력관계를 유지하고 있으며 북한의 핵무기개발에 대해서는 미국과 더불어 공동보조를 맞추어 왔다. 그러나 역사문제, 교과서문제, 독도문제, 배타적 경제수역 문제 등의 갈등이 상존하고 있다.

특히 독도문제는 서로 양보할 수 없는 영토문제이기 때문에 미국의 강력한 견제가 없다면 언제든지 분쟁지역으로 변할 가능성을 내포하고 있다.[190]

2.4 러시아의 안보정책

2.4.1 개요

제2차 세계대전 후 냉전시대에 공산블록의 맹주로 군림하였던 소비에트연방공화국이 1991년에 해체되었고, 그 후 탄생한 러시아는 국가명칭만 바뀌었지 사실상 소련의 법통을 계승한 슬라브 민족의 중심 국가이다.

러시아는 세계에서 가장 큰 영토와 자원을 보유하고 있으며 또한 세계 최다의 핵무기 보유국이다. 소련이 해체되고 자본주의 경제정책을 취하면서

---

190) 정형근(2007),pp.86-89.

경제적인 어려움을 겪었으나 1999년 블라디미르 푸틴이 대통령이 되면서 실리외교와 서구로부터 경제적 지원을 받으면서 정치적 안정과 경제성장을 이룩하고 서서히 자신감을 회복하기 시작하였다.

러시아는 국제법상 소련의 완전한 계승자이다. 러시아는 소련이 가졌던 국제연합 안전보장이사회 상임이사국의 지위를 물려받았으며 소련의 해외자산을 인수받았다.

러시아연방의 외교정책의 기조는 '서방과의 협력적 경쟁' 또는 '서방에의 협력적 의존'으로 설정하고, 낙후된 경제를 되살리기 위해 서방의 경제지원을 얻어내는 등 국가이익에 입각하는 방향으로 전환하였다.

러시아는 선진7개국(G-7) 정상회담에 합류하여 지금은 G-8 국가가 되었다. 중국과는 소모적인 경쟁을 중단하고 협력관계로 전환했으며, 일본과 경제협력을 위한 협상을 계속하고 있다.

또한 국내경제발전을 위해 서방과의 경제협력을 도모함과 동시에 소련의 핵무기 독점을 유지함으로써 국제사회에서 강대국으로서의 위치를 견지하고 있으며, 미국과 함께 핵무기 비확산에 외교적 노력을 기울이고 있다.

러시아는 군사 분야에서 획기적인 정책변환을 추진하였다. 구소련이 추구하던 '강력한 군사력을 앞세운 세력 확장정책'을 포기하고 자국 영토의 보전을 위한 '순수 방위전략'으로 일대 전환을 이룩했다

경제침체의 원인이 되었던 과도한 군사비지출을 지양하며 해외 주둔부대를 철수시키고, 대대적인 병력감축. 군비축소, 군수산업의 민수전환 등의 정책을 추진하였다. 그러나 체첸공화국의 독립시도와 같이 러시아 내에서 또 다시 연방을 이탈하려는 국가에 대해서는 강력한 무력제재를 가하고 있다.

2.4.2 안보정책

1) 국가안보개념

러시아의 대내외정책 및 전략의 핵심은「국가안보개념」,「군사 닥트린」,「대외정책개념」등 3개 문건에 수록되어있다.

「국가안보개념」은 전 생활 영역에 걸친 국내외적 위협으로부터 러시아의 개인·사회·국가의 안전을 보장하기 위한 기본 골격이며, 여기에는 군

사안보 영역을 포함해 러시아가 지향·추구하는 세계전략차원의 대내외 정책 청사진을 밝히고 있다.

「군사 닥트린」은 러시아 안보의 군사·정치적, 군사·전략적, 군사·경제적 기조를 정하는 '공식적인 방침의 총합'이며, 국가안전보장에 관한 군사적 준칙과 기본 방향의 제시에 한정되어 있다.

「대외정책개념」은 국제관계 영역에서 러시아 외교의 기본원칙과 대강의 제시에 국한되어 있다.

「군사 닥트린」과「대외정책개념」은 각각「국가안보개념」의 군사·안보적 영역과 대외정책 영역에서 국가안보개념의 대전략을 구체적으로 실현하기 위한 실천적 지침서이다.

러시아는 1997년 12월 국가안보개념을 발표한 바 있다. 그러나 푸틴이 집권하고 난후 이를 수정하여 2000년 1월 10일「신 국가안보개념」을 공표하였다.

「신안보개념」은 전체적으로「구안보개념」과 대동소이하다. ① 러시아의 강대국 지위 회복 ② 미국 중심의 단극 질서의 배격과 다원적 세계질서의 창출 ③ UN과 OSCE 등의 역할 강조 ④ 시장경제 개혁을 위한 유리한 대외적 환경 조성 ⑤ 러시아 경제의 세계경제체제에 통합 ⑥ 최우선적 국익으로서 경제이익의 확보 ⑦ 국제 평화유지 활동에의 적극 참여 ⑧ 핵무기 등 대량살상무기의 확산 방지 ⑨ 다국적 범죄 및 테러리즘의 척결 등 구 안보개념에서 강조했던 주요 내용들이 그대로 반복되고 있다.

그러나 차이점은 크게 다음 네 가지로 요약된다.

첫째는 국제정세에 대한 평가의 차이이다. 세계질서와 관련하여「구안보개념」은 국제질서가 다극화 방향으로 나가고 있다고 표현하고 있으나,「신안보개념」에는 양극적 대결시대 종식 이후 뚜렷이 대비되는 '상호 배타적인 두 흐름'이 중첩되어 존재한다고 평가하고 있다. 하나의 흐름은 정치적, 경제적, 과학·기술적, 생태·환경적, 다자간 통합노력의 결과인 바람직한 다원주의적 세계질서 움직임이고, 다른 하나는 미국 지도하의 서방 선진국들이 힘의 우위를 바탕으로 주요 국제문제를 일방적인 방식으로 해결하려는 추세라는 것이다.

둘째는「신안보개념」이 반서방적 성향을 강하게 표출하고 있다.「구안보개념」에서 자주 언급되었던 '서구와의 동반자관계 발전의 지속'이라는 표현이 사라지고, UN, OSCE 등 기존의 국제안보기구의 역할을 무시하는 일부 국가 및 국가 간 연합이 러시아 최대의 안보적 위협이라고 명시하고 있다.

셋째는 외부로부터의 심각한 군사적 안보위협을 강조하고 있다.「구안보개념」에서의 국가안보 위협은 과학 및 농업의 낙후, 생산의 저하와 출산율 및 평균수명의 저하, 자원의 고갈 등 국내적 요인과 타국가의 러시아에 대한 영토적 소유권 주장, CIS제국 내에서의 정치적·경제적·인종적 위기 발생 등 비군사적 요인이었다. 외부의 군사적 위협에 관해서도 가까운 장래에 러시아에 대한 대규모 공격이 사실상 존재하지 않는다고 하였다.

그러나 신안보개념에서는 국내적·비군사적 위협에 추가하여 외부로부터의 심각한 군사적 위협을 강조하고 위협의 범위를 구체적으로 명시하고 있다. 즉, 국경 근접지역에 외국의 군사기지 설치, 대규모 군사력의 출현 가능성, NATO 등의 세력 확대 우려, 러시아의 정치적·경제적·군사적 영향력 약화를 노리는 세력 등을 국가안보를 심각히 위협하는 외부세력으로 추가해 규정하고 있다.

넷째는 안보적 위협에 대한 구체적인 대응책으로서 과거의 소극적이고 수동적인 '축소지향형 핵전략'에서 적극적이고 공세적인 '확대지향형 핵전략'으로의 전환이다.「구안보개념」에서는 "외부의 군사적 침략으로 러시아연방의 존립이 위협받을 시, 핵무기를 포함하여 러시아가 보유하고 있는 모든 동원 가능한 군사적 수단을 사용할 권리가 있다"고 명시하면서 핵무기 선제사용을 자제하고 있었다. 그러나 신안보개념에서는 "군사적 침략의 격퇴가 필요하고 위기상황을 해결하기 위한 모든 비군사적 수단들이 무용하고 비효과적일 경우"로 규정함으로써 핵무기 선제사용 가능성을 높였다.

이와 같이 러시아는 핵무기를 국가안보와 국익수호 그리고 강대국 지위회복을 위한 주 수단으로 활용하고자 하는 의도를 감추지 않고 있다. 재래식 전력 대신 핵무기에 의존을 강화 방향으로의 안보전략 변경은 NATO의 팽창과 관련하여 '수세적 지역방어'에서 '적극적인 선제방어'전략으로의 전환을 의미한다.

2.4.3 동북아 정책

러시아는 1990년대의 국가경제의 어려움과 국내혼란으로 동북아지역에 대한 영향력을 행사하기가 어려웠으나 푸틴이 집권하고 난 후부터 정국이 안정되고 경제가 활성화되면서 국제사회와 동북아지역에 대한 영향력을 증대시키고 있다.

2003년 발표한 대통령 연두교서에서 국정운영목표를 "빠른 시일 내에 강력하고, 경제적으로 발전하고, 국제적으로 영향력 있는 국가를 건설하는 것"이라고 하였다.

러시아의 동아시아·태평양 정책은 첫째, 역내에서 미국의 주도적인 영향력을 견제하면서 주요 행위자간 세력균형을 유지하고, 둘째. 접경국가들과 동반자 및 선린우호 관계구축을 통한 국경지역의 안정을 유지하면서 포괄적인 양자협력을 강화하는 것이다. 셋째, 역내 다자간 정치·경제·안보기구에 적극적으로 참여하고, 넷째, 극동·시베리아지역의 발전을 위한 역내 국가들과 협력을 추진하여 이 지역 경제를 아태지역 경제권으로 편입시키며. 다섯째, 반테러와 대량살상무기의 확산방지를 위한 다자간 협력을 강화하는 것이다.

러시아는 동북아 다자안보협력을 강조하고 미국의 패권적 지배를 부정하고 있다. 미국의 일방주의를 견제하고 유엔 안보리 상임이사국 지위와 다자안보 체제를 통한 군비통제의 실현을 추진하고 있다.[191]

2.4.4 대 한반도 정책

제정러시아가 극동지역으로 진출한 19세기부터 러시아는 부동항을 확보하는데 용이한 한반도를 전략적 요충지로 인식하고 한반도에 대한 영향력을 확대하기 위해 꾸준한 노력을 계속 해왔다.

구한말 한·러 수교가 시작된 후 러시아는 한반도에서 패권을 차지하기 위해 1904년 러일전쟁을 치렀고, 러시아를 계승한 소련은 2차 세계대전이 종료된 직후 일본군 무장을 해제하는 명분으로 북한에 군대를 진주하여 북한에 대한 군정을 실시하였으며, 북한정권 수립 후 북한을 사주하여 6.25남침전쟁을 유발시켰다. 냉전시대 소련은 공산주의 국가의 맹주로서 자유진영과 대립하면서 우리

191) 정형근(2007),pp.90-91.

나라와는 적대적인 관계를 지속하였다.

한·소 관계가 본격적으로 발전하기 시작한 것은 노태우 정부가 북방정책을 추진하면서 부터이다. 1989년 12월 상호 영사처를 설치하기로 합의하고, 1990년 6월 미국의 샌프란시스코에서 대통령 노태우와 서기장 고르바초프 간의 한·소 정상회담이 개최되었으며, 그 후 9월 UN본부에서 가진 양국 간의 외무회담을 통해 대사급 외교관계가 수립되었다.

소련이 해체되고 러시아가 소련의 법통을 계승하면서 양국정상들의 상호방문과 경제교류가 확대되고 군사교류도 활성화하기 시작하였다.

이러한 양국 간의 우호관계가 바탕이 되어 1995년 9월 6·25전쟁 발발 시 러시아의 북한에 대한 자동 군사개입조항을 담은 「조·러 상호원조 및 우호협력 조약」을 러시아가 일방적으로 폐기하였다.

그러나 푸틴이 집권하면서 북한과 2000년 2월 「러·조 친선·선린 및 협조에 관한 조약」을 체결하고 남북한에 대한 등거리 외교정책을 추진하기 시작하였다. 2001년 6월 발표한 「신 외교정책 개념」에서도 "러시아는 한반도 문제의 해결과정에서 동등한 참여를 보장받고 남·북한 양국과 균형된 관계를 유지하는 데 노력을 집중할 것이다"라고 명시하고 있다.[192]

러시아의 대 한반도 정책의 목표는 남북한의 현실에 기초한 실리외교를 토대로 ① 한반도의 비핵지대화 및 대량살상무기 비확산 ② 군사·정치적 대결의 해소를 통한 평화와 안정의 유지 ③ 평화통일의 기반을 조성하기 위한 남북한 간의 건설적인 대화와 교류의 지지 ④ 호혜적 경제협력의 확대 ⑤ 한반도 주변 3국과 세력균형유지 등이다.[193]

러시아는 소련 붕괴 후 약화된 한반도에 대한 영향력을 회복하고, 동북아와 태평양지역에서의 영향력을 확대하며, 시베리아 횡단철도(TSR)[194]와 한반도 종단철도(TKR)[195], 송유관 및 가스관이 한반도를 통과 시 안정적으로 관리하며, 미국의 패권억제 및 다자안보체제를 통한 지역의 균형자 및 조정자 위상을 확

192) 김희상(2003),pp.167-169.
193) 정형근(2007),pp.95-98.
194) 시베리아 횡단 철도(Trans-Siberian Railway)는 러시아의 첼랴빈스크에서 블라디보스토크까지를 1905년에 연결한 대륙횡단철도이다.
195) 한반도종단철도 (Trans-Korea Railway)는 한반도와 중앙아시아 및 유럽의 연결을 목표로 추진하는 철도 노선이다.

보하기 위해 동북아에 군사력을 배치하고 있다.

제 3 절 북한의 안보위협

3.1 개요

우리나라의 안보를 위협하는 직접적인 실체는 북한정권과 북한의 군사력이다. 1948년 대한민국 건국 이래 북한은 끊임없이 우리의 안보를 위협하고 우리 정부와 국민을 괴롭히는 적대행위를 계속하여 왔다. 북한은 1950년 6.25전쟁을 도발하여 참혹한 국토파괴와 민족상잔의 비극을 경험하게 하였으며, 휴전 후에도 지속적인 대남침투와 국지도발을 자행하였다. 6.25 전쟁은 극심한 남북대결의 원인이 되었고, 계속된 도발로 상호 불신은 깊어졌다.

1972년, 휴전 후 최초로 남북한이 만나 역사적인「7.4남북공동성명」[196]을 발표하고 난 다음, 정권이 바뀔 때 마다 크고 작은 남북한 간의 대화가 진행되었으며, 2000년「6.15 공동선언」을 계기로 남북한의 교류가 활성화 되었으나, 북한의 핵무기 개발과 패쇄적인 정책으로 결국 뿌리 깊은 불신의 벽을 허물지 못하고 긴장과 대결상황이 지속되고 있다.

표.9 북한의 주요 도발사건

일시	내 용	비 고
1950.6.25	6.25 남침 전쟁	3년간 20개국이 전쟁에 참가, (유엔16개국, 남북한, 중국, 소련)
1968.1.21	1.21 사태	북한 무장공비 31명이 청와대를 기습하기 위하여 침투하였던 사건.
1968.1.23	푸에블로호 납치사건	원산 앞 공해상에서 미 정보수집함 푸에블로호가 북한에 납치된 사건.
1968.11.2	울진·삼척무장공비침투사건	북한 유격대가 울진군과 삼척시로 침투한 사건
1974.11.15	제1남침 땅굴발견	1990년까지 총 4개의 땅굴발견

196) 1972년 7월 4일 남북한 당국이 국토분단 이후 최초로 통일과 관련하여 합의발표한 역사적인 공동성명.

1976.8.18	8.18판문점 도끼만행사건	판문점 공동경비구역 내에서 미군 장교 2명이 북한군에게 도끼로 피살된 사건
1983.10.9	아웅산 묘소 폭파암살사건	미얀마 아웅산 묘소에서 전두환 전 대통령 수행원들이 북한 테러범에게 폭사 당한 사건(17명 현장사망)
1987.11.29	대한항공 858기 폭파사건	미얀마 상공에서 대한항공 858기가 북한 공작원에 의해 공중 폭파되어 탑승객 115명 전원이 사망한 사건
1996.9.18	강릉 잠수함 사건	강릉 앞바다에 350t급 북한 잠수함이 무장간첩 26명을 태우고 침투한 사건
1999.6.15	서해교전 (1차 연평해전)	서해 연평도 부근에서 북한 경비정의NLL 무단월경으로 인해 유발된 해전 2차 해전: 2002.6.29 3차 해전: 2009.11.10

북한은「2008년 신년 공동사설」에서 2012년을 '강성대국 진입의 해'로 정하고 이를 달성하기 위하여 '사상강국, 군사강국, 경제강국'건설을 위한 총동원 태세를 촉구하면서 선군정치를 통한 김정일 국방위원장 중심의 체제유지에 주력할 것임을 밝혔다.

대외적으로는 대미관계 개선을 모색하며 중국 및 러시아와 상호협력을 돈독히 하는 한편 제3세계 국가들과의 관계개선에 주력하고 있다.

대남 면에서는 한국정부의 대북정책을 비난하며 강경발언 수준을 높이고, 서해상과 개성공단지역에서의 긴장을 조성하고 있다.

군사력 면에서는 방대한 재래식군사력을 보유한 체 핵무기와 장사정미사일 등 대량살상무기를 개발하면서 한반도와 주변지역의 안보에 위협이 되고 있다.197)

3.2 대남전략

3.2.1 노동당 규약

북한의 대남전략은「노동당 규약」과 헌법에 근거를 두고 있으며 역대정권의 민족화해와 대북 포용정책 표명에도 불구하고 조금도 변함없이 수행되

197) 국방백서(2008),p.20.

고 있다.

북한의 「노동당 규약」은 북한의 최상위법으로 헌법보다 강한 구속력을 가지고 있으며 그 전문에 대남적화통일 노선을 명시하고 있다.

표.10 노동당규약전문과 헌법 조항

□ 조선노동당규약 전문

조선노동당의 당면 목적은 공화국 북반부에서 사회주의의 완전한 승리를 이룩하며 전국적 범위에서 민족해방과 인민민주주의의 혁명과업을 완수하는데 있으며 최종목적은 온 사회의 주체사상화와 공산주의를 건설하는데 있다.

□ 헌법 제5조

조선민주주의 인민공화국은 북반부에서 사회주의의 완전한 승리를 이룩하며 전국적 범위에서 외세를 물리치고 민주주의적 기초 위에서 조국을 평화적으로 통일하며 완전한 민족적 독립을 달성하기 위하여 투쟁한다.

□ 헌법 10조

조선민주주의 인민공화국은 프롤레타리아 독재를 실시하며 계급노선과 군중노선을 관철한다.

3.2.2 북한의 대남 적화전략 3단계

북한의 대남적화 전략은 3단계로 구분되며. 제1단계는 한국을 무력으로 남침하기 위한 전쟁준비 단계, 제2단계는 미국의 개입을 차단하는 단계, 제3단계는 결정적시기를 조성하는 단계이다.

북한은 1단계 전쟁준비를 위하여 1962년부터 4대 군사노선을 강화하여 왔다. 4대 군사노선은 북한 헌법 제60조에 "국가는 군대와 인민을 정치사상적으로 무장시키는 기초위에서 전군 간부화, 군장비의 현대화, 전 인민 무장화, 전 국토 요새화를 기본으로 하는 자위적 군사노선을 관철한다"라고 명시하고 있다.

2단계인 미군의 전쟁개입을 차단시키기 위하여 모든 수단을 동원하여 주한미군철수를 집요하게 주장하여 왔으며, 그 중 정전협정을 평화협정으로 대치하자는 주장도 결국 미군의 한반도 내 주둔명분을 제거하자는 전략의 하나이다. 핵무기와 장거리미사일개발도 전쟁발발 시 미군의 증원전력을 차단하기 위한 수단으로 평가되고 있다.

3단계 결정적 시기 조성을 위하여 3대 혁명역량 강화를 추구해 왔으며 3대 혁명역량은 ① 대내혁명역량구축 ② 대남동조혁명역량강화 ③ 국제적 지원혁명역량강화를 말한다. 대내혁명역량구축은 북한의 국력과 전쟁수행 능력을 강화하는 것이며, 대남동조혁명역량강화는 한국 내 친북세력을 강화하여 공산혁명을 유도하는 것이고, 국제적 지원혁명역량강화는 국제사회에서 적화통일 우호세력을 확대하는 것을 뜻한다. 이러한 3대 혁명역량의 실천노선은 시대와 환경이 변함에 따라 수정되어 왔다.

3.2.3 강성대국과 선군정치

강성대국이란 북한에서 '사상과 군사강국의 위력으로 경제건설을 한다' 는 의미를 지니고 있는 용어로, 1998년 처음 등장한 북한의 통치선전 구호이다.

북한은 1998년 8월 22일 노동당 기관지 로동신문 정론을 통해 처음 '강성대국'이란 정치적 구호를 내세우고 "사상의 강국을 만드는 것부터 시작하여 군대를 혁명의 기둥으로 튼튼히 세우고 그 위력으로 경제건설의 눈부신 비약을 일으키는 것이 주체적인 강성대국 건설방식"이라고 밝혔다.[198]

북한이 주장하는 강성대국 건설론은 3가지 측면으로 제시된다. 첫째는 사상·정치의 강국 건설이고, 둘째는 군사의 강국 건설이며, 셋째는 경제의 강국 건설이다. 북한은 사상의 강국이란 "주체사상에 기초한 당과 혁명대오의 공고한 사상 의지적 통일단결이 이룩된 나라"를 말하며, 군사의 강국은 "강력한 공격수단과 방어수단을 다 갖춘 무적필승의 강군, 전민 무장화, 전국 요새화가 빛나게 실현되어 그 어떤 원쑤도 범접할 수 없는 난공불락의 보루"를 뜻하고, 경제의 강국이란 "사회주의 건설을 다그쳐 경제를 활성화하고 자립경제의 위력을 높이 발양시키면 우리 조국은 모든 면에서 강대한 나라로 빛을 뿌리게 된다"는 의미라고 설명하고 있다.[199]

198) 네이버 용어사전(검색일:2009.11.16)
199) 네이버 지식in(검색일:2009.11.16)

강성대국은 김정일의 국정목표이자 비전이며 통치이념이다. 강성대국은 국력이 부흥하여 발전하는 나라의 의미이며, 강성대국 건설은 사상과 정치, 군사 강국 뿐 아니라 경제의 강국으로 통일된 조국에서 무한대의 국력을 가진 사회주의 국가 건설을 의미한다.

또한 북한은 선군정치를 통해 강성대국을 건설해 나간다고 강조하고 있다.

김일성이 사망한 후, 1998년 9월, 헌법 개정을 통하여 국방위원회를 최고인민회의 상임위원회보다도 상위에 두도록 하였으며, 김정일이 국방위원장이 되고 국방위원장이 국가통수권자가 되는 군 중심의 국가정치체제가 출발하였다. 이것을 선군정치라고 한다.

1990년대 초반, 소련과 동유럽에서 사회주의체제가 붕괴되었고, 1993년에 발생한 핵 위기와 이어서 다가온 국제적 고립과 경제난이 가중된 '고난의 행군'[200]시기에 군을 정치·경제·사회적 선도역할을 하도록 하여 국가의 어려움을 극복하려는 의도에서 시작하였다.

선군정치는 "군사를 국사중의 제일국사로 내세우고 군력강화에 국가의 총력을 기울이는 군사선행의 정치"이며, "인민군대 강화에 최대의 힘을 넣고 인민군대의 위력에 의거하여 혁명과 건설의 전반 사업을 힘 있게 밀고 나가는 특유의 정치"라는 표현에서 알 수 있듯이 '군사선행, 군 중시'의 정치라고 할 수 있다.

선군정치의 논리는 ① 군사를 국사의 제일로 한다는 군사선행(軍事先行)의 원칙 ② 혁명의 주력군을 노동지 농민대신 인민군대로 한다는 선군후로(先軍後勞)의 원칙 ③ 수령-당-군대-인민대중의 유기체적 성격을 강조하는 선군통일체론 ④ 군대가 당, 국가, 인민이라는 선군원리론 ⑤ 총대에 의해 혁명의 승패가 결정된다는 총대철학으로 구성되어 있다.

선군정치를 실시하면서 군부실세가의 정권의 핵심이 되었고, 군이 국가의 경제에 큰 분야를 맡아 방대한 '제 2경제'[201]를 운영하고 있으며, 치안과 농

---

200) 고난의 행군은 북한이 1990년대 중,후반 국제적 고립과 자연재해로 수백만 명의 아사자가 발생하는 등 북한이 경제적으로 극도의 어려움을 겪은 시기를 말한다.

201) 북한은 민수산업과 군수산업을 분리하여 군수산업은 국방위원회 소속 제2경제위원회가 총괄하며, 핵무기, 미사일을 포함하는 모든 무기의 생산과 해외 판매를 담당하고 있으며 달러 위조나 마약 판매를 주도하고 있다.

업, 철도운행 등에도 간여하고 있다.

「1998년 신년 공동사설」에서 "인민군대가 창조한 정신과 도덕, 문화와 생활기풍을 사업과 생활에 철저히 구현해 나가야 한다"며 사회가 군을 따라 배울 것을 독려하였다. 또한 '군민일치 모범군 쟁취운동'과 '우리초소 우리학교 운동'을 벌여 군과 사회의 일체화를 꾀하고, 2002년부터는 '군민일치·관병일치·군정배합의 실현'을 강조하고 있다.

3.3 군사전략

북한은 국제정세의 변화에도 불구하고「노동당 규약」에 명시된 한반도 적화통일을 위하여 대규모 군사력을 유지하고 있으며, 극심한 경제난 속에서도 핵무기와 미사일 등 대량살상무기를 확보하는데 주력하고 있다.

북한군의 한반도 군사전략은 전쟁발발 시 미 증원군이 한반도에 전개되기 전에 전쟁을 종결하는 '단기속전속결전략'을 기본으로 하고 있다. 이를 위해 북한군은 초전 기습공격과 특수부대를 침투시켜 배합전을 수행하고, 강력한 화력집중으로 전쟁의 주도권을 장악한 후, 강력한 전차와 기계화부대를 이용하여 종심 깊은 전과확대를 실시할 것이다.[202] 북한군의 군사사상과 군 편제, 군사교리 등을 분석한 결과 예상되는 군사전략의 특징은 다음과 같다.

3.3.1 기습전

북한군은 초전에 아군의 조직적인 전투수행능력을 파괴하고 공황을 유도하여 전쟁의 주도권을 장악하기 위하여 기습전을 감행할 것이다.

이를 위하여 공격시기나 공격방법을 기만하는 한편, 국내에 사전 침투되어 있는 5열을 통해 사회혼란을 조성하고, 사이버전부대와 특수작전부대로 국가의 지휘통신체계와 후방을 교란함과 동시에, 미사일, 화학무기, 항공기 등으로 전쟁지도본부, 공군기지, 주요 산업기지 등을 타격하여 심리적 마비를 달성하려 할 것이다.

---

202) 국방백서,(2008),p.20.

북한군은 장사정포병의 대규모 화력지원 하에 아군이 조직적인 방어태세를 갖추기 전에 전선지역을 돌파한 후 기갑 및 기계화부대를 주축으로 한 속도전을 감행하여 아군의 후방 깊숙이 전과확대를 실시할 것이다.

이를 위하여 북한군은 240밀리 방사포 및 170미리 자주포 등 70km의 사정거리를 갖는 포병을 전방에 전진 배치하였으며, 다량의 미사일을 개발하여 전국을 사정거리 내에 두고 있을 뿐 아니라, 5,000여 톤에 달하는 화학탄을 비축하고 있다.

또한 기습전능력을 극대화하고 아군의 화력전효과를 감소시키며 육상, 해상, 공중, 땅굴 등을 통해 침투할 수 있는 특수작전부대를 대폭증강하고 있다.

3.3.2 속전속결전

속전속결이란 전쟁을 오래 끌지 않고 종결시키는 단기결전의 개념이다. 북한은 경제난으로 전쟁을 장기간 지속할 수 있는 능력이 없다. 따라서 전쟁이 시작되면 미군의 증원전력이 도착하기 전에 신속히 전쟁을 종료하려 할 것이다.

전쟁을 조기에 종결하는 방법은 우리나라 대부분의 국가자원이 집중된 수도권을 조기에 점령하거나, 초전기습으로 아군의 주력을 격멸한 후 한반도를 석권하거나, 핵심지역을 탈취한 후 유리한 위치에서 협상을 유도하는 방법 등이다.

북한은 단기속결전을 수행하기 위해 기계화부대, 자주포부대 위주의 부대를 편성하고 중장거리 미사일, 대량살상무기 등을 개발하고 있다.

3.3.3 배합전

배합전이란 정규전과 비정규전을 배합하여 전후방의 구분이 없이 전 국토를 동시에 전장화 하는 개념이다.

북한은 국가수준의 전략적 배합으로부터 전술제대의 전술적 배합에 이르기 까지 다양한 배합전을 강조하고 있다.

북한군은 아군의 주력을 전선지역에 고착시키고, 경보병부대 등 특수작전부대를 후방에 침투시켜 아군의 전쟁지휘소, 통신시설, 전쟁지원시설 등 핵심시설을 공격하여 전쟁수행능력을 파괴하고 인구밀집시설에 무차별 테러를 감행하여 전쟁공포심과 공황을 조성하려고 할 것이다.

북한은 배합전을 수행하기 위하여 경보병부대를 증강시킴과 동시에 공중침투를 위한 AN-2기, 해상침투를 위한 공기부양정과 잠수정을 도입하고, 지상침투를 위해 휴전선을 관통하는 땅굴을 구축해놓고 있다.

3.4 군사력

북한의 재래식전력은 상비전력 119만 명에 예비전력 770만 명으로 도합 900만 명에 이른다. 상비전력은 육군 100만, 해군 6만, 공군 11만 명이며 이 중에는 특수부대가 18만 명이 포함되어 있다.

예비전력은 교도대 60만, 노농적위대 570만, 붉은 청년근위대 100만, 준군사부대 40만 여명 등 770만 명이다.

북한은 경제난에도 불구하고 재래식전력을 대폭 증강하였고, 무기성능개선과 신무기도입 및 군사과학기술 확산노력을 지속하고 있으나 재래식무기 성능의 열세는 부인할 수 없다. 북한은 이를 극복하기 위해 핵 무기와 같은 대량살상무기 개발에 전력을 투구하고 있으며, 이로 인하여 남북한의 군비경쟁은 지속되고 있다. 미 랜드연구소 베넷 박사는 "북한의 대량살상무기(WMD) 능력은 북한에 재래식 군사력의 열세를 만회하고 적대국들에 대해 주도권을 가질 수 있는 수단을 제공할 것" 이라고 지적하였다.[203]

3.4.1 지상군

북한의 지상군은 9개의 전후방군단, 4개 기계화군단, 1개 전차군단, 1개 포병군단, 평양방어사령부, 국경경비사령부, 미사일 지도국, 경보교도지도국 등 19개 군단급부대로 편성되어 있다. 북한 지상군은 약 70%를 평양-원산선 이남지역에 배치하고 있으며 유사시 현 위치에서 즉각 공격이 가능하다.

북한군은 전차 3,700여 대, 장갑차 2,100여 대. 야포 8,500여 문, 방사포

203) 연합뉴스, 2009.9.18

4,800여 문을 보유하고 있으며 이중 170밀리 자주포와 240밀리 방사포는 우리의 수도권을 사정거리에 두고 있어 현진지에서 기습적인 대량 집중사격이 가능하다.

우리 후방지역에 침투 가능한 특수전 부대는 약 18만 명으로 추정되며 유사시 남한 전 지역에 침투하여 후방교란과 혼란을 조성할 능력을 갖추고 있다.[204]

3.4.2 해군

북한의 해군은 해군사령부 예하에 동·서해의 2개의 함대사와 12개 전대, 2개의 해상저격여단으로 구성되어 있으며, 장비는 잠수함 60여 척. 수상전투함 420여 척, 상륙함 260여 척을 보유하고 있다.

전투함정은 대부분 소형 고속함정위주로 구성되어 있으며 약 60%가 전방기지에 전진 배치되어 있다.

잠수함정은 기뢰부설, 수상함 공격과 특수전부대의 침투지원 임무를 수행하고 있다. 또한 공기부양정 130여 척과 고속상륙정 90여 척 등 후방침투를 위한 장비를 보유하고 있다.[205]

공기부양정의 주 임무는 전쟁 발발 직전에 북한 특수부대원들을 싣고 고속으로 우리 해안에 침투하는 것이며, 30~50명의 완전무장한 병력을 태우고 시속 80~90㎞ 이상의 고속으로 우리 해안에 상륙할 수 있다. 북한군이 공기부양정을 동시에 운용한다면 4,000~6,000명의 특수부대원들을 침투시킬 수 있다.

3.4.3 공군

북한의 공군은 공군사령부 예하에 4개 비행사단과 2개의 전술수송여단 및 2개의 공군저격여단이 있으며 지상방공부대로 5개의 SAM여단과 3개의 전탐기 연대로 편성되어 있다.

북한의 공군은 전투기 820여 대, 정찰기 30여 대. 수송기 510여 대, 헬기

204) 국방백서,(2008),pp.19-20.
205) 국방백서,(2008),pp.21-22.

310여 대를 보유하고 있으며, 약 40%를 평양-원산선 이남에 전진배치하고 있는 상태이다. 또한 AN-2기를 이용하여 아군 후방지역에 특수전부대를 침투시킬 능력을 보유하고 있다.[206]

현재 북한은 AN-2기 300여대를 보유 중인 것으로 알려졌는데, 최대속력은 250㎞/h로 완전무장한 특수부대원 13명을 태울 수 있기 때문에 보유하고 있는 AN-2기를 동시에 운용한다면 동시에 약 4,000여명의 특수전부대를 침투시킬 수 있다. AN-2기는 활주 거리가 250m 안팎이어서 수도권에 산재된 골프장에 충분히 착륙 가능하다.

비행기지는 20여개의 작전기지를 포함하여 예비기지, 비상활주로 등을 운용하며 생존성을 높이기 위해 지하격납고와 대피시설을 보유하고 있다.[207]

3.4.4 전략무기 개발

전략무기는 핵무기와 화생무기 등 대량살상무기와 운반수단인 미사일 등을 말한다. 북한은 1960년대부터 영변에 핵시설을 건설하여 기초적인 연구를 해왔으며 1980년대 이후 5MWe원자로를 가동하여 플루토늄을 추출하였다. 1993년에 이어 2003년에 NPT를 탈퇴한 북한은 드디어 2006년에 1차 핵실험을 실시하였고, 2009년에 2차 핵실험을 실시함으로서 국제사회의 인정여부를 떠나 실질적인 핵무기 보유국가가 되었다. 국제사회에서는 대체로 두 차례 핵실험으로 10여kg의 플루토늄을 사용했으며, 핵무기 4~6개 이상을 더 만들 수 있는 30~40kg가량의 플루토늄을 아직도 보유한 것으로 보고 있다. 2008년 국방백서는 "북한은 세 차례의 재처리 작업을 통해 총 40여kg의 플루토늄을 확보한 것으로 추정된다"고 밝혔다. 북한은 폐연료봉의 재처리를 통해 추가적인 플로토늄을 추출했을 가능성이 높기 때문에 보유량은 점차 증가할 것으로 보인다.

북한은 핵무기의 운반수단으로 쓰일 수 있는 탄도탄개발에 힘을 쏟아왔다. 1970년대부터 개발에 착수하여 1980년대 중반에 사정거리 300km에 이르는 SCUD-B 미사일 발사시험에 성공한 후 노동미사일, 대포동미사일을

206) 국방백서,(2008,)p.22-23
207) 국방백서,(2008,)p.22-23

개발하면서 점차 사거리를 증가시켜 왔다.

현재 장거리 탄도미사일 대포동 2호를 개발하고 있으며. 동·서해 해상으로 미사일을 발사하여 한반도 주변의 긴장을 조성하고 있다. 대포동 2호는 사정거리가 6,700km를 넘을 것으로 추정되며. 2009년 4월 태평양 상공으로 발사시험을 했으나 궤도진입에 실패한 것으로 분석된다.

미국 국방부는 북한의 장거리미사일이 태평양을 건너 미 본토를 공격할 경우를 가상해 수차례 요격실험을 했다고 밝힘으로서 북한의 미사일시험은 오히려 미국의 미사일방어체계(MD)의 질을 높이는데 기여하고 있다.

북한은 대량살상무기 중에서도 가장 저렴하게 구비할 수 있는 화생무기 개발에도 많은 노력을 기울여 왔다. 북한은 화생무기 개발을 억제하는 국제기구인 CWC와 BWC에 가입을 하지 않아 국제적인 제약을 받지 않고 화생무기를 개발하였다.

북한은 1980년대부터 독가스와 세균무기를 생산하고 있으며, 현재 신경가스 등 화학작용제를 약 2,500~5,000톤을 전국에 분산되어 있는 시설에 저장중이며, 탄저균, 천연두, 콜레라 등의 세균 배양과 생산기술을 보유하고 있기 때문에 언제든지 무기화할 수 있는 능력을 갖추고 있다.

제 11 장

한미동맹의 변화

제 1 절 한미동맹의 형성

1.1 한미상호방위조약

한미동맹의 근간이 되는 「한미상호방위조약」은 1953년 10월 1일 한국과 미국 간에 상호방위를 목적으로 워싱턴에서 체결된 조약으로 원래 이름은 「대한민국과 미합중국간의 상호방위조약」이다.

1953년 7월의 휴전성립을 전후해서 이승만 대통령은 미국에 대해 북한의 재침략에 대비한 한미군사동맹 체결을 촉구했다. 이에 1953년 6월, 로버트슨 미국 대통령특사가 내한함에 따라 외교적 절충이 시작되었고, 8월에 내한한 덜레스 미 국무장관과의 일련의 회담에서 결실을 보게 되었다.

1953년 8월 8일, 변영태 당시 외무부장관과 덜레스 미 국무장관 사이에 가조인된 「한미상호방위조약」은 1953년 10월 1일 체결되고 1954년 11월 18일 「조약 제34호」로 발효되었다. 이 조약은 제 2차 세계대전 후 소련이 급속도로 팽창하여 미국의 방위를 직접 위협 하게 되자, 공산 침략에 대한 공동방위를 목적으로 맺어진 조약이기도 하다. 「한미상호방위조약」의 주요내용은 다음과 같다.

① 한·미 양국은 어떠한 국제적 분쟁이라도 국제적 평화와 안전과 정의

를 위태롭게 하지 않는 평화적 수단에 의하여 해결한다.

② 양국 중 어느 한 나라가 독립 또는 안전이 외부로부터의 무력공격에 의하여 위협을 받고 있다고 어느 당사국이든지 인정할 때에는 서로 협의하여 무력공격을 저지하기 위한 조치를 협의와 합의하에 취할 것이다.

③ 양국은 타당사국에 대한 태평양지역에 있어서의 무력공격을 자국의 평화와 안전을 위태롭게 하는 것이라고 인정하고 공동 위험에 대처하기 위하여 각자의 헌법상의 수속에 따라 행동할 것을 선언한다.

④ 상호적 합의에 의하여 미국의 육군·해군·공군을 한국의 영토와 그 부근에 배치하는 권리를 한국은 이를 허여하고 미국은 이를 수락한다.

⑤ 이 조약은 한국과 미국에 의하여 각자의 헌법상의 수속에 따라 비준되어야 하며 그 비준서가 양국에 의하여 워싱턴에서 교환되었을 때에 효력을 발생한다.

⑥ 이 조약은 무기한으로 유효하며 어느 당사국이든지 타당사국에 통고한 후 1년 후에 본 조약을 중지시킬 수 있다.

이 조약에 따라 한국과 미국 간의 공식적인 군사동맹관계가 수립되었고, 한미 양국은 외부로부터의 무력공격을 공동으로 방위하고 미국은 한국방위를 위해 한국 내에 미군을 주둔시키게 되었다.

이 조약에 근거하여 한반도에 무력충돌이 발생할 경우 미국은 유엔의 토의와 결정을 거치지 않고도 즉각 개입할 수 있게 되었다.

또한 한미상호방위조약은 주한미군의 주둔을 포함한 한미연합방위체제의 법적 근간으로서「주한미군 지위협정(SOFA)」과 정부 간 또는 군사 당국자 간 각종 안보 및 군사 관련 후속협정에 대한 기초를 제공하고 있다.

1.2 한미동맹의 의의

한미상호방위조약에 근거한 한 미동맹과 한미연합방위체제는 외부세력의 침략에 대해 한미 양국이 공동으로 대응하기 위하여 마련한 기본 틀로서 국가안보적 차원은 물론 정치 외교적 차원에서도 커다란 의의가 있다.

먼저 한미동맹은 지난 반세기 동안 한국에 대한 외부의 위협을 억제하여 장기적인 평화를 유지함으로써 한국의 국가안보뿐만 아니라 동북아지역의 안정에도 크게 기여하였다.

「한미상호방위조약」의 성격은 한국전쟁이라는 특수한 상황을 계기로 결성된 동맹이며 국가안보를 목적으로 한 전형적인 군사동맹이다. 조약의 발동조건은 동맹국일방이 적대세력으로부터 무력침공을 받을 때이며, 조약 발동절차는 NATO국가가 무력피침 시 자동적으로 지원하는 것과는 달리 한미동맹은 지원국의 의회승인 또는 행정부의 결의를 통과해야 하는 등 지원국의 국내승인이 필요하다.

제 2 절 한미동맹변천과정

2.1 미군의 한반도 진주

미군이 최초 한반도에 진주한 것은 제2차 세계대전 종료 후 한반도 38도선 이남의 일본군을 무장해제 시키기 위한 목적이었다.

미국이 히로시마에 원자탄을 투하한 2일 후인 8월 8일, 소련은 대일 선전포고를 하고 만주로 진격한 후 계속 남하하여, 8월 11일 웅기, 8월 12일에는 나남과 청진을 차례로 점령하였다. 미 국무장관 번즈는 소련이 한반도 전체를 점령할 것을 우려하여 한반도의 가급적 북쪽에서 미군이 일본군의 항복을 받아내는 선을 선정하라는 지침을 미육군성 정책과장 본스틸 대령과 펜타곤의 러스크 대령에게 하달하였다.

두 대령은 미군이 원활하게 활동할 수 있는 부산항과 인천항이 포함되고 서울의 북쪽인 38도선을 경계선으로 할 것을 건의하여 8월 15일 트루만 대통령의 승인을 받았으며, 9월 2일에 "38도선 이북의 일본군은 소련군에게 항복하고 38도선 이남의 일본군은 미군에게 항복하라"고 하는 「일반명령 1호」를 극동군 사령관 맥아더에게 하달하였다. 그러나 그때는 이미 소련군이 38도선 이북을 점령하고 난 다음이었다.

미군은 제24군단장 하지(John R. Hodge) 중장을 점령군 사령관으로 하여 소련군보다 22일이 늦은 9월 4일 선발대를 투입하고 9월 8일에 미 제7보병사단이 인천에 상륙하여 38선으로 진주하게 되었다. 이어 미 제40사단과 제6사단이 도착함으로서 77,600명의 미군이 남한에 주둔하게 되었으며, 이로부터 3년 동안 하지 중장은 총독과도 같은 권한을 가지고 남한에 대한 군정을 실시하게 되었다,

그러나 미군은 군정에 필요한 한국에 대한 기초지식과 세부준비가 없었기 때문에 군정수행 간 수많은 시행착오를 범하였고 정치적·사회적인 혼란을 야기 시켰다.

최초 우리나라의 국군은 미군정 당국에 의하여 그 모체가 형성되었다. 미국 육군사령부는 1945년 11월 13일, 미 군정청 내에 한국 국방사령부를 설치하고, 국방군의 조직·편성·훈련 등 제반 준비업무에 착수하였다. 그해 12월 5일에는 서울에「군사영어학교」를 창설하여 창군기간장교 110명을 배출하였다. 미 군정당국은 국방군을 창설하려 했으나, 미소관계가 악화될 것을 우려한 미 정부의 반대로 한국군 창설을 포기하고 2만 5천명 규모의 경찰예비대를 창설하려는「Bamboo계획」을 수립하였다.

「Bamboo계획」은 경찰을 지원할 경찰예비대를 남한의 8개도에 1개 연대씩 창설하는 계획으로서, 최초 1개 중대씩을 창설하고 단기간 내 연대규모로 확대한다는 계획이다. 이 계획은 국방경비대의 창설의 청사진이 되었으며, 1946년 1월 14일에 1개 대대의 병력으로 치안을 확립하기위한 경찰보조기구 형태의「남조선국방경비대」가 창설되었다.[208]

1948년 8월 15일, 대한민국 정부가 수립되고 국군이 창설됨에 따라 미 군정청이 지휘하던 한국군에 대한 작전 지휘권은 한국정부로 이양되었다.

미군이 한반도로 부터 철수하기로 결정한 시기는 이미 한국정부가 수립되기 전인 1947년 9월이었다, 한반도에서 미군이 철수하게 된 이유는 2차 세계대전이 끝나면서 미군의 예산이 삭감되어 점령군을 유지할 여유가 없었고, 또한 한반도의 전략적가치가 희소하였기 때문이었다.

미군은 대한민국정부가 수립되자 한반도로부터 철군을 시작하였으며, 미국의 군사원조를 집행할「미 군사고문단」(KMAG: The United States Military Advisory Group to the Republic of Korea)만을 잔류시키고 1949년 6월 29일, 철수를 완료하였다.[209]

208) 안광찬,「헌법상 군사제도에 관한 연구」(동국대학교 박사학위논문,2002),pp.45-49.
209) 서근구,「미국의 세계전략과 분쟁개입」(서울:현음사,2007),pp.84-97.

2.2 미군의 한국전쟁 참전

북한은 1948년 9월 9일 정권을 수립 후 소련점령군으로부터 장비를 인수받고 중·소의 군사지원 하에 군대를 확장하면서 전쟁준비를 시작하였다. 6.25남침전쟁이 개시될 시점에 북한은 전차 242대와 함정 10척, 210여대의 항공기를 포함한 육군의 10개 보병사단과 1개 전차여단, 공군 1개 비행사단 등 약 20만 명의 막강한 군대를 보유하였다.

반면 국군은 미국의 소극적인 지원으로 항공기 22대, 함정 71척, 전차가 없는 8개 보병사단 등 약 10만 명의 보잘것없는 군사력을 유지하고 있었다.

1950년 6월 25일, 북한의 기습남침으로 한국전쟁은 개시되었으며, 북한군은 한국군의 전방방어진지를 유린하며 파죽지세로 공격하여 불과 3일 만인 6월 28일에 수도서울을 함락하였다.

주한 미국 대사와 동경의 맥아더 사령부로 부터 북한의 공격사실을 보고받은 미 대통령 트루먼(Harry S. Truman) 은 유엔안전보장이사회를 소집토록 요구하여 현지 시간으로 6월 25일 오후 6시에 북한의 전쟁중지와 38도선 이북으로 즉각 철수하라는 결의안을 통과시키고 난 후, 6월 27일 안전보장이사회는 미국이 제출한「침략의 격퇴를 위해 대한민국 원조를 권고하는 유엔안전보장 이사회 결의안」을 채택하게 되었다.

유엔 안보리 참전결의에 따라 미대통령은 6월 29일에 미군의 한반도에 미지상군 투입을 승인하였다. 미 지상군 투입 결정에 따라 미 극동군사령부는 일본에 주둔하고 있던 제 24사단에게 출동명령을 하달하고, 「스미스 특수임무부대」를 선발대로 하여 7월 1일 부산에 상륙하게 됨으로서 미군의 참전이 시작되었다.

한국전쟁에는 미국 뿐 만 아니라 영국, 캐나다, 호주, 프랑스, 터키 등 유엔 16개국이 전투병력을 파병하였으며, 이 나라들의 부대를 지휘하기위한 유엔군사령부가 7월 7일 창설되었고, 미국정부는 맥아더 극동군사령관을 유엔군사령관으로 임명하였다.[210]

한국은 유엔의 가맹국이 아니므로 국군은 유엔군사령부의 통제를 받지 않아도 되었으나 미군 참전시부터 각 군별로 연합작전을 실시해 왔다. 이승만

210) 안광찬,(2002),p.61.

대통령은 1950년 7월 15일, 유엔군과 동일한 전략·전술을 구사하기 위하여 "한국에서 적대행위가 계속되는 동안 국군에 대한 작전지휘권을 유엔군사령관에게 이양한다"는 공문을 발송함으로서 국군에 대한 작전지휘를 유엔군사령관이 행사하게 되었다.

국가의 존망이 백척간두에 놓였던 당시 상황에서 작전통제권 이양은 국가통수기구의 불가피한 전략적 선택이었으며 우리로서는 그러한 선택이 전쟁수행에 결정적 도움이 됐다.

유엔사 주도하의 방위체제는 단일 지휘체계로 한때 유엔군사령관은 전·평시 작전통제권은 물론 평시 교육훈련, 주요 지휘관에 대한 인사 행정 권한까지 행사하기도 했다.

미국은 한국전쟁 수행을 위해 신병모집을 개시하고 기존 병력의 복무기간을 연장하면서 예비군을 소집하고 군의 정원을 계속 증강시켰다.

1950년 6월의 미 육군의 정원은 59만 명이었으나, 1951년 12월에는 160만 명으로 증강되었다.[211] 이 같은 병력증강은 한국에서 교대하며 전투하기위해 취한 불가피한 조치였다. 한국전쟁이 종료될 때까지 연인원 약 180만 명의 미군이 참전하였다.

표.11 6.25전쟁 시 미군의 병력운용 규모

지상군	해 군	공 군
보병사단 7 해병사단 1 연대전투단 2 병력 302,483명	극동해군 미 7함대	극동 공군

출처 : 국방부 전산편찬연구소 6.25전쟁통계 (검색일: 2009.10.18)

211) 비상기획위원회, 「한국전쟁시 미육군의 동원과 군수에 관한 연구」(비기위,2004),pp.15-17.

표.12 6.25전쟁 시 미군의 피해규모

단위: 명

계	전사	부상	실종	포로
137,250	36,940	92,134	3,737	4,439

출처 : 국방부 전사편찬연구소 6.25전쟁통계(검색일: 2009.10.18)

2.3 한미동맹 성립과 군사원조

한미동맹은 한국전쟁 후 미국의 군사력을 한반도에 계속 주둔시킴으로써 한국의 안보를 확고히 유지하려는 이승만 대통령의 의지로 성립되었다. 그러나 1953년 10월 1일 조인된「한미상호방위조약」에는 군사작전에 관한 구체적인 조항이 빠져있기 때문에 이를 보완하기 위하여 1954년 11월 17일,「한국에 대한 미국의 군사 및 경제원조에 대한 한미합의의사록」을 체결하였다.「한미합의의사록」은「한미상호방위조약」을 보완하는 행정공약으로써, 한국의 안보를 위한 계속적인 노력과 방위력 증강을 위한 미국의 직접적 군사원조 및 한국군에 대한 작전통제 규정이 포함되어 있다.[212] 전쟁이 종료되고 난 후 미국은 한국군이 20개 보병사단을 유지할 수 있는 군사원조를 계속하였으며, 1954년부터 1968년까지 군사 및 경제원조액은 224억 달러에 달했다.

한국군에 대한 작전통제권은 한국전쟁 당시부터 맥아더 사령관이 미 8군사령관에게 위임하였으며, 1957년 미극동군사령부가 해체되자 미 8군사령관이 유엔군사령관과 주한미군사령관, 유엔 육군구성군사령관을 겸임하면서 한국군에 대한 작전통제권을 계속 행사하였다.

한미동맹은 미국이 한국에 대한 일방적인 원조의 방식으로 유지되다가, 1960년대에 들어서면서 미국이 베트남 문제를 해결하기 위하여 한국군의 파병을 요청하였고, 이를 한국이 수용하여 베트남 파병을 결정함으로서 한미동맹이 한 차원 더 발전되는 계기가 되었다. 미국이 일방적으로 주도했던 한미관계가 상호이익을 전제로 한 협력관계로 발전 된 것이다. 베트남 파병을 통하여 한국은 미국으로부터 경제적 지원을 받았을 뿐 아니라 한국기업

212) 백종천,「작전권문제의발전방향」(서울 : 국토동일원 조사연구실,1998),pp.49-50. 안광찬(2002),pp.95-97.재인용.

들과 기술자들이 해외로 진출하는 교두보 역할을 하게 되었다. 또한 한국군의 활약이 세계 각국의 주목을 받으면서 한국의 국제적인 위상을 확립할 수 있었다.

1960대 후반, 베트남을 비롯한 인도차이나 반도에서 민족해방전쟁이 가열되자 북한은 한국에 무장공비들을 침투시켜 유격전기지를 확보하려는 시도를 하게 되었다. 1968년 1월 21일, 북한은 특수부대를 침투시켜 청와대를 기습하려하다가 발각되어 실패 하였고, 2일 후인 1월 23일 미군의 정보수집함 '푸에블로호'를 원산 앞 공해상에서 나포하였다.

1.21사태는 한국의 정부와 국민들에게 큰 충격을 주어 대북경각심을 고양시켰고, 향토예비군 창설, 비상기획위원회 설치 등 국가안보태세를 혁신적으로 개선하는 계기가 되었다.

당시 푸에블로호 납치사건은 세계가 놀란 사건이었다. 미국 내에서는 북한에 대해 강경한 보복조치를 취하라는 여론이 비등하였으며, 미국은 일전을 불사한다는 결연한 태도로 항공모함과 구축함을 출동시키는 군사적 조치를 취했으나, 결국 푸에블로호가 북한의 영해를 침범을 시인·사과하는 요지의 승무원석방문서에 서명하고 승무원들을 석방시키는 수모를 당했다.

이 두 사건을 처리하는 과정에서 대북응징조치를 취하자는 한국과 새로운 분쟁에 말릴 것을 우려하는 미국과 많은 의견 차이를 보임에 따라 한국은 미군의 한반도 방위공약에 대해 심각한 의구심을 가지게 되었다.

이러한 한·미 간 의견불일치를 해소하고 우호적인 군사협력을 강화하기 위하여 한미국방각료회의를 매년 개최하기로 합의하였다.

1968년 4월 17일 하와이에서 열린 한미 정상회담에서 '한미 연례 국방각료회의'를 양국 간 교대로 개최하기로 합의하고, 5월에 워싱턴에서 제1차 회의를 개최하였다.

1971년 제4차 회의 때부터는 명칭을「한미 연례안보협의회의」[213]로 바꾸었다. 박정희 대통령이 시해되었던 1979년 한해를 제외하고 지금까지 매년 열리고 있다.

---

213) SCM: ROK-US Security Consultative Meeting. 한 · 미 양국의 안보문제 전반에 관한 정책협의, 동북아시아와 한반도의 군사적 위협평가 및 공동대책수립, 양국간의 긴밀한 군사협력을 위한 의사조정 및 전달, 한 · 미연합방위력의 효율적 건설 및 운영방법을 토의하는 등의 기능을 수행 한다.

그 후 한미연합군사령부의 창설에 따라 양국 간의 군사적인 문제를 협의하기 위해 양국 합참의장을 대표로 하는 군사위원회회의(MCM)가 1978년부터 매년 한미 안보협의회의와 같은 시기에 개최되고 있다.

2.4 닉슨과 카터의 주한미군철수 정책

2.4.1 닉슨 독트린

「닉슨 독트린」은 1969년 미국의 닉슨대통령이 발표한 대아시아 외교정책을 말하며, 일명 「괌 독트린」이라고도 한다.

닉슨은 1969년 7월 25일 괌(Guam)에서 아시아에 대한 외교정책을 발표하고 1970년 2월 국회에 보낸 외교교서를 통해 선포하였으며 주요내용은 다음과 같다.

① 미국은 향후 베트남전쟁과 같은 군사적 개입을 피한다.

② 미국은 아시아 국가들과의 조약상 약속을 지키지만 강대국의 핵에 의한 위협의 경우를 제외하고는 내란이나 침략에 대하여 아시아 각국이 스스로 협력하여 그에 대처하여야 할 것이다.

③ 미국은 '태평양 국가'로서 그 지역에서 중요한 역할을 계속하지만 직접적·군사적인 또는 정치적인 과잉개입은 하지 않으며 자조(自助)의 의사를 가진 아시아 제국의 자주적 행동을 측면 지원한다.

④ 아시아 국가들에 대한 원조는 경제중심으로 바꾸며 다자간 방식을 강화하여 미국의 과중한 부담을 피한다.

⑤ 아시아 국가들이 5~10년의 장래에는 상호안전보장을 위한 군사기구를 만들기를 기대한다.

닉슨 독트린의 중요한 요지는 아시아에서의 미군 철수이다. 이것은 아시아 국가들의 안보에 대한 미국의 부담을 경감시키려는 미국 정부의 노력이 그대로 반영된 것이며, 이러한 미국의 정책은 한국에도 그대로 반영되었다. 한국 정부는 미군철수정책에 대한 미국의 움직임에도 불구하고 한미관계의 특수성과 한반도가 차지하는 전략적 중요성, 그리고 한국군이 월남에 파병하고 있었기 때문에 미군 철수는 쉽게 단행되지 않을 것으로 믿고 있었다.

그러나 1970년 7월 8일, 미국은 5년 내에 주한미군 2만 명을 줄이겠다고 공식 통보하면서 미 제7사단 철수를 발표하였다. 이로 인해 주한미군은 61,000명에서 43,000명으로 감축되었고, 서부전선 최전방에 배치되었던 미제 2사단은 후방으로 철수하고 한국군이 그 지역을 담당하게 되었다.[214]

주한 미군의 일방적인 감축으로 한국은 자주국방의 필요성을 절감하게 되었고, 박정희 대통령은 자주국방 정책을 추진하게 되었다. 박정희 대통령의 자주국방정책은 율곡사업[215]이라는 이름으로 구체화되어 한국군의 획기적인 전력증강사업으로 자리 잡았다.

2.4.2 카터의 주한미군 철수계획

1977년 미국대통령으로 취임한 카터는 한국의 인권상황을 문제 삼아 그해 3월 9일의 기자회견에서 주한미군을 4~5년에 걸쳐 전면 철수할 계획임을 공표했다.

당시 주한미군 철수론은 한국이 미군의 도움 없이 북한군을 격퇴할 수 있는 군사력과 경제력을 보유하고 있으며, 미군은 북한군의 움직임을 사전탐지가 가능하기 때문에 미군이 철수해도 북한이나 중국이 침략하기 어렵다고 하는 논리와 미군이 주로 휴전선 주변에 위치하여 유사시 미군 인명피해에 대한 우려가 작용하였다.

한국정부는 한국군의 현대화계획이 완료되고 한반도의 평화유지 조치가 강구될 때까지는 주한미군의 완전철수를 보류하는 노력을 강화하였다.

또한 일본정부와 공조하여 주한미군 철수계획에 대한 반대의사를 표명하였으며, 기타 태평양 국가를 설득하여 동조하도록 하는 외교적 노력을 병행하였다.

주한 미군 철수가 실천단계에 이르자 주한 미 8군 참모장 존.K.싱글러브 소장은 워싱턴포스트지 동경 지국장과의 인터뷰에서 "4~5년 내에 주한 미

---

214) 국방일보(2007.6.12)

215) 율곡사업은 "자주국방을 위한 독자적인군사전략을 수립하고 전력증강계획을 발전시키도록 하라"는 박정희대통령 지시에 따라 수립된 국방 8개년계획(1974~1981)된 최초의 자주적 전력증강 계획이다. 이 사업의 익명을 율곡사업(10만 양병을 주장했던 율곡 이이선생의 호를 빌린 것으로 율곡의 '유비무환 사상'을 본 받고자하는 뜻이 내포되었다.

군을 철수 시키겠다는 카터대통령의 계획은 곧 전쟁의 길로 유도하는 오판이다"라고 반대의사를 밝힘으로서 정부와 군부사이의 갈등을 증폭시켰다.

2년 6개월 동안 우여곡절을 겪은 끝에 카터의 주한미군 철군계획은 중단되었고, 실제로 1개 전투대대 만을 철수하는 것으로 마무리되었다. 카터 행정부 때 한반도에서 철수한 미군병력은 1개 전투대대 병력을 포함해 3,000명 정도이다.

2.5 동맹관계 재결속과 작전통제권의 변화

2.5.1 한미연합사령부 창설

주한미군의 철수와 감축, 유엔의 유엔사해체결의안 통과 등 한반도를 둘러싼 전략환경 변화에 맞춰 한미 양국은 공동으로 작전통제권을 행사하는 한미연합방위체제를 구상하기에 이르렀고 이러한 노력의 결과로 1978년 11월 7일, 한미연합군사령부가 창설되었다.

한미연합군사령부 창설과 동시에 6·25전쟁 당시부터 유엔군사령관이 행사해 오던 한국군에 대한 전·평시 작전통제권은 한미연합군사령관에게 위임되었다. 그 후 1994년 12월 평시 작전통제권이 우리나라 합참의장에게 환수됨에 따라 한미연합군사령관은 전시 작전통제권만 가지게 되었다.

한미연합사는 육·해·공을 포함한 한·미 현역 정규군을 통제하고 있으며, 전쟁이 발발할 경우 육·해·공 및 해병대 연합 사령부와 연합 비정규전 특수임무부대 등의 작전 조율을 담당하게 되었다.

한미연합사의 지휘부는 사령관에 미군 대장, 부사령관은 한국군 대장으로 보임하고, 참모장은 미군 중장이, 각 참모요원은 부서장이 한국군 장성일 경우 차장은 미군 장성이 되고, 반대의 경우에는 한국군 장성이 차장 직을 맡도록 하였다.

2.5.2 작전통제권 환수논의

작전통제권 환수에 대한 논의는 1980년대 후반에 들어 서서히 고개를 들기 시작했다. 급속한 경제성장에 따른 국력신장과 아울러, 서울올림픽 개최를 통한 국민의 자긍심 증대 등은 이러한 논의를 촉진 하는 배경이 됐고, 작전통제권 전환 및 용산기지 이전이 대통령 선거공약으로 제시되기도 했다.

미국 역시 1989년의 「넌-워너법안」[216], '90~92년의 「동아시아 전략구상」(EASI: East Asia Security Initiative)을 발표하면서 한국과 미국은 작전통제권 전환에 대한 공동연구·협의에 착수했으며, 이것은 곧 1994년 정전 시 작전통제권 전환으로 이어지게 된다.

정전 시 작전통제권 전환과 동시에 한국군 장성인 연합사 부사령관이 지상구성군사령관을 겸임하는 등 한국군의 지휘 범위가 확대됐으나 연합사령관은 평시에도 「연합권한위임사항」(CODA)[217]을 통해 작계발전·연습 등 주요 권한을 행사할 수 있게 됐다.

EASI의 핵심은 1980년대 이후 유럽을 능가하는 미국의 최대 교역대상국들이 포함되어 있는 아·태지역의 중요성에 대한 재인식, 소련에 의한 전통적안보위협의 감소, 국내 재정압박에 따른 국방예산의 대폭삭감 등의 제반 요인들을 고려하여 아·태지역에서의 미군주둔 전략을 재검토하는 것이었다.

EASI는 한미 군사관계가 명실 공히 '동반자 관계'로 발전하는 중대한 계기를 마련하였다. EASI는 주한미군의 역할을 한국방위에 있어 '주도적 역할'에서 '보조적 역할'로 변경하고 우리 정부가 더 많은 방위비 분담금을 지불할 것을 요구하였다.

2.5.3 방위비 분담

방위비분담은 1991년 체결된 「방위비 분담 특별협정」에 기초하며, 우리나라는 주한미군의 안정적 주둔여건을 보장하기 위하여 한·미간의 협상을 통해 방위비의 일정부분을 분담하고 있다.

방위비 분담금은 주한미군의 인건비를 제외한 총 주둔비용 가운데 우리

216) 미국 상원 군사위의 민주당 샘 넌 위원장과 공화당 론 워너 의원이 유럽 주둔 미군과 주일미군, 주한미군, 해외주둔 미 군속 유지경비 등에 관한 4개 법안을 1990~91년도 미국방예산안에 대한 하나의 일괄수정안으로 89년 7월31일 상원 본회의에 제출해 8월2일 본회의에서 이의 없이 통과된 법안.

217) CODA: 연합권한위임사항 Combined Delegated Authority

화폐로 지급되는 4개 분야로 한국인 고용원의 인건비, 군사건설비, 군수지원비, 연합방위력증강사업비로 구성되어있다.

한국인 인건비는 주한미군이 고용하고 있는 한국인 근로자들에게 지급되는 인건비로 그 상당부분을 한국정부가 분담 지급한다. 군사 건설비와 연합방위력 증강사업은 주로 한국 업체에 의한 미군기지내 각종 시설 신축 및 보수 등의 군사시설물 건설에 소요되는 비용을 말한다. 군수지원비는 주한미군의 한국산 군수물자 구매 및 정비 등의 군수지원에 사용되는 비용이다.

주한미군의 방위비 분담비의 대부분은 소모성 지출이 아니라 한국시장에서 구입 발주하는 건설용역, 각종 소모품, 운송장비, 운송용역, 항공기 정비 등의 수요로 지역경제 기여도가 높은 특성이 있다.

2.5.4 전시 작전통제권환수와 연합사 해체

전시작전통제권은 한국과 미국의 군 통수계통과 양국의 합동참모본부의 지침을 받아 한미연합군사령부가 행사하고 있다.

작전통제권을 하나의 사령부가 행사하는 것은 군사교리에서 명시하고 있는 지휘통일의 원칙을 지키기 위함이며, 제1·2차 세계대전 중에도 연합작전을 수행할 때에는 여러 국가의 군대가 1명의 연합군사령관 지휘를 받도록 하였다.

한반도에서 전쟁이 발발할 경우 한미상호방위조약에 의거하여 미군이 참전하게 되며 이때 전쟁의 승리를 위해 반드시 지휘통일을 기해야 한다. 작전통제권은 군사작전차원의 문제이며 이것을 주권과 연결하는 것은 너무나도 비약된 발상이다.

2003년에 노무현 정부가 등장하면서 "군사주권을 회복한다"라는 명분으로 한미연합사가 행사하고 있는 작전통제권을 환수하겠다고 공언하였다. 작전통제권은 한미연합사 창설 시부터 한국과 미국이 공동으로 행사하고 있었기 때문에 사실은 환수라기보다는 한국군 단독행사가 더 적절한 표현이다.

작전통제권 환수문제는 결국 한미연합군사령부의 해체를 의미하며 이것은 한미동맹과 국가안보에 결정적인 영향을 미치는 중대 사안이었으나, 노무현 정부는 북한의 위협을 무시하고 한반도에 평화체제를 구축하겠다는 정치적

이유로, 제대로 된 국론의 수렴도 없이 각개각층의 반대를 무릅쓰고 전시작전통제권환수를 결정하고 말았다.

미국은 북한의 핵무기와 장거리미사일 개발로 인해 악화된 한반도 안보환경을 고려하여 전시작전통제권 이양을 고려하지 않고 있었으나, 한국이 2012년부터 단독행사 하겠다는 의사를 통보해 오자, 럼스펠드 미 국방장관은 2009년에 조기이양하겠다는 역제안을 하게 되었다. 이는 한반도 위기 시 미군의 자동개입 부담을 해소하고 해외주둔 미군의 재배치 및 전략적 유연성을 확보하려 는 미국의 의도와 부합되면서 일사천리로 진행되었다.

전시작통권전환 논의는 2005년 10월「제37차 한미안보협의회」에서 양국 국방장관 간에 논의를 가속화하는 데 합의를 하였으며, 2006년 9월에 열린 한미정상회담에서 양국정상 간 작전통제권을 전환한다는 기본원칙에 합의하였다. 이어 2007년 2월에 열린「한미국방장관회담」에서 2012년 4월 17일에 작전통제권을 전환하기로 최종합의를 하였다.[218]

2007년 6월28일 한국 합참의장과 주한미군사령관은 전시작전통제권을 한국군으로 전환하기 위한「단계별 이행계획서」에 서명했다. 이 계획서에 따르면 전시작전통제권은 2012년 4월17일 오전 10시를 기해 한국군으로 전환된다. 이에 따라 한반도 전구 전투사령부 기능을 맡는 한미연합사는 해체되고 한국 합참 주도의 전구사령부와 주한미군의 전투사령부로 분리된다.

제 3 절 미군재배치계획(GPR)과 주한미군 재조정

3.1 GPR의 개념

동서 냉전체제의 와해에 이어, 9·11테러사태이후 대두된 뉴테러리즘 등 다양한 안보위협으로부터 미국의 핵심이익을 보호하기 위하여 미국은 대테러전 수행을 위한 선제공격 등 새로운 안보전략개념을 수립하였다.

또한 미군의 장기 해외주둔은 국방비 부담을 증가시키고, 현지인들과의

218) 「2008년 국방백서」(서울: 국방부,2008),P.68.

갈등을 야기 시켰으며, 새롭게 등장한 위협과 정보화시대에 싸우는 방법의 변화는 미군의 새로운 변혁을 요구하게 되었다. 이러한 군사변혁의 일환으로 미군전력의 첨단화·기동화·경량화를 추구함과 동시에 해외주둔 미군의 유연성을 증대시키는 기지개념 변화의 필요성이 제기되었다.

「해외주둔미군의 재배치계획」이라고 하는 미국의 GPR[219] 구상은 「QDR 2001」[220]에 잘 나타나 있다. 해외주둔 미군 재배치의 지향점으로 다음 네 가지를 지적하고 있다.

첫째, 서유럽과 동북아를 넘어서 추가적인 기지와 주둔지 확보에 주안점을 두고, 세계 중요지역에서 미군에 더 큰 유연성을 제공하기 위한 기지체제를 발전시킨다.

둘째, 항구적 기지가 없는 지역에서 미군이 훈련과 군사연습을 수행할 수 있도록 외국시설에 대한 일시적 접근을 제공한다.

셋째, 지역적 억지요구에 기초하여 병력과 장비를 재 배분 한다.

넷째, 핵무기와 미군의 접근을 거부하는 기타 수단으로 무장한 적에 대항하기 위해서 원거리 위협원에 대한 원정작전을 수행할 수 있도록, 공중・해상수송, 사전배치, 기지인프라, 대체상륙지점, 새로운 군수지원개념을 포함해 충분한 기동성을 제공한다.

GPR의 핵심전략은 병력수와 기지수보다 능력에 초점을 맞추어 신속한 동맹국의 지원능력을 확보하는 것이다. 미 국방부는 범세계적 방위태세를 검토하여 기지체계를 조정하는 계획을 수립하였다. 미국의 기지조정 체계는 4개단위로 재분류하였다.

① 전략투사거점(PPH; Power Projection Hub)은 영구적인 기지로서 미국 전력의 중심이 된다. 미국 영토 내에서는 괌과 하와이, 유럽에서는 영국이 해당 된다

② 주요작전기지(MOB; Main Operation Base)는 대규모 병력이 장기 주둔하는 상설기지로서 초현대식 지휘체계를 갖추고 미군의 훈련지원 및 다른 국가와의 안보협력을 담당하며 한국, 일본, 독일은 바로 여기에 해당한다.

219) GPR : Global Defense Posture Review

220) QDR : Quadrennial Defense Report. 4개년 국방보고서 (국방부가 4년마다 의회에 제출하는 군사력 운용 계획・군사 전략 보고서).

③ 전진작전기지(FOS: Forward Operating Sites)는 평시 소규모 병력을 주둔하되 유사시 증원을 전제로 한 넉넉한 규모의 기지를 유지하며, 중동과 중앙아시아 등이 해당된다.

④ 협력적 안보지역(CSL: Cooperative Security Locations)은 소규모 연락시설과 훈련장만 필요로 하는 호주, 필리핀과 같은 지역이 해당된다.

미국의 해외주둔 미군의 재배치 및 감축계획은 2002년 5월 3일, 미국 국방장관 도널드 럼스펠드가 2004년부터 2009년까지의 5개년 계획인「국방계획지침」(Defense Planning Guidance)'이라는 비공개 문서에 서명하면서 현실화되었다.

부시 대통령은 2003년 11월 25일, 유럽과 아시아 등 전 세계에 주둔 중인 미군의 재배치를 내용으로 하는「해외주둔 미군 재배치계획」을 공식 발표했으며, 2004년 8월 16일에는 향후 10년간 아시아와 유럽 등 해외주둔 미군 가운데 6-7만 명을 미 본토로 철수시키겠다고 선언했다.

특히 아시아의 경우 주둔미군의 재편과 재배치 필요성이 다른 지역보다도 더 큰 지역이다. 중국에 대한 견제와 봉쇄를 세계전략의 핵심으로 설정하고 있는 부시 행정부의 입장에서 주한미군을 비롯한 아시아 주둔 미군의 개편과 재배치는 긴급한 현안이기 때문이다.

이에 따라 중국을 포위하기 위해서는 동북쪽에 집중 배치되어 있는 현재의 아시아 주둔 미군을 보다 남쪽으로 이동 배치할 필요가 생긴 것이다. 괌을 중심기지로 삼고 필리핀에서 기지를 재 확보 하려는 시도도 이러한 전략적 목표와 연관된 것으로 보인다.「QDR 2001」에서 '도빌지역(challenging area)'으로 규정하고 있는 벵갈만에서 동해에 이르는'동아시아연안'은 바로 중국에 대한 봉쇄선의 의미를 지니는 것으로 해석할 수 있다.

3.2 주한미군 재배치

한미 양국 간에도 주한미군의 재배치와 감축에 관한 협상이 진행되어 왔으며, 협상이 마무리됨에 따라 합의내용대로 주한미군의 재배치와 감축이 진행될 예정이다. 미국이 미 제2사단을 중심으로 일부 병력의 감축을 포함해 주한미군의 재배치와 재편이 추진되고 있는 배경은 다음 몇 가지로 요약된다.

첫째, 미국이 현재 추진 중인 주한미군의 재배치는 전 세계에 배치 된 해외 주둔미군의 재배치와 재편계획의 차원에서 나온 것이다. 둘째, 전쟁개념이 첨단무기와 장비를 사용하는 과학전으로 바뀌었고, 미국의 세계전략이 변함에 따라 지금처럼 대규모 병력을 해외의 일정한 장소에 고정 배치할 필요가 없어진 것이다.

이처럼 주한미군 재배치는 미국의 세계전략 변화와 군사변환(Military Transformation) 차원에서 해외 주둔군 재배치계획 일환으로 추진되고 있는 것이다. 한강 이북 모든 미군부대의 평택 이전, 전시작전통제권 전환, 주한미군의 신속기동군으로의 재편 등은 미국의 전략적 유연성 정책과 맞물려 있다.

2001년에 공개된 랜드(Rand)연구소의 보고서는, 한반도의 정세변화에 따라 주한미군 2사단 병력의 일부를 철수하고, 오산과 군산 공군기지 가운데 한곳을 폐쇄할 준비를 해야 할 것이라고 밝힌 바 있다

이러한 미군의 재배치 계획은 제한된 군사력을 특정지역에 집중함으로서 미군의 전략적 유연성을 증대시키는 부대위치 조정의 성격이다.

표.13 '04 -' 08년간 주한미군 단계별 감축규모

단계	년도	감축인원	주둔인원
1단계	2004	5,000명	32,500명
2단계	2005-2006	5,000명	27,500명
3단계	2007-2008	2,500명	25,000명

제 4 절 주한미군지위협정 (SOFA: Status Of Forces Agreement)

1967년 2월 9일 발효된 한국과 미국 간의 협정으로「한·미주둔군지위협정」이라고도 한다. 주한미군지위협정의 공식 명칭은「대한민국과 미합중국 간의 상호방위조약 제4조에 의거한 시설과 구역 및 대한민국 내에서의 미합

중국 지위에 관한 협정 및 동 부속문서」이다.

한·미 SOFA는 주한미군의 법적인 지위를 규정한 협정이다. 국제법과 국제관례상 외국 군대는 주둔하는 나라의 법률질서에 따라야만 한다. 다만 외국 군대는 주둔하는 나라에서 수행하는 특수한 임무의 효율적 수행을 위해 두 나라 법률의 범위 내에서 일정한 특권과 면제를 제공받게 되는데, 이는 파견국과 주둔국 간에 주둔군지위협정(SOFA)의 체결로 보장된다. 현재 미국은 일본, 호주, 그리스 등 40여 개 국가와 SOFA를 맺고 있다.

주한미군지위협정의 법적 배경으로는 1948년 서울에서 서명된「대한민국 대통령과 미국군사령관 간에 과도기에 시행될 잠정적 군사안전에 관한 행정협정」, 1950년 7월 12일의「주한미군의 형사 재판권에 관한 대한민국과 미합중국간의 협정」, 1952년 5월 14일의「통합사령부와 경제조정에 관한 협정」등이다. 이러한 협정들은 미군에게 일체의 재판권을 부여하고, 미군에 대한 경제적 지원을 강화하는 내용으로 되어 있어 한국입장에서 보면 일부 불리한 조약이었다. 한국은 이러한 불평등 조항을 개정하기 위해 미국에 협정 개정을 요구했으나 미국은 이러한 한국의 요구에 응하지 않았다.

1950-60년대에 주한미군에 의한 살인·폭행·강간 등의 범죄가 빈번하고 국민들의 저항의식이 고조되자 미국은 협상에 응하기 시작하였고, 1962년부터 주한미군지위협정의 실무회담이 시작되어 1966년 7월 9일 이 협정이 체결되었다. 원래 행정협정이란 조약의 일종으로 국회의 비준을 요하지 않는 행정부간 협정을 뜻한다. 이때 체결된 협정은 한국에서 같은 해 10월 14일 국회의 비준 절차를 거쳤으나 미국은 행정부 시명만으로 발효되었으므로 미국 측에서는 행정협정으로, 한국 측에서는 주한미군지위협정으로 불리게 되었다.

이 협정은 3개조의 본 협정문과 합의의사록·합의양해각서·교환서한 등의 부속문서로 되어 있다. 주요 내용으로는 시설과 구역, 노무조항, 형사재판권, 민사재판권 등 민사관련 조항 및 합동위원회 등이다. 특히 시설사용권에 대한 소급 인정과 노무자 해고의 자율성 인정, 형사재판권의 자동포기 등은 대한민국의 권리를 포기하고 있는 대표적 불평등 조항이라는 비판도 있었다.

1980년대 들어서도 주한미군에 의한 범죄가 계속되자 이 협정은 다시 한

번 개정 논의에 들어갔으며, 드디어 1991년 1월4일 개정협정이 조인되었고 2월 1일 발효되었다. 그러나 이 개정 협정에는 형사재판권 자동포기 조항삭제 및 일부 재판권 대상 범죄의 확대 등 불평등 조항의 일부 개선내용을 담고 있기는 하였으나 여전히 한국 측의 권리 행사를 부분적으로 막고 있는 조항이 존재하였다. 1992년, 미군 이태원 술집 여종업원살해사건과 1995년 5월, 서울의 충무로 지하철역 미군집단난동사건 등으로 한국 국민들의 주한미군에 대한 여론이 악화되자 한미 양국은 1995년 11월 2차 개정 협상을 시작했다. 이 협상은 형사재판관할권 문제였으며, 협상기간 중 미국 측이 일방적으로 협상 중단을 통보하는 등 우여 곡절을 겪었으나 2000년 12월 28일, 2차 개정 협상이 타결되었다.

2차 개정 협상의 주요 내용을 보면, 형사재판에서의 미군 피의자 신병인도 시기와 관련하여, 기존협정에서는 재판종결 후 인도하게 되어 있으나 개정 협정에서는 살인·강간 등 12개 주요 범죄자는 한국 검찰이 기소할 때 신병을 인도하도록 하였다. 그리고 살인이나 죄질이 나쁜 범죄를 저지른 미군을 체포했을 경우에는 미국 측에 신병을 인도하지 않고 한국 측에서 계속 구금하게 하였다. 이외에도 환경조항이 신설되어 한국 정부가 미군의 환경오염 사고에 적절히 대처할 수 있게 되었고, 노무 관련분야에서도 한국인 노무자들의 쟁의 시 냉각기를 70일에서 45일로 단축하고 정당한 사유 없이 한국인 노무자를 해고할 수 없도록 하는 등 한국의 권익이 크게 개선되었다.

제 5 절 한미동맹의 변화와 도전

세계적인 안보환경의 변화와 미국의 신 안보전략에 따라 한미양국도 동맹의 미래에 대한 포괄적 연구와 협의의 필요성을 인식하고, 2003년「한미동맹정책구상회의」(FOTA·ROK-US Future of the Alliance)를 출범시키고 2005년에는「안보정책구상회의」(SPI·Security Policy Initiative)로 확대, 발전시켰다.

SPI에서 한미는 포괄적 안보상황평가를 통해 동맹의 미래 환경을 평가하고「동맹비전연구」(JVS; Joint Vision Study)를 통해 미래 동맹의 모습을 새롭게 설정하게 됐다. 나아가 현재의 방위체제와 군사 지휘관계가 새로운 동맹 환경에 적절한지 검토할 필요성을 인식하고 미래 동맹관계에 적합한 지휘관계를 공동으로 연구·발전시키도록 했다. 연구 결과 한미동맹은 북한에 대한 양국의 전략적 인식차를 비롯해 중국의 부상, 테러위협, 대량살상무기(WMD)[221] 확산 등 도전에 직면해 있어 변화가 불가피하며, 동맹파기는 양국 모두에 손실을 가져오므로 동맹전환(transformation)이 최선의 선택이라는 정책보고서가 나왔다.

이 보고서는 지난 1953년 한미방위조약을 토대로 50여 년 간 지속되어온 한미동맹이 성공적이었지만 중대한 도전에 직면해 있다면서 가장 큰 요인으로 북한에 대한 한미 양국의 전략적 인식차를 꼽았다.

미국은 북한을 "미사일과 같은 비재래식 무기로 미국을 공격하고 핵무기를 미국에 적대적인 제3자에게 이전시키는 위협"으로 간주하는 대신에 한국은 북한을 "적이라기보다는 가난하고 아주 불안정한 권력으로서 동정의 대상"으로 보고 있다는 것이다.

이 보고서는 한미 간의 대북 인식차이 뿐만 아니라 한미 양국의 변화된 국내외적 상황이 양국 동맹관계의 변화를 요구하는 도전으로 지적했다.

또한 2000년도 이후 새롭게 나타난 한국에서의 통일 분위기와 반미감정은 한미동맹의 근간을 흔드는 정책으로 이어졌다. 그중 가장 국민여론을 분열시키고 한미 간의 갈등을 유발시킨 것이 전시작전통제권 환수문제였다.

한미연합 방위체제는 유사시에 미국 내의 어떠한 결정과정을 거치지 않고 미군이 자동개입하게 되어 있는 가장 강력하고도 현실적이며 효율적인 안보체제이다.

그러나 주한미군을 한반도 점령군으로 인식하고 있던 당시의 집권세력은 군사주권을 되찾는다는 명분으로 전시작전권 환수정책을 추진하기 시작하였고, 결국 세계에서 가장 효율적이라는 찬사를 받고 있던 한미연합사를 2012년에 해체하기로 합의하게 되었다.

---

221) WMD : Weapons of Mass Destruction

전시작전통제권 전환을 위해 한미양국은「전략적 전환계획」이행을 통해 군사작전수행능력을 강화하고 강력한 군사협조체제를 구축할 것이다. 이를 위해 전구작전지휘체계 구축, 한미 군사협의체계 구축, 작전계획수립, 공동작전수행체계 구축, 공동연습체계 구축 등의 과제를 선정하여 추진하고 있다.

현재 협의 중인 새로운 동맹 군사구조 하에서 양국은 안보협의회의(SCM)[222]와 군사위원회(MCM)[223]와 같은 전략대화 체제는 계속 존속시키되, 한반도 방위에 있어서 한국군이 주도적 역할을, 주한미군이 지원적 역할을 수행하게 된다. 또한 양국 간 원활한 협력을 보장하기 위한 핵심기구로「한미 군사협조기구」를 설치해 운영할 것이다.

한미 군사협조기구는 현 연합사의 기능 가운데 예하 부대에 대한 지휘권한을 보유하지 않을 뿐, 한미 간 군사협력을 보장하는 총괄기구인 SCM과 MC의 통제를 받는다. 또 전쟁억제와 대비태세 유지에 필요한 대부분의 주요 기능을 수행하게 된다.

이런 기능수행을 위해 군사협조기구 아래에는 평시부터 상설·비상설 기구를 설치해 계획 작성, 정보공유, 위기관리, 연습 등에 대해 지속적으로 협력하고, 기타 전투전술발전, 해외 군사협력, 군수지원, 지휘·통제(C4I)체계 등에 대해서도 협조하게 된다.

한미 양국이 자국군에 대해 전·평시 작전통제권을 행사하면서, 지금 까지 한미연합사가 행사하던 한반도 작전사령부의 기능과 역할을 한국 합참이 수행하게 된다. 미국은 지금까지의 주도적 역할에서 한국군을 지원하는 역할로 바뀌며, 그 핵심은 정보·감시·정찰과 정밀타격 등 미국이 가지고 있는 첨단전력 지원이 될 것이다.

작전통제권 단독행사에 필요한 것은 우리나라 스스로의 자주국방역량의 강화이다. 한미연합사 해체 후, 군사협조기구를 통해 종전과 다름없는 미 군사력의 지원을 받는다고 하지만 한미연합사가 존재하고 있을 때와 같은 수준의 지원을 받게 되리라 믿는 국민은 거의 없다.

따라서 미군의 지원 없이 한국군 단독으로 작전수행을 할 수 있는 기본적

222) SCM : Security Consultative Meeting, 한미안보협의회의
223) MCM : Military Committee Meeting, 한미군사위원회의

인 전력증강은 불가피하다.

그러나 2008년 미국의 서브프라임 모기지로부터 유발된 세계적인 경제위기로 자주국방의 청사진인「국방개혁 2020」을 수행할 수 있는 국방예산편성이 난관에 봉착하고 있다.

더구나 북한의 핵실험과 장사정미사일 발사 등으로 안보위협이 그 어느 때 보다 증대되고 있는 시점에 한미연합사가 해체된다는 사실에 대하여 많은 국민이 우려를 하고 있으며 일부 국민들 사이에서는 적극적인 반대의견을 제시하고 있다. 그러나 아무리 잘 못된 결정이라도 이미 양국 행정부 간에 합의된 사항을 되돌리기에는 너무 많은 어려움이 따를 수밖에 없다.

이명박 정부는 집권 후 그동안 훼손되었던 한미동맹을 복원하고 새로운 동맹관계로 발전시키기 위한 대미외교를 강화하였으며, 2008년 4월 19일, 워싱턴에서 개최된 한미정상회담에서 '21세기 전략적 동맹관계'로의 발전을 합의하였다. 21세기 전략동맹은 한미 동맹을 군사 분야 외에 정치·경제·사회·문화 등 전반적 관계로 확대·심화시키고, 지역적으로도 한반도 안보를 넘어 동북아와 다자 질서, 국제 안보를 포함한 범세계적 문제에도 협력하는 관계를 지향하고 있다고 하는 것인데, 이러한 외교적인 수사가 안보에 어떤 실질적인 기여를 할 것인가는 두고 볼 문제이다.

제 6 절 한미동맹의 평가

한미동맹은 한국의 요구로 체결되고 유지되어온 군사동맹이다. 최초 한미상호방위조약체결 시에 미국은 부정적이고 소극적인 입장을 취하였지만, 이승만 당시 대통령의 끈질긴 노력과 외교적 수완으로 어렵게 성사되었다. 조약의 명칭만 상호방위조약일 뿐이며 실질적으로는 우리나라가 일방적으로 혜택을 본 조약이다.

작전통제권을 미국이 행사하게 된 것도 한미동맹을 견고하게 유지하고, 미군을 지속적으로 주둔시킬 수 있는 명분을 주어 유사시 효율적인 전쟁수행을 기대하는 한국정부의 정치적 선택이었다.

한미동맹은 북한의 현실적인 군사적 위협을 억제하는데 결정적인 기여를 하였으며, 한국의 안보비용을 절감시킴으로써 오늘날 한국이 경제 강국으로 발전하는데 큰 도움이 되었다.

한반도에 주둔하고 있는 미군의 전력이 직접적으로 한국의 방위에 도움이 되었지만, 유사시 한국에 전개하기로 계획된 미군의 증원전력은 한반도 안보를 위한 핵심전력이었다.

북한이 핵, 화학무기 등의 대량살상무기를 개발함에 따라 발생하는 남북한 군사력의 비대칭문제도 미군의 전투력으로 보강할 수 있었으며, 미군의 정보수집 및 조기경보 자산은 한국군의 작전수행의 효율성을 가중시켰다.

또한 한미동맹을 통해 미군을 장기간 한반도에 주둔시킴으로서 한반도에서의 전쟁억제 뿐만이 아니라 동북아시아의 정치적 안정에도 기여했다. 동북아시아에서 한국・미국・일본으로 결성된 남방 삼각관계는 소련・중국・북한이 형성하는 북방 삼각관계와 세력균형을 이룸으로써 안정된 국제질서를 유지할 수 있었다.

한미동맹은 본질적으로 군사동맹이지만 이를 통해 정치・경제・ 문화 등 다방면에서 양국이 상호 교류·협력하는 관계로 발전하게 되었다.

한미동맹은 대내・외적 상황에 따라 형태가 변화되어 왔고, 한때 정치적 목적으로 훼손도 되었지만 우리나라의 안보에 결정적인 도움을 주고 있다는 인식에는 대다수 국민이 공감하고 있다.

제 12 장
북한의 핵무기 개발

제 1 절 개요

북한은 2009년 5월 25일, 2차 핵실험을 실시하였다. 2006년 10월 9일 핵실험에 이어 또다시 한반도에서 핵 공갈을 자행한 것이다. 북한이 2009년 4월 5일 장거리 미사일 발사에 이어 국제사회의 비난에도 불구하고 핵실험을 강행한 것은 핵보유국으로서의 지위를 굳혀 향후 핵협상에서 유리한 고지를 선점하기위한 포석인 것으로 분석되었다.

북한의 핵무기 개발은 한반도에서의 최대 안보현안이자 국제적 문제이다. 북한 핵문제가 국제사회 초미의 관심사가 된 지 이미 20년이 지났다. 1989년 영변의 비밀 핵시설 정보를 담은 프랑스 상업위성 사진이 국제적인 주목을 받은 이래, 한국과 미국은 북한과 20여 년 동안 지루한 핵 협상을 전개해왔다.

1993년 3월, 국제원자력기구의 영변의 미신고 핵시설 특별사찰에 대한 반발로 야기된 1차 북한 핵 위기는 군사적 대결 직전까지 고조되었다가 1994년 10월 21일 제네바 합의로 위기가 종식되었다.

그러나 2002년 10월, 북한을 방문한 미국의 제임스 켈리 특사가 북한의 고농축우라늄 핵무기 개발 추진증거를 제시하자 북한이 이를 시인함으로서 핵문제에 대한 평화적해결의 상징인 제네바 합의는 한 장의 휴지조각이 되었고, 한반도는 출구가 없는 2차 핵 위기에 봉착하였다.

미국과 중국 등 주변국은 또 다시 조성된 핵 위기를 해소하고 북한 핵개발을 해결하기위해 「6자회담」으로 상징되는 대화의 장을 마련하였다. 그러나 북한은 벼랑 끝 전술로 「9.19공동선언」 등 그동안 회담에서 도출된 합의를 무산시키고, 일면 대화를 하면서 은밀히 핵무기를 개발한 후, 국제사회의 경고에도 불구하고 2차에 걸친 핵실험을 감행함으로써 실질적인 핵무기 보유국가로 부상하였다. 또한 핵실험과 병행하여 핵무기 운반수단인 장사정미사일을 태평양 상공으로 시험 발사하며 군사강국의 면모를 과시하였다.

제 2 절 북한 핵 위기상황의 전개

2.1 북한 핵개발 배경

북한은 1956년 3월 소련과 「조·소 원자력 평화적 이용에 관한 협정」 을 체결하여 소련으로부터 핵기술 지원을 받기 위한 법적근거를 마련하는 한편, 매년 수십 명에 이르는 핵관련 과학자들을 소련 「드부나 핵연구소」에 파견하여 기술훈련을 받게 하는 등 핵개발을 착수하였다. 또한 중국과도 1959년 9월 원자력 협정을 체결하였다.

이후 북한은 영변에 원자력연구소를 설립하고, 1962년 소련으로부터 원조를 받아 연구용 원자로(IRT-2000, 2M Wt급)[224]를 건설하였으며, 이 원자로를 1965년에 가동을 함으로써 본격적인 북한의 핵 프로그램이 시작되었다.

1970년대와 1980년대를 통하여 북한은 핵 프로그램을 점차 확장하였고. 1980년대에는 「IRT-2000 연구용 원자로」를 통해 축적한 기술을 이용하여 자체 기술로 5M We[225]급 원자로를 건설하였다. 이 원자로는 연소율이 낮아 사용 후 핵연료에서 핵무기의 핵심적인 성분인 고농축 플루토늄을 생산

224) IRT-2000 원자로는 최초 2M Wt였으나 자체기술로 4M Wt, 8M Wt로 출력을 증강시켰다. 『북한핵문제분석 자료집』(정보사, 2003. 11), p. 4. 참조.

225) 원자로의 출력은 열 출력(Wt)과 전기출력(We)으로 구분하여 사용한다. Wt와 We의 관계는 We=Wt x 열효율 이다.

하는데 매우 적합한 것이다.

1985년 12월 북한은 소련과「조·소 원자력발전소 건설 관련 경제·기술 협정」을 체결하였으며, 소련으로부터 400M We급 원자로 4기를 도입하기로 하였다.

또한 1985년에는 핵연료 재처리시설인 방사화학실험실을 착공하였으며, 1985년 12월 NPT에 가입하였다. 북한이 NPT에 가입하도록 압력을 행사한 국가는 소련이었다.

북한의 NPT 가입은 소련과「원자력발전소 건설관련 경제·기술협정」을 체결하는 과정에서 소련의 요구에 의해 가입하였으나, NPT상의 의무인 IAEA 안전협정 체결을 계속 지연시키면서 핵무기를 개발하고 있다는 심증을 고조시키는 행동을 계속하였다.

북한의 핵개발에 대한 국제사회의 의혹은 1980년대 후반부터 재기 되었으나, 직접적인 요인은 1989년에 프랑스의 상업용 위성 SPOT호가 영변지역에 있는 핵시설 촬영을 계기로 국제문제로 비화되었다.

2.2 한반도 비핵화 공동선언

영변에서 북한이 핵개발을 하고 있는 사실을 인지한 한국과 미국은 북한의 핵개발을 저지하기 위해 다각적인 노력을 하였다. 우선 북한 핵관련 정보를 공개하여 국제쟁점화하고 IAEA 차원의 핵사찰 촉구와 함께 일본과 소련 등 주변국을 통해 외교적 압력과 설득을 병행하였다.

또한 북한 핵개발 프로그램의 최대 지원국이었던 소련을 북한의 핵개발을 저지하는 데 영향력을 미칠 수 있는 중요한 변수로 설정하여 소련과 외교적인 협력을 하였다.

1991년에 접어들면서 IAEA와 유엔안보리 차원에서 북한에 대한 핵사찰 수용압력을 집단적이고 강도 높게 제기하였다. 그 결과 그해 6월 IAEA는 최초로 북한의 핵사찰을 촉구하는 IAEA 이사회의장 명의의 성명을 발표하기에 이르렀다.

미국을 비롯한 국제사회의 핵사찰 요구가 가중되자 북한은 이에 대하여 두 가지 요구조건으로 맞섰다. 하나는 핵사찰을 주한 미군 전술핵의 철수와 연계시키는 것이었고, 다른 하나는 핵문제 해결의 근본적인 방안으로 한반도 비핵지대화 요구를 강화하는 것이었다.

북한은 1991년 7월 30일 외교부 대변인 성명을 통해 남북한이 한반도 비핵지대화에 합의하고 이를 공동으로 선언하자고 제의해 왔다. 북한이 발표한 성명의 주요내용은 ① 남북한이 한반도 비핵지대화를 창설하는데 합의하고 이를 공동으로 선언 할 것 ② 미국, 소련, 중국 등 주변 핵보유국들은 공동선언이 채택될 경우 이를 법적으로 보장할 것 ③ 아시아의 비핵국가들은 한반도의 비핵지대화를 지지하고 그 지위를 존중할 것 등이었다.

한·미 양국정부는 남북대화의 테두리 내에서 핵문제를 해결키로 하고 남북한 비핵화 공동선언과 남북 상호사찰을 통해 북한의 핵개발을 저지하기로 하였다.

1991년 11월 25일 북한은 "미국이 남한으로부터 핵무기의 철수를 개시한다면 안전조치협정에 서명하겠다"고 발표했다. 그리고 "동시사찰과 핵위협 해소를 논의하기 위한 북·미 협상"을 요구했다.

1991년 12월 31일 "북한은 핵무기의 시험, 생산, 접수, 보유, 저장, 배치, 사용을 금지"하는 한반도의 비핵화에 관한 공동선언에 합의했다. 공동선언은 NPT 체제하의 의무사항 이행의 범위를 넘어서는 핵재처리시설과 농축시설 보유의 금지를 규정하고 있으며 핵통제공동위원회가 실시하는 사찰을 수용하고 있다. 1992년 1월 30일, 북한은 핵안전조치협정에 서명했다.[226]

2.3 1차 북 핵 위기 (1993.3-1994.10)

2.3.1 위기진행의 경과

1) 북한 NPT 탈퇴선언

북한은 IAEA와의 안전조치 협정에 따라 1992년 5월 4일 보유중인 핵시설에 관한 최초보고서를 IAEA에 제출하였다. IAEA는 1992년 5월 25일부터 1993년 2월까지 총 6차에 걸친 임시 핵사찰 실시결과 북한이 주장한 소위 방사화학실험실은 사실상 재처리시설로 판명되었고, 북한이 신고한 플루토

226) 리언 시걸, 구갑우, 김갑식, 윤여령(역), 『미국은 협력하려 하지 않았다』(서울 : 사회평론, 1999), pp. 54-60.

늄 추출량과 IAEA측 추정치 간에 '중대한 불일치'[227]가 발생하였음을 발견하였다.

1992년 9월 이후 '중대한 불일치'문제의 규명을 위한 IAEA특별사찰 문제가 최대현안으로 부각되었다. 1992년 중반, 북한이 영변지역 내 2개 장소[228]를 조직적으로 은폐한 사실이 밝혀짐에 따라 IAEA는 수차에 걸쳐 2개의 미신고 의심지역 방문허용을 강력히 요청하였으나, 북한은 동 시설이 핵과 무관한 군사시설이라고 주장하면서 사찰요구를 계속할 경우 중대한 결과가 초래될 것이라고 위협하였다.

북한이 IAEA의 거듭되는 요구를 거부함에 따라 IAEA 이사회는 1993년 2월 25일 북한의 특별사찰 수락을 촉구하는 결의안을 채택하였다. 특별사찰 문제로 IAEA와 북한간의 대립이 점차 고조되었고, 북한은 군사시설에 대한 특별사찰과 IAEA에 대한 미국의 조정을 비난하였다.

1993년 1월 한미양국은 제17차 팀스피리트 훈련이 3월 중순부터 실시된다고 공동발표 하였다. 이 발표는 상호핵사찰 문제에 의미 있는 진전이 없을 경우「93년도 팀스피리트 훈련」을 실시한다는 한미 간 합의에 의한 것이며, 그동안 이를 빌미로 상호핵사찰의 조속한 실시를 북한에 촉구해왔다.

북한은 팀스피리트 훈련실시를 이유로 남북대화 일체중단과 준전시상태를 선포하였으며, 1993년 3월 12일에는 NPT 탈퇴를 공식선언하였다.[229]

미국은 북한의 NPT 탈퇴를 ① 상당한 양의 플루토늄을 은폐하고 ② 신고량과 사찰시 발견될 양의 불일치를 은폐하여 국제사회의 반향을 흡수하며 ③ 국제적 이목을 집중시켜 미국으로부터 양보를 받아낸다는 동기에서 결행

227) 중대한 불일치는 다음과 같다. 정보사령부,『북한핵문제 분석 자료집』(2003. 3. 11), p. 14, 참조.

구 분	북 한 주 장	IAEA 주 장
Pu 추 출 량	90 g	수 kg
Pu 추 출 시 기	1 회 (1990년)	3회 (1989, 90, 91년)
Pu 출 처	손상된 연료봉	사용후 핵 연료
미신고시설(2개소)	군 사 기 지	핵폐기 저장소

228) 2개 시설은 액체 핵폐기물 저장소로 추정되며 액체 폐기물은 핵처리의 가장 직접적인 증거임.

229) 북한은 3월 9일 김정일 최고사령관 명의의 준전시상태를 명령, 3월 9일 김일성 광장 10만명 군중대회 등 지역별 집회, 3월 12일 NPT 탈퇴 선언.
NPT 10조 1항 : 각 당사국은 본 조약상의 문제와 관련되는 비상사태가 자국의 이익을 위태롭게 하고 있다고 판단할 경우 본 조약으로부터 탈퇴할 수 있는 권한을 가진다. 각 당사국은 탈퇴 3개월 전에 모든 조약 당사국과 유엔안전보장이사회에 통보한다.

한 것으로 보았다.

북한이 NPT 탈퇴선언을 함에 따라 IAEA는 1993년 4월 1일 북한을 핵안전협정 불이행 국가로 규정하고 핵사찰 문제를 유엔 안전보장이사회에 회부하는 결의안을 가결했다.

2) 북미 고위급회담

4월 10일 북한은 핵과 관련하여 미국과 직접 협상을 촉구하였고, 4월 19일에는 북한이 미국과 고위급 협상을 통해 핵문제 해결을 제의하면서 1993년 6월 2일,「1단계 북미 고위급회담」이 개최되었다.

북미회담 결과 공동발표문의 주요내용은 ① 핵무기를 포함한 무력불사용 및 불위협 보장 ② 전면적 안전조치의 공정한 적용을 포함한 비핵화한 한반도의 평화와 안전의 보장과 상대방 주권의 상호존중 및 내정불간섭 ③ 한반도의 평화적 통일지지 ④ 북한은 NPT 탈퇴를 잠정적으로 유보한다는 것이었다.[230] 북미회담의 결과에 따라 1993년 6월 12일 발효될 예정이던 북한의 NPT 탈퇴는 발효를 하루 앞두고 그 효력발생이 유보되었다.

그 후 1993년 7월 16일부터 스위스 제네바에서 개최된「2단계 북미회담」시 북한은 미국에 대하여 경수로 지원요청을 전제조건으로 제시하였으며, 미국은 북한 핵 문제의 종국적 해결의 일환으로서 이를 협의 하기위한 용의가 있음을 표명하였다.

「2단계 북미회담」후 IAEA 사찰단이 북한을 방문하여 핵 사찰을 시도하였으나 또다시 북한은 5MW원자로와 재처리시설에 대한 접근거부 등 사찰활동을 제한함으로써 정상적인 핵사찰수행이 불가능하였다.

북한이 핵사찰조차 거부하고 나오는 상황에서 미국은 제재라는 강경조치 이외에 더 이상 유화책을 쓰기 어려운 상황으로 빠져들었다.

230) 리언 시걸, (1999), p. 345. 『북·미회담 공동성명』, (1993. 6. 11).

3) 핵사찰 지연과 한반도 위기설 대두

북한의 핵사찰 제한과 미국의 강경조치에 따라 한반도 위기설이 점점 확대되는 1993년 12월 10일, 클린턴 미 대통령은 국방부로부터 한반도 상황에 관한 보고를 청취하였다. 국방부는 이때 한반도 작전계획과 함께 북한과 전쟁할 경우 4개월간의 고강도전을 요한다는 내용의 평가서를 보고하였다.

클린턴 대통령은 외교적 해결책을 우선적으로 고려하면서도 한국방어를 위한 국방부의 계획을 검토하도록 지시하였으며, 제임스 울시 미 중앙정보국장도 북한의 공격 가능성을 배제할 수 없다고 말함으로서 미국 내에서 한반도 위기설이 고조되었다. 그 당시 미 국방부는 잠재적 전쟁가능성에 대비하여 우발계획(contingency planning)을 검토하고 있었으며,[231] 클린턴 대통령은 매스컴을 통해 한반도에서의 미군병력 강화를 배제하지 않고 있음을 밝혔다.

4) 북한의 핵연료봉 무단인출과 IAEA탈퇴

IAEA는 사찰이 실패로 돌아간 이후, 계속적으로 핵시설에 대한 추가사찰을 요구했으나 북한은 이를 완강하게 거부하였다.

북한은 1994년 5월 14일 아무런 통고 없이 IAEA가 입회하지 않은 가운데 핵 연료봉 교체작업을 시작하였으며, 미국과 IAEA는 북한의 증거인멸을 저지하기 위해 연료봉 인출의 중지와 인출된 연료봉의 분류보관을 강력히 요구하였다.

1994년 6월 10일 IAEA이사회는 기술지원 중단을 주 내용으로 하는 대북제재 결의안을 채택하였고, 북한은 IAEA에서 즉각 탈퇴하여 북한이 특수지위 아래 받아 온 안전조치의 연속성 보증을 위한 사찰을 더 이상 받을 수 없다고 하는 외교부 성명을 발표했다[232].

또한 북한은 유엔이 대북한 제재를 결의할 경우, 이를 선전포고로 간주할 것이라고 위협함에 따라 한반도 전쟁발발 가능성에 대한 국제적 우려가 증

---

231) R.Jeffrey Smith, "U.S.Analysts Are Pessimistic On Korean Nuclear Inspection", The Washington Post, December 3, 1993, p. A1.

232) 북한 외교부 성명 전문은 다음과 같다. 첫째, IAEA에서 즉시 탈퇴한다. 둘째, 공화국의 특수지위 아래 받아온 보장조치의 연속성 보증을 위한 사찰을 더 이상 받을 수 없음을 선언한다. 셋째, '제재' 는 곧 공화국에 대한 선전포고를 간주한다는 입장을 재확인한다.

폭되었다. 한미 양국은 북한의 남침 등 비상사태 발생에 대비한 협의와 위기관리조치를 착수하였다.

미국은 6월 15일, 유엔의 대북제재결의안 채택을 위한 본격적인 협의에 돌입했다. 결의안 초안은 북한이 전면적인 사찰에 응하지 않을 경우 무기금수, 정기노선을 제외한 항공기의 이착륙금지, 과학기술교류 중단, 경제지원 중단 등의 제재조치가 시행됨을 내용으로 하고 있었다.

한미 양국도 대북 경제제재의 구체적 준비와 함께 '만일의 돌발사태' 에 대비하는 비상대비태세에 돌입하였다. 클린턴 미 대통령이 "한미상호방위조약이 확고하다"고 밝힌 데 이어 미 국방부는 한국에 파견할 증원군 증원계획검토 등 위기조치에 들어갔다. 미국의 이 같은 조치는 북한이 끝내 태도변화를 보이지 않을 경우 대북 경제제재 조치를 시행하고, 그 경우 있을 수도 있는 북한의 전면 도발에 대비해야 한다는 인식에 근거한 것이다. 미 국방부는 "한반도 지역에 대한 감시 및 방위태세를 시간 단위로 점검하고 있다"면서 "사태 발생 시 대응시간 축소방안을 강구 중"이라고 밝혔다.

한국 국방부는 '전쟁이 발발할 경우 한국군에 시급히 필요한 무기가 무엇인가'에 대한 평가 작업을 완료하고, '무기 긴급구매 안'에 대한 결재를 받아놓은 상태였다. 이와 같이 국제사회의 대북 제재 움직임이 구체화되면서 한반도의 위기는 점차 고조되었다.

클린턴은 그의 회고록(My Life)에서 그 당시 상황을 다음과 같이 기술하였다

1994년 3월 말 북한 핵 위기의 심각성이 마침내 수면에 떠올랐다. 북한은 2월 국제원자력기구(IAEA) 조사관들의 입북에 동의한 후 3월 15일 그들이 조사활동을 마무리하지 못하도록 막았다. 1주일 뒤 나는 패트리엇 미사일을 한국에 보내고 유엔에는 경제제재를 가해 달라고 요청하기로 결정했다. 나는 전쟁의 위험을 감수하고라도 북한이 핵무기를 개발하는 것을 저지하기로 마음먹었다. 윌리엄 페리 국방장관은 이후 3일 동안 "선제 군사공격 가능성을 배제하지 않는다" 는 강경 경고를 반복했다.[233)]

---

233) 『동아일보』, 2004. 6. 23.

2.3.2 지미 카터의 평양방문

미국과 유엔의 강경한 대북제재 분위기와 교착된 북핵문제의 물꼬를 튼 것은 지미 카터 전 미국대통령의 방북이었다. 카터는 6월 15일부터 6월 18일까지 평양을 방문하여 두 차례 걸친 김일성과의 회담을 통해 일촉즉발의 긴장국면을 해소하고 3단계 북미회담을 개최하기 위한 여건을 조성하였다.

카터는 북한에 체류 중 클린턴 대통령에게 "상호 신뢰에 기반 한 노력이 계속된다면 IAEA 사찰단을 추방하지 않겠다"라는 김일성의 말을 전했으며, 클린턴대통령은 카터에게 "북한이 핵 프로그램 동결을 준비한다면 우리도 대화로 돌아가겠다"고 말했다.[234)]

카터의 극적인 방북결과에 따라 미국은 유엔 안보리 제재결의 추진을 중단키로 공식 결정하였고, 한반도에서 고조되었던 군사적 위기국면도 진정되었다.[235)]

카터는 평양방문 일정을 마치고 김영삼 대통령을 만나 김일성의 메시지를 전달했다. 김일성의 메시지는 "3단계 고위급 회담이 열릴 경우 핵개발 동결 의사가 있다"는 내용 이외에 빠른 시일 안에 남북한 정상회담이 개최되기를 희망한다는 내용이었다.

이어서 남북한은 정상회담 개최를 위한 예비접촉을 갖고「남북 정상회담 개최를 위한 합의서」를 채택하였다. 그러나 7월 8일 김일성이 갑자기 사망함에 따라 남북정상회담은 취소되었다.

2.3.3 제네바 합의와 위기의 종식

3단계 북미회담은 카터 전 대통령 방북 시 김일성과의 합의사항에 의거 7월 8일, 갈루치 핵 담당대사와 강석주 제1외교부부장 간에 제네바에서 개최되었으나 김일성 사망으로 인해 회담이 중단되었다. 그 후 8월 5일부터 8월 12일까지 제네바에서 재차 북미고위급 회담을 갖고 추후「북미 제네바 합의」의 골격을 구성하게 될 핵심사항에 합의했다.

---

234) 『조선일보』 2004. 6. 23. "클린턴 회고록 My Life".
235) 김재목, 「북한 핵협상드라마」(서울:경당,1994), pp. 347-349.

주요내용은 첫째, 북한의 흑연감속로를 경수로체제로 전환하는 것으로 미국은 약 2,000MW 규모의 경수로 제공 및 전환에 따르는 대체에너지 제공을 위한 조치추진을 준비하고, 북한은 경수로 제공 및 대체에너지 제공에 관한 미국의 보장을 접수하는 즉시 ① 50MW 및 200MW 원자로 건설 동결 ② 핵재처리 포기 ③ 방사화학실험실 폐쇄 및 IAEA에 의한 감시를 수용한다는 것이다.

둘째, 북미관계 개선으로 양국 간 정치·경제관계의 완전한 정상화를 향한 조치로서, 상대방 수도에 외교 창구를 설치하고 교역·투자 장벽을 축소하며, 셋째, 북한의 NPT 잔류 및 안전조치 협정을 이행하고, 기타 합의사항으로는 핵 활동 동결(재처리 및 연료 재장전 금지)과 안전조치의 계속성 유지, 경수로, 연료봉 처리, 대체에너지 제공, 연락사무소 설치 등 현안에 관한 북미 전문가회의 개최, 경수로 제공 보장에 필요한 조치의 추진, 9월 28일 제네바에서 회담을 재개하는 것 등이다.[236]

이어서 미국과 북한은 9월 23일부터 10월 17일까지 제네바에서「북미 고위급회담」을 속개하여 합의사항을 구체화 한 후, 한국정부와 일본정부의 동의를 얻어 10월 21일「북미기본합의문」(통칭 제네바 합의)에 서명하였다.

제네바 합의는 북한이 핵시설을 동결하고 궁극적으로는 해체하는 한편, 그 대가로 미국이 2000MW 경수로 2기와 연간 50만 톤의 중유를 제공하고 경수로 핵심부품의 도착 이전에 IAEA가 필요로 하는 모든 사찰(특별사찰 포함)의 수락을 명기하며, 아울러 미·북한 간 무역·투자 장벽 축소, 연락사무소 교환설치, 기다 북미관계 현안(미사일, 미군유해송환 등) 협의, 남북대화 재개, 한반도 비핵화 공동선언 이행 등도 규정하였다.

이로서 한반도에 2년여 동안 긴장상태를 조성했던 북한 핵 위기는 일단 평화적 해결 국면으로 방향이 전환되었다.

1993년 3월 12일 북한의 NPT 탈퇴선언으로 야기된 북한 핵 위기는 1994년 10월 21일 제네바 합의로 위기가 종식될 때까지 북한, 미국, 한국을 중심으로 하여 자극과 갈등, 도전과 대응으로 이어지는 위기의 단계를 거치면서 군사적 대결 직전까지 간 길고도 복잡한 위기의 연속이었다.

---

236) 정옥임,「북핵 588일」(서울:프레스,1995),p.229. 김재목,(1995), pp. 347-349.

북한 핵개발로 야기된 한반도 위기는 북한이 자국의 생존과 군사적 우위를 확보하기 위한 목적으로 핵무기를 개발하고, 미국은 소련 붕괴 후 세계 유일의 초강대국으로서 신 국제질서를 구축해 가는 과정에서 발생한 대립인 것이다.

미국은 동아시아의 안전을 위협하고 일본을 비롯한 주변국가에 핵무장을 확산시킬 수 있는 북한의 핵개발을 저지하기 위해 한국을 비롯한 국제사회 및 IAEA 등과 같은 국제기구와 공조하여 북한의 핵개발 실태를 확인하기 위해 끈질긴 노력을 하였으며, 이에 도전하는 북한에게 대화와 설득, 위협과 제재 등 각종 방안을 구사하며 사태를 진정시켰다.

북한은 시종 NPT탈퇴, IAEA탈퇴 등의 폭탄선언과 핵 연료봉 무단인출 등의 돌발행동을 통해 보다 큰 문제를 만들어 가는 벼랑끝전술을 통해 사태의 본질을 흐리고 협상에서 유리한 고지를 점령하였다.

최초 북한의 핵개발을 철저하게 파헤치려고 했던 미국은 북한이 국제사회로부터 이탈되지 않도록 대화와 타협을 통해 이를 무마하고 국제사회에 대한 약속을 이행하도록 종용했으나, 북한은 경수로 지원 등 반대급부를 요구하며 미행정부를 궁지에 몰아넣고 정책결정기관 간의 이견을 조장함으로서 입지를 난처하게 만들었다.

북한에게 계속 끌려가던 미국은 북한의 과거 핵개발 의혹 해소보다 앞으로의 핵 확산을 막겠다는 쪽으로 정책의 중점을 전환시켜 결국 그들이 원하는 데로 한국을 배제시킨 가운데 경수로제공, 중유지원 등 엄청난 이익을 북한에 안겨주었다. 그럼에도 불구하고 북한의 과거 핵개발에 대해서는 더 이상 규명하지 못하고 당장의 위기종결에 만족해야만 했다.

2.4 2차 북 핵 위기(2002.10.3 이후)

2.4.1 배경

제네바합의에 따라 미국은 북한에 경수로를 제공하기 위하여 한국과 일본과 합의 후 북한에 경수로를 제공과 자금조달을 추진기구인 KEDO(Korean Peninsula Energy Development Organization) 를 설립하였으며, KEDO에 의한 경수로 건설공사는 2001년 함경남도 신포·금호지구에 2008년 완공 예정으로 진행되었다.

KEDO는 경수로 제공 목적 외에도 경수로 1호기 완성 때까지 매년 대체에너지로 중유 50만t 을 제공하는 등 대체에너지 제공과 폐연료봉 처리 및 기존 핵시설 해체 등을 활동 목표로 하고 있었다.

미국을 비롯한 국제사회의 북한 핵 프로그램을 종식시키기 위한 노력에도 불구하고 북한이 또 다른 핵무기 제조방법인 고농축 우라늄을 이용한 핵개발을 추진하고 있다는 의혹이 재기되었다.

미국은 1990년대 말부터 북한이 파키스탄으로부터 우라늄을 농축하는 기술과 원심분리기 등 부품을 반입하고 있다는 첩보를 입수하고 계속 추적하고 있었다. 농축우라늄 제조공정은 플루토늄 재처리처럼 대규모 시설을 필요로 하지 않고 방출되는 방사능의 양도 매우 적어 재조여부에 대한 감시가 어렵다.

북한이 영변 원자로에서 생산하는 플루토늄 외에 고농축우라늄(HEU: High Enriched Uranium) 을 생산하고 있다는 사실을 먼저 확인해준 나라는 파키스탄이다.

미 CIA는 파키스탄의 핵물리학자 칸 박사와 북한의 비밀거래를 포착했다. 그의 활동을 감시 추적해 오던 미국 CIA는 북한이 파키스탄에 미사일 개발기술을 이전하고 그 대가로 칸 박사로 부터 고농축우라늄 개발과 핵무기 제조 기술을 전수받은 사실을 확인했다.

파키스탄 정부는 칸 박사를 체포하고 그를 통해 북한에 고농축우라늄을 이용한 핵무기 제조법과 핵 개발에 반드시 필요한 원심분리기를 판매한 사실을 발견하였다.

또 칸 박사가 몇 번씩 북한 핵 시설과 위장된 지하 핵무기 제조시설을 돌아본 사실도 알아내고 그 같은 정보를 미국에 제공했다.

2001년 1월, 미국에서는 부시 공화당 신정부가 출범하였으며, 새로 취임한 조지 부시 미 대통령은 북한과의 합의를 재검토한 후, 과거 클린턴 행정부의 대북 핵정책을 불만족스럽게 생각하고 북한 핵의 완전한 검증과 철저한 상호주의에 입각한 대북 강경책을 시사하였다.

그리고 2001년 3월 8일 한미 정상회담 시 부시 대통령은 대북 강경책을 재확인하였다.

조지 부시 미국 대통령은 2002년 1월 국정연설에서 북한을 '불량국가' 라고 지목했다. 북한을 이란과 이라크, 시리아와 함께 자유민주주의(시장경제)의 이념을 위협하고, 세계 평화와 공존을 위협하는 국가들이라고 한 것이다.

미국과 북한과의 적대적 분위기가 조성되는 가운데, 2002년 10월 2일, 미국의 제임스 켈리 미 국무성 차관보 일행이 북한을 방문하여 북한이 고농축우라늄 핵무기를 개발하고 있다는 증거를 제시하면서 추궁하였다.

켈리 차관보는 강석주 북한외교부 제1부부장을 만난 자리에서 "북한은 파키스탄에서 고농축우라늄 기술자를 초청하고 원심분리기를 비밀리에 사들였는데, 그것은 고농축우라늄을 생산하기 위한 것으로 제네바협정 위반"이라고 비난했다.

이를 계속 부인하던 북한의 강석주가 "우리는 핵 개발 계획을 갖고 있을 뿐만 아니라 더욱 강력한 것들도 갖고 있다"고 이를 시인하는 내용의 발언을 함으로써 북한의 핵개발 사실이 알려지게 된 것이다.

워싱턴으로 돌아온 켈리 차관보는 북한이 핵개발을 하고 있다는 사실을 보고하였으며, 제네바합의 효력이 무산된 사실을 확인한 미국은 북한에 매년 50만 톤 제공하던 중유공급을 중단하였다.

북한은 이에 반발하면서 1차 북 핵 위기 시와 같은 벼랑 끝 전술을 반복하였다. 북한은 2002년 12월 12일 핵동결 해제 선언을 하고난 후 핵개발 시설에 설치하였던 봉인과 감시카메라를 하나씩 제거하며 위기의 강도를 높이다가, 12월 31일에는 IAEA사찰관을 추방하고, 2003년 1월 10일 NPT 탈퇴를 선언했다.

북한이 NPT와 IAEA에서 탈퇴한다고 선언함으로써 제네바합의에 따라 공사 중이던 신포 경수로 건설이 중단되었고 한국은 14억 $의 자금만 투입하고 아무런 소득 없이 철수하였다.

결국 19개월에 걸친 어렵고도 긴 과정을 통해 가까스로 체결한 1994년 10월의 「북미 제네바 합의서」는 한 장의 휴지에 불과한 것으로 판명된 것이다. 북한의 핵개발 시인으로 또다시 국민여론은 들끓었고 한반도는 1993년 제1차 북 핵 위기에 이어 또 다시 북한 핵개발로 인한 안보위기를 맞이하게 되었다.

2.4.2 6자회담

「6자회담」은 북한의 핵 문제를 해결하고 한반도의 비핵화를 실현하기 위해 한국·북한·미국·중국·러시아·일본 등 6개국이 참가하는 다자회담이다.

「6자회담」은 북·미간의 대립 구도 속에서 북한의 핵 문제를 평화적으로 해결하고, 한반도에 평화 체제를 구축하자는 차원에서 제안된 것이다. 제1차 회담은 2003년 8월 27일부터 29일까지 열렸으며, 이후 2007년 9월까지 모두 6차례 중국 북경에서 열리게 되었다.

「6자회담」결과 2005년「9.19공동선언」과 2007년「2.13 합의」가 이루어짐으로써 문제해결의 실마리가 잡히는 듯하였다.

합의의 주 내용은 북한의 핵시설 폐쇄, 불능화 및 핵사찰 수용과 이에 대한 반대급부로 100만 톤 상당의 중유지원 등이다. 그러나 회담이 진행되고 있는 기간에도 북한은 핵무기 보유선언을 하고 2차에 걸친 핵실험을 강행함으로서 회담은 별 실효를 거두지 못하였다.

북한은 2008년 한국에 이명박 정부가 등장하자 남한에 대한 상투적인 비난을 재개하였고 더 이상 6자회담에 참가하기를 거부함에 따라「6자회담」은 그 이름만 남게 되었다.

표.14 6자 회담 경과

구분	일 정	주요 내용
1차	'03. 8. 27 ~ '03. 8. 29	· 한반도의 비핵화의 평화적인 해결에 대해 6개국 모두 공감, 북핵 폐기를 위해 대화를 통한 2차회담 계속 진행에 대한 합의도출
2차	'04. 2. 25 ~ 2. 28	· 7개항의 의장성명 채택
3차	'04. 6. 23 ~ 6. 26	· 8개항의 의장성명 채택
4차	'05. 7. 26 ~ 9. 19	· 한반도 비핵화, 대화를 통한 평화적 해결, 포괄적 · 단계적 해결 등의 주요 원칙에 합의 · 9.19 공동성명 채택 (북한이 핵을 포기하는 대신에 한국을 포함한 5개국으로부터 에너지를 제공받는다는 내용)

5차	‘06.10.31~ ‘07.2.22 (3단계진행)	· 3단계 회담시 북한 핵 폐기를 위한 북한의 초기 이행조치와 ‘9 · 19 공동성명 이행을 위한 초기조치’ 발표
6차	‘07.3.19~ 9.30 2단계로 진행	· 1단계 : 방코 델타 아시아(BDA) 북한자금 송금문제를 해결하기 위한 해결책 마련 · 2단계 : '10 · 3합의' 채택

2.4.3 북한의 핵보유 선언

북한은 2005년 2월10일 외무성 성명을 통해「6자회담」참가명분이 마련되고 회담결과를 기대할 수 있는 충분한 조건과 분위기가 조성되었다고 인정될 때까지 불가피하게「6자회담」참가를 무기한 중단할 것이라고 발표했다. 이와 함께 성명은 “자위를 위해 핵무기를 만들었다”고 명확하게 표현으로써 핵무기 보유를 처음으로 공식선언했다.

북한은 부시 행정부의 대북압살정책에 맞서 핵확산 금지조약(NPT)에서 단호히 탈퇴했고 자위를 위해 핵무기를 만들었다고 하였으며, “미국이 핵위협을 통해 북한의 제도를 없애버리겠다는 기도를 드러낸 이상 북한 인민이 선택한 사상과 제도, 자유와 민주주의를 지키기 위해 핵무기를 늘리기 위한 내책을 취할 것”이라고 강조하였다.

2002년 10월, 미 국무성 겔리 차관보의 평양방문 시, 강석주가 핵무기를 보유하고 있다고 말은 하였지만. 외무성 성명을 통해 공식적으로 인정한 것은 처음이다.

북한이 핵무기 선언과 같은 강경한 입장을 취한 것은 미 부시 대통령이 북한을 2002년 ‘악의 축’이라고 규정한데 이어, 2005년 1월 ‘폭정 종식’을 천명한데 대한 대응이라고 분석되며, 북한은 위기국면을 심화시킴과 동시에 미국에게 감추어둔 카드를 보임으로써 미국과 협상을 유리하게 전개하기 위한 것으로 판단된다.

핵보유 선언으로 인한 위기고조는 예상보다 미미하였으나, 북한은 나름대로 6자회담 참가 그 자체를 카드화시키는 성과를 거두었다,

핵무기 보유 선언 후 열린 6자회담의 주요 쟁점은 북한의 핵 폐기 범위와

평화적 핵 이용 권리였으며, 2005년 9월에 열린 회담에서는 한반도 비핵화, 미국의 대북불가침 의사 확인 등을 내용으로 하는 이른바 '9·19 공동성명'이 발표되었다.

2.4.4 북한의 핵실험

1) 1차 핵실험

북한은 2006년 10월 9일과 2009년 5월 25일, 2차에 걸친 핵실험을 단행하였다.

북한이 2006년 7월 5일 동해에서 미사일 발사시험을 하자 유엔 안보리에서는「대북제재 결의 1695호」를 채택하였고, 이어 9월에는 중국 등 세계 24개 금융기관이 대북 거래를 중단하자 북한은 이에 반발하여 10월 9일, 함경북도 길주군 풍계리에서 최초의 핵실험을 실시하였다.

핵실험 직후 북한은 핵실험을 안전하게 성공적으로 진행했다고 선전했으나 폭발의 위력이 너무 약해 최초에는 성공에 많은 의구심을 가졌다. 그러나 3일후 미국의 특수정찰기가 동해 상공에서 핵실험 때에만 방출되는 제논(Xenon)과 크립톤(Krypton)기체를 검출함으로써 핵실험이 성공한 것으로 인정하게 되었다.

북한의 1차 핵실험은 검출할 수 있는 최소량의 방사능 기체만을 방출시킨 정도로 폭발력이 약해 국제사회에 큰 충격을 주지는 못했다.

북한의 핵실험을 확인한 유엔 안전보장이사회는 유엔 헌장 7조 의거 「대북 제재결의 1718호」를 채택하였다. 결의내용은 북한의 핵실험을 비난하고, 북한에 대해 추가 핵실험을 실시하거나 탄도미사일을 발사하지 말 것과 북 NPT 탈퇴선언을 즉각 철회하고 국제원자력기구(IAEA) 안전규정에 복귀할 것을 요구하였다. 모든 유엔회원국들에게는 핵이나 미사일에 관련된 물품이나 무기류에 대한 북한 반입을 금하는 내용과 더불어 사치품 반입을 차단하고 북한의 금융거래를 동결하는 조치들이 포함되었다.

북한의 핵실험 이후 개최된 제5차 6자회담은 2005년 11월부터 2007년 2월까지 3단계에 걸쳐 열렸다. 3단계 회담에서 북한의 핵시설 폐쇄와 불능화, 북한의 핵 프로그램 신고와 이에 상응하는 5개국의 에너지 100만t 지원, 북한의 테러지원국지정 해제과정개시 등 이른바 '2·13합의'가 채택되었다.

2) 2차 핵실험

2차 핵실험은 2009년 1월에 버락 오바마가 미국 대통령으로 취임하고 난 후, 북한은 오바마 신정부가 부시 행정부와는 다른 대북 정책을 표명할 것으로 기대하였으나 별다른 변화가 없자, 미국의 관심을 끌기위해 그들의 주 특기인 벼랑 끝 전술을 구사하기 위한 것으로 분석된다.

2차 핵실험도 1차 때와 유사하게 미사일 발사시험부터 시작하며 점차 위기를 고조시켰다.

북한은 2009년 4월 5일 장거리 미사일을 발사하였고, 이에 대한 경고로 유엔 안보리는 전체 공개회의 열어 의장성명 공식 채택하였으나, 북한 외무성은 성명을 통해 6자회담 불참과 핵시설 원상복구 방침 천명하였다.

4월 18일 북한군 총참모부는 성명을 통해 남한이 대량살상무기 확산방지구상(PSI)에 전면 참여하는 것은 선전포고라고 경고하며 위기를 고조시켰다. 이어 5월 8일, 북한은 "북한을 적대시하는 미국과의 대화는 필요없다"는 입장 발표하였고, 국제사회의 우려에도 불구하고 5월 25일 2차 핵실험을 감행하였다.

북한의 2차 핵실험은 1차 때에 비해 5배 이상 폭발위력이 강해졌다. 1차 핵실험 때 폭발력은 0.8kt 이었으나, 2차 때 폭발력은 4.5kt로 추정되었다.

북한도 "폭발력과 기술에 있어 새로운 높은 단계에서 안전하게 진행됐다"고 주장했다. 또 "시험결과 핵무기의 위력을 더욱 높이고 핵 기술을 끊임없이 발전시켜 나갈 수 있는 과학·기술적 문제들을 원만하게 해결하게 되었다"고 밝힘으로써 1차 실험 때에 비해 많은 진전이 있었음을 나타냈다.

북한이 2차 핵실험을 강행한 데 대한 대응으로 한국정부는 그 동안 미루어왔던 대량살상무기확산방지구상(PSI)[237] 에 가입한다는 사실을 발표했다.

그간 우리나라는 북한을 자극할 수 있다는 점을 고려해 PSI 옵저버로만

---

237) 대량살상무기 확산방지구상: PSI(Weapons of Mass Destruction Proliferation Security Initiative) 테러 및 대량살상무기의 국제적 확산을 방지할 목적으로 미국의 주도 아래 2003년 6월 발족하였다. 이 구상에 따르면 핵과 미사일 등 대량살상무기의 확산을 방지하기 위한 정보 공유는 물론, 필요한 경우에는 가입국의 합동작전도 가능하다.2009년 5월 현재 PSI에 참여하고 있는 국가는 미국 · 영국 · 오스트레일리아 · 캐나다 · 러시아 · 한국 등 95개국이다.

참가해왔으나, 4월 5일 북한이 장거리미사일을 발사하고 2차 핵실험을 단행하자 북한의 선전포고 위협에도 불구하고 가입을 선언한 것이다.

유엔 안전보장이사회는 6월 14일 전체회의를 열고 북한의 핵실험을 비난하고 잘못된 행동을 징계하기 위한「대북제재 결의안 1874호」를 만장일치로 채택했다. 결의안에는 북한의 2차 핵실험에 대해 "가장 강력하게 규탄한다"는 높은 수위의 비난문구 이외에 무기수출 금지, 금융제재, 화물검색 등의 조치 확대와 이를 이행하기위한 구체적인 내용이 담겨있다.

3) 북한 핵실험의 의미

북한은 유엔의 제재와 국제사회의 우려에도 불구하고 결국 핵실험을 단행하였다. 미국을 비롯한 NPT참가국 들은 북한의 핵보유를 인정하지 않는다고 말을 하지만 북한이 핵무기를 생산하고 보유하고 있다는 사실을 부정할 수는 없는 것이다.

2차에 걸친 핵실험을 통해 북한은 실질적인 핵 보유 국가로 등장한 것이다. 현재 핵무기 보유를 인정받고 있는 국가는 미국, 러시아, 영국, 프랑스, 중국과 2006년에 미국으로 부터 인정받은 인도 등 6개국이다. 핵무기 보유국으로 인정받고 있지 않지만 핵무기를 실질적으로 보유하고 있는 국가는 이스라엘과 파키스탄이었으나 북한이 추가됨으로써 3개국이 되었다. 북한은 세계에서 9번째 핵무기를 보유한 국가가 된 것이다.

핵보유국이 된다는 것은 국제정치적으로나 군사적으로 새로운 지위를 갖게 됨을 의미한다. 핵은 일거에 약소국을 강대국으로 만드는 특성이 있을 뿐만 아니라 핵무기를 보유하는 자체만으로도 재래식 군사력의 우열은 무의미해진다.

2차 북 핵 위기는 북한의 은밀한 핵무기 개발과 미국이 이를 추궁하는 과정에서 비롯되었으며, 미국은 북한의 핵개발을 포기시키기 위해 중국과 러시아, 일본 등 한반도 주변국가들를 설득하여 6자회담을 성사시켰다. 6자회담의 틀 속에서 미국은 CVID[238]원칙을 고수하며 외교적 압력과 회유를 통해 북한의 핵을 폐기시키려고 노력하였다. 그러나 아무런 성과도 없이 북한의 핵실험으로 마감되고 말았다.

---

238) CVID(Complete, Verifiable, Irreversible Dismantlement) 완전하고 검증가능하며 돌이킬 수 없는 폐기를 의미한다. 미국이 북핵 사태 해결의 원칙으로 제시하였다.

제 3 절 북한 핵무기 개발의 파장

3.1 한반도 군사력 균형 파괴

북한은 핵무기개발과 병행하여 장거리 미사일을 개발하고 있으며, 현재의 기술은 대륙간탄도탄을 발사할 수 있는 수준에 근접한 것으로 평가받고 있다. 또한 NPT를 탈퇴하여 국제적인 간섭 없이 지속적으로 플루토늄을 생산하고 있으며, 그 보유량을 지속적으로 증가시키고 있다. 멀지 않아 북한은 핵무기를 장착한 대륙간 탄도탄을 보유한 핵무기 강국으로 등장할 것이다.

재래식 무기(conventional weapon)란 핵무기, 화학무기 및 생물학무기를 제외한 무기의 총칭이다.

전략무기(strategic weapon)는 적의 전쟁수행능력을 파괴하는 데 사용할 수 있는 무기로 적의 군사적·정치적·경제적 기반을 공격하는 무기이며, 핵무기와 대륙간탄도미사일, 원자력잠수함, 전략폭격기 등을 이른다.

대량살상무기는 WMD (Weapons of Mass Destruction)라고 하며, 생화학무기·핵무기 등과 같이 짧은 시간 내에 많은 인명을 살상하는 파괴력을 가진 무기들을 통틀어 이르는 개념이다.

북한이 핵무기를 개발함에 따라 북한은 대량살상무기인 핵무기, 생화하무기와 그 운반수단인 장거리 미사일 등 전략무기체계를 모두 보유하게 된 반면, 한국은 무기체계를 획기적으로 현대화하고 있다고는 하지만 결국 재래식 무기만을 보유한 국가에 머물고 있는 실정이다.

북한이 핵무기를 개발함으로서 실질적으로는 남북한 간의 전략무기의 전력균형은 무너지기 시작하였으며, 한국은 미국의 핵우산아래 가까스로 전략적 균형을 유지하고 있다고 볼 수 있다.

3.2 동북아시아의 핵 확산

북한의 핵실험으로 인해 우려되는 것은 동북아의 핵확산이다. 한국, 일본, 대만 등 동북아국가는 주변 강대국의 위협으로 인해 핵무기개발에 대한 유혹을 많이 받고 있는 국가들이다.

특히 북한의 핵실험과 미사일 발사에 가장 민감한 반응을 보이고 있는 국가는 일본이며, 북한의 핵실험 직후 일본에서는 대북 선제공격론이 높아지고 있는 등 민감한 반응을 보였다.

아소 다로 당시 일본 총리가 2009년 5월 26일 "적의 미사일 기지를 공격하는 것은 정당방위"라고 한 발언과 "북한의 미사일 공격에 대처하기 위해 미국의 안보 지원에만 의존하지 말고 독자적으로 적의 기지를 공격할 수 있는 능력을 갖춰야 한다"는 아베 신조 전 총리의 주장이 일본 국민의 인식을 대변하고 있다고 볼 수 있다.

아소 다로 전 총리는 2009년 6월, 도쿄에서 열린 이명박 대통령과의 정상회담에서 "북한 핵 문제가 심각해지면 일본 내부에서 핵무장을 해야 한다는 목소리가 강해질 것"이라고 말했다.

일본은 현재 50t가량의 플루토늄을 보유하고 있는 것으로 알려져 있다. 이는 핵탄두 수천 개를 만들 수 있는 양으로, 50kg 안팎으로 추정되는 북한 플루토늄 양의 1,000배에 달한다. 아베 전 총리는 "일본은 1주일 이내에 핵무기를 만들 수 있다"고 언급했다. 그리고 일본은 4t에 달하는 탄두를 우주로 쏘아 올릴 수 있는 미사일 발사능력도 갖추고 있다.

일본의 입장에서는 북한과 같은 예측 불가능한 국가가 핵미사일을 일본에 겨누고 있다는 사실을 묵과할 수 없는 일이다. 따라서 일본의 핵무장 추진은 언제든지 일어날 수 있는 일이라고 보아야한다.

우리나라도 1970년대 핵무기 개발을 시도한 적이 있으며, 현재 원자력 발전소에서 사용한 후 저장하고 있는 폐연료봉을 상당량 보유하고 있다. 우리나라가 미국과의 약속과 한반도비핵화선언에 따라 핵 재처리를 하지 않고 있지만 미국과의 재협상을 하고 이미 사문화된 비핵화선언을 포기한다면 바로 핵 재처리가 가능하다.

북한의 2차 핵실험 후 일부 국회의원들과 국민사이에서 우리나라도 핵무기를 개발해야한다는 여론이 강력하게 대두되었다. 많은 국민이 핵무기에는 핵무기 이외에 대처방안이 없다는 사실을 알고 있는 것이다.

현재 북한 핵무기보유에 우리가 기댈 수 있는 건 미국의 핵우산뿐이다. 그러나 미국의 핵우산이 언제든지 우리가 원하는 데로 작동할 것이냐에 대해 반신반의하는 국민들이 적지 않다. 미국은 1991년 한반도비핵화선언 추진을 뒷받침하기 위해 주한미군이 보유한 모든 핵무기를 철수한 상태이다. 한반도비핵화선언이 북한의 핵개발에 대한 통제력은 행사하지 못하고 우리나라 핵개발의 발목만을 잡아왔으며, 미국이 핵무기를 철수함으로서 핵우산공약만 약화시킨 셈이 되었다.

2009년 06월 17일, 이명박 대통령과 버락 오바마 미국 대통령이 북한 핵위협에 대한 미국의 한반도 핵우산을 포함한 '확장된 억지력'에 대한 한미 방위공약을 명문화했다.

북한의 핵실험으로 한국과 일본이 핵무장에 나설 수 있다는 관측이 제기되면서 대만의 핵개발 가능성에도 관심이 쏠리고 있다.

대만의 핵무장은 북한 핵보유와 맞물려 동북아 정세와 역학관계에 큰 변화를 가져올 중대 사안임에 틀림없다. 대만이 오랫동안 핵무기 보유를 희망해왔고 극비 핵개발 프로그램을 진행했었다는 것은 국제사회에서도 비밀이 아니다.

1960년대 말 대만은 플루토늄 실험실을 운용하면서 남아프리카공화국에서 100t의 우라늄광을 수입하고, 캐나다에서 연구용 핵 반응기를 반입하여 본격적으로 핵개발에 나섰다.1981년을 전후하여 이미 대만은 농축 우라늄 추출 기술을 확보했다. 따라서 기술수준으로 보면 대만이 당장 핵무장에 대한 결단을 내리면 단기간 내에 핵무기 몇 개 정도는 쉽게 만들 수 있을 것으로 평가되고 있다.

그러나 대만이 핵무기 개발에 나서는 것은 현재로선 쉽지 않은 것으로 전망된다. 대만의 비밀 핵개발 계획은 1992년 중수로가 미국에 의해 강제 폐기되면서 무산되었다.

IAEA는 2004년 대만에서 4차례의 핵사찰을 실시했으며, 미국도 대만의 원자력발전소의 핵연료를 정기적으로 조사하고 있다. 따라서 모든 핵연료는 미국에서 구입할 수밖에 없는 형편이다.

결국 대만은 미국의 묵인을 얻어야만 대만은 핵무기 개발계획을 추진할 수 있으나 자주국방의 틀 안에서 미국과 대립할 각오를 하고 정치적 결단을 내린다면 주변국의 핵 위협에 맞설 핵무기를 개발할 가능성이 아주 없는 것도 아니다.

이와 같이 동북아국가들은 당장 핵무기 개발가능성은 희박하지만 개발능력을 갖추고 있기 때문에 여건만 조성된다면 언제든지 핵개발에 뛰어들 것이다.

제 4 절 북한 핵 문제의 전망

한국은 북한 핵무기와 현존하는 핵 프로그램 및 탄도 미사일 프로그램의 완전하고 검증 가능한 폐기를 목표로 정책을 추진하고 있다. 이를 위해 6자 회담을 비롯한 주변강국과 적극적인 협력을 중심으로 세계 여러 나라와 국제적인 협력을 강화하고 있으며, 북한에 대해서는 핵 폐기와 경제원조를 일괄타결방식으로 접근하고 있다.

이명박 대통령이 2009년 9월 21일 뉴욕에서 공식화한 북 핵 일괄타결(grand bargain) 방안이 과거에 추진됐던 북한과의 '패키지 딜(package deal)'과 다른 점은 패키지 딜이 부분적, 단계적 협상전략이었다면 일괄 타결은 '원 샷(one shot) 딜'이라고 할 것이다. 이명박 정부의 대북정책 기조인 「비핵·개방·3000 구상」에는 대북 지원을 위해 400억 달러 규모의 국제협력자금을 조성하는 방안이 포함돼 있다.

그러나 일괄타결 시 핵무기 폐기의 대가로 북한이 원하고 있는 한반도 평화체제구축과 주한미군철수를 맞바꾼다고 한다면, 검증도 하기 힘든 북한의 핵 폐기 속임수에 말려들어 또다시 한국만 손해보고 마는 결과가 될까 우려하는 의견도 많다.

미 행정부의 대북한 정책기조는 확고하다. 미국은 북한의 핵무기 개발을 억제하기위한 국제적인 활동의 핵심적 역할을 하면서 북한을 회유하고 압박해 왔다. '1차 북 핵 위기'를 타개하기 위한 북미 단독회담에서 합의한 내용을 북한이 지키지 않자, '2차 북 핵 위기'시에는 북한에게 영향력을 행사할 수 있는 중국과 러시아를 포함한 6자회담의 틀을 만들어 북한의 비핵화를 위해 노력해 왔다.

오바마 행정부가 들어선 후에도 부시 행정부와 별다른 대북한 핵 정책의 변화가 없자 또다시 핵실험을 감행한 북한에 대해 오바마 행정부는 한반도 정책원칙을 발표하였다.

한반도 관련 4대 정책기조는 첫째, 한반도의 완전하고 검증 가능한 비핵화라는 미국의 목표는 변하지 않는다. 둘째, 북한을 절대 핵무기(보유) 국가로 인정하지 않는다. 셋째, 핵무기나 핵 물질이 국가나 비(非)국가 단체에

넘겨질 때는 미국과 동맹국에 심대한 위협이 될 것이므로 이런 행동에 대해 상응하는 결과가 뒤따르게 될 것이다. 넷째, 미국은 동맹국을 방어하기 위해 헌신하겠다는 내용이다.

북한은 김정일 집권 후 군부를 중심으로 한 선군정치를 펴고 있으며, 경제난으로 인한 체제불안정을 극복하기 위해 강성대국을 목표로 주민을 단합시키려 하고 있다.

북한은 1999년 강성대국 구상을 밝힌 이후 매년 단계를 높이다가 목표연도를 2012년으로 못 박았다. 김정일이 지향하는 강성북한의 핵과 미사일개발은 북한의 사활적 이익이 걸려있는 문제임과 동시에 북한의 자존심을 지키고 체제를 안정시키는 핵심적인 사업인 것이다.

북한은 관영매체를 통해 핵실험 사실을 공식적으로 확인하면서 자위적 핵억제력을 강화하기 위한 조치의 일환으로 지하 핵실험을 성공적으로 진행했다고 보도했다.

2009년 10월 5일, 김정일은 원자바오 중국 총리와 회담 시, 6자회담에 조건부로 복귀하겠다고 하면서 "한반도의 비핵화를 실현하자는 것은 김일성 주석의 유훈"이라고 거듭 강조하고, "우리 조선은 한반도의 비핵화라는 목표를 실현하기 위해 노력하겠다는 점에 변화가 없다"고 말했다.

북한은 핵무기를 개발하고 핵실험을 하면서도 비핵화를 실현하겠다고 하는 상투적인 말을 천연덕스럽게 하고 있는 것이다.

북한은 '핵개발 포기'라는 미끼로 6자회담의 틀을 깨고 한국을 제외한 가운데 미국과 단독회담을 추구하여 많은 경제적 실리를 획득하려는 시도를 하고 있다.

그러나 북한의 핵 포기 의지를 나타내는 징후는 아직 어디에도 보이지 않고 있다. 북한은 핵개발이 유일한 국가안보수단이라는 인식을 하고 있기 때문에 이를 포기한다는 것은 국가생존을 포기하는 것을 의미한다.

따라서 북한이 협상에 나선다고 하더라도 진정으로 핵개발을 포기하기 위한 것이 아니고 이를 이용하여 국제적인 위상확대와 정전협정폐기, 경제지원요청 등 정치·경제적인 이득을 챙기고 지속적으로 핵개발을 할 시간을 벌기 위한 수단일 것이다.

참고문헌

1. 국내 단행본

곤돌리자 라이스 외,장성민 편역, 「부시행정부의 한반도 리포트」 서울: 김영사 2001
구영록, 「한국의 국가이익」 범문사 1995
국방대학원, 「안보관계 용어집」 국방대학원 1991
국방백서, 「2004」 「2006」 「2008」 국방부 2004-2008
김달중, 「외교정책의 이론과 이해」 도서출판 오름 1999
김명, 「국가학」 박영사 1997
김병관. 「현대전의 실제」 현실적 지성 1999
김재목, 「북한 핵협상 드라마」 경당 1994
김태현, 「결정의 엣센스」 모음 북스 2005
김희상, 「21세기한국의 안보환경과 국가안보」 전광 2003
노병천, 「손자병법」 양서각 2005
리언 시걸, 구갑우 외(역), 「미국은 협력하려 하지 않았다」 사회평론 1999
마이클마자르 지음, 김태규 옮김, 「북한 핵 뛰어넘기」 홍림문화사 1996
박현모, 「국제정치학」 인간사랑 2000
백경남, 「국제관계사」 법지사 2001
백승기, 「정책학 원론」 대영문화사 2001
백종천, 「한국의 국가전략」 세종연구소 2004
백종천, 「작전권 문제의 발전방향」 국토동일원 1998
비상기획위원회, 「세계동원의 역사」 비상기획위원회 2004
비상기획위원회, 「위기관리사례」 비상기획위원회 1999

서근구, 「미국의 세계전략과 분쟁개입」 현음사 2008
스코트 스나이더, 안진환 · 이재봉 역 「벼랑끝 협상」 청년정신 2003
엘빈 토플러(김중웅 역), 「부의 미래」 청림출판 2006
역사학회, 전쟁과 정책학의 동북아의 국제질서」 일조각 2006
오성홍, 김영평, 「정책학의 주요이론」 법문사 2000
우명동, 「국가론」 해남 2005
육군본부, 「지상작전」 육군본부 1999
육군사관학교, 「국가안보론」 박영사 2005
육군사관학교, 「군사학 길라잡이」 양서각 2004
윤형호. 「전쟁론」 도서출판 한원 1994
이동훈, 「위기관리 사회학」 집문당 1999
이삼성, 「한반도 핵문제와 미국외교」 한길사 1994
이상우외, 「현대국제정치학」 나남 1992
이용필, 「위기관리론」 인간사랑 1992
이종은,조현수 역, 「현대정치이론」 까치 2006
이혁섭, 「한국 국제정치론」 일신사 1987
장용운, 「군사학 개론」 양서각 2006
장준익, 「북한 핵·미사일 전쟁」 서문당 1999
정정길, 「정책결정론」 대영출판사 1998
존 키건, 유병진 옮김, 「세계전쟁사」 까치 1996
전득주 외, 「대외 정책론」 박영사 2003
정옥임, 「북 핵 588일」 서울 프레스 1995
정춘일 외, 「위기관리 정비방안 연구」 한국국방연구원 1998
정토웅, 「전쟁사101장면」 가람기획 1997
정형근, 「21세기 동북아 신 국제질서와 한반도」 Book 2007
정호수, 「협상이야기」 발해 그 후 2008
조승옥 외, 「군대윤리」 도서출판 봉명 2003
조영갑, 「한국 위기관리이론」 팔복원 1995
하영선, 「21세기 평화학」 도서출판 풀빛 2002
황병우, 「NPT, 어떤 조약인가」 한울 1995

2. 논문

김덕기. "고르바초프의 합리적충분성 개념이 러시아 해군에 미친 영향" 「해양전략」 제94호(1997년 3월)

김도태, "북한의 핵협상 관련 전략전술 연구" 「협상연구」 제5권 제1호(서울; 한국 협상학회, 1999)

박선섭. " 중국이 보는 미래의 세계 안보환경" 「주간국방논단」 제8-7호(2000년 5월)

박용옥, "한국의 안보환경과 한•미동맹 현안과제" 「해양전략연구소 Newsletter」,NO 4(2003년 3월)

복거일, "중국사회의 근본적인 모순" 「한국경제」,1999년 11월9일

안광찬, "헌법상 군사제도에 관한 연구" (동국대 박사학위논문,2002)

안충준, "인도 · 파키스탄 지역 PKO에 관한 연구" (경기대 석사학위논문,1998)

정찬권, "국가위기관리체계 변화의 결정요인에 관한 연구" (숭실대 박사학위 논문,2006)

조남진, "북한 핵 위기관리 연구" (동국대 ,박사학위논문, 2004)

한국 안보문제연구소, "PKO활동연구" (한국안보문제 연구소, 2009)

함택영, "남북한의 군사력:사실과 평가방법" 「국제정치논총」 제37집 1호(1997)

3. 외국문헌

A. Books

Charles O. Jcnes, An Introduction of Study of Public Policy, (Miss : Duxbury Press), 1977.

Evants, Peter B. Jacobson. Harold k and Putnam, Robert D ed, Double-Edged Diplomacy: International Bargaining and Domestic Politics,(Berkeley. La. London: University of California press), 1993.

Gorge Alexander, ed, Avoiding War: Problem of crisis Management,(Boulder : Westive press), 1991.

Gottfried, Kurt and Blair, Bruce G, Crisis Stability and Nudear War, (New York: Oxford University press), 1998.

Joel. Wit, Daniel B. Poneman, Rovert L, Gollucci, Going Critical: The First North Korea Nuclear Crisis,(washington DC: Bookings), 2004.

Micheal J. Mazarr, North Korea and the Bomb, (New York: St.Martins press), 1995.

M, Nicolson, Rationality and Analysis of International Conflict, (Cambridge University press), 1992.

Lindblom Charles E. and Woodhouse, Edward J. The Policy-Making Process,(Englewood Cliffs : Presntice Hall), 1993.

Lindsay, James M, Congress and the Politisc of U.S. Foreign Policy, (Baltimore: The Johns Hopkins University Press), 1994.

Nelson, Michael, ed, The Presidency and the Political System, (Washington D.C.: Congressional Quarterly Inc), 1995.

Nincic, Miroslav, Democracy and Foreign Policy: The Fallacy of Political Realism, (New York: Columbia University Press), 1992.

R. Clutterbuck, International Crisis and Conflict, (New York, St. Martins), 1993.
Richardson, Crisis Diplomacy : The Great Power Since The Mid-Nineteenth Century, (Cambridge University Press), 1994.

Sinclair, Barbara, Legislators, Leaders, and Lawmaking: The U.S. House of Representatives in the Postreform Era, (Baltimore and London: The Johns Hopkins University Press), 1995.

Thurber, James A And Davidson, Roger H, Remaking Congress: Change and Stability in the 1990s (Washington D.C.: Congressional Quarterly Inc), 1995.

B. Article & Treatise

Allison, Grabam T. and Halperin, Morton, H., Bureaucratic Politics: A Paradigm and Some Policy Implications, in G. John Ikenberry, ed, American Foreign Policy: Theoretical Essays (Harper Collins Publishers, 1989).

Blix, Hans, The Non-Proliferation Outlook, Disarmament: A Periodic Review by the United Nations (Strengthening the NPT and the Nuclear Non-Proliferation Regime) Vol. XVI, No.e (New York: Unite Nations, 1993).

Bracken, Paul, Nuclear Weapons and State Survival in North Korea, Survival, Vol. 35, No.3 (Autumn, 1993).

Cotton, James, North Korea's Nuclear Ambitions, ADELPHY PAPER 275 (March, 1993).

Daniel Williams, "U. S. Consider Gradual Path on N. Korea", The Washington Post, (June 2, 1994).

David E. Sangr, "The Pyongyang Puzzles : North Korea Has to r Dosen't Have a Boob", The New York Times, (June 1, 1994).

Denisov, Valery, The Problem of Nuclear Nonproliferation in Korea, International Affairs, 1994.8, Moscow.

Don Phillips, "Sanction a First Stop N. S. Warn NK", the Washington Post, (April 4, 1994).

Gray Milhollion, High Stakes: North Korea Playing its Nuclear Poker Hand The Chicago Tribun, (June 7. 1994).

Jessica Mathews, "Paying Out the Hemit Kingdom", The Washington Post, (June 10, 1994).

Marilyn Greens and Lee Michael Kats, "Little Optimism of Avoding", USA Today, (June 2, 1994).

Max Weber, "Politics as a Vocation," in H. H. Gerth and C. Wright Mills (ed.), From Max Weber: Essays in Sociology (London: RKP, 1948)

Micheal R. Gordon with David E. Sanger, "North Korea's Huge Military Spurs New Strategy in South", The New Times, (February 6, 1994).

Nicolas Everstdt, "Tear Down This Tyranny", The Weekly Standard(November 29, 2004).

Poul Shin, "N-Korea Report Treat of War Over Sanctions by U. N", The Washington Times, (June 7, 1994).

Peter Grier, US Notches Up The Pressure On North Korea : Strategies to Avoid Cornering Pyongyang", The Christian Science Monitor, (March 24, 1994).

Richard W. Stevenson, "U. S-North Korea Meeting Yields Some Gains On Atms", The New York Times, (June 18, 1993).

R. Jettery Smith, "U. S. Weighs N. Korean Incentives : New Approach Taken on Nuclear Inspection," The Washington Post, (November 17, 1993).

R. Jettery Smith, "U. S. Analysts Are Pessimistic on Korea Nuclear Inspection", The Washington Post, (December 3, 1993).

R. Jettery Smith and Derroy, "Clinton Orders Patriot Missles to South Korea", The Washington Post, (March 22, 1994).

Sang Hoon Park, "North Korea and the Challenge to the US-South Korean Alliance", Survival. Vol. 38, No 2, (Summer, 1994).

Stephen Barr and Lena H. Sun, "Ching's Cooperation on North Korea Seen, Christoper Experts No Blocking Move", The Washington Post, (March 21, 1994).

Steve Komarow and Marilyn Greene, "U. S. Fear : N-Arms Industry in N. Korea", USA Today (June 2, 1994).

Schirmer, Daniel B. North Korea: The Pentagon & Issues of war and Peace in the Asia-Pacific Region, Monthly Review, Vol.46, (July-August 1994).

Shinn, Rinn-sup & Sutter, Robert G. South Korea Under Kim Young Sam: Trends, Nuclear and Other Issues, Crs Report for Congress, (July 27, 1994).

Simpson, John, Nuclear Non-proliferation in the Post-Cold War Era, International Affairs, Vol.70, No.1 (January, 1994).

부록 I
안보관련 약어 모음

APEC(Asia-Pacific Economic Cooperation) 아시아태평양 경제협력체
ARF(ASEAN Regional Forum) 아세안지역 안보포럼
ASEAN(Association of South-East Asian Nations) 동남아 국가 연합
ASEM(Asia-Europe Meeting) 아시아-유럽 정상회의
BWC(Biological Weapons Convention) 생물무기금지조약
CBM(Confidence Building Measures) 신뢰구축
CFC(Combined Forces Command) 한미연합사령부
CFE(The Treaty on Conventional Armed Forces in Europe) 유럽 재래식 무기 삼축소약
CIA(Central Intelligence Agency) 미국 중앙정보국
CIS(Commonwealth of Independent States) 독립국가연합
C4I(Command Control Communication & Intelligence) 지휘, 통제, 통신, 컴퓨터 및 정보
CODA(Combined Delegated Authority) 연합권한위임사항
CRS(Command Relation Study) (한 · 미) 지휘관계연구
CSCE(Conference on Security and Cooperation in Europe) 유럽 안전보장협력회의
CVID(Complete, Verifiable, Irreversible Dismantlement)
완전하고 검증가능하며 돌이킬 수 없는 폐기
CWC(Chemical Weapons Convention) 화학무기금지조약
Defcon(Defensive Condition) 방어준비태세
DOD(Department of Defense) 미국방부
DHS(Department of Homeland Security) 미국 국토안보부
DNI(Director of National Intelligence) 미국 국가정보 국장실
EASI(East Asia Security Initiative) 동아시아 안보구상

EBO(Effects Based Operation) 효과중심작전
EU(European Union) 유럽연합
GPR(Global Defense Posture Review) 해외주둔 미군 재배치 구상
HEU(High Enriched Uranium) 고농축우라늄
IAEA(International Atomic Energy Agency) 국제 원자력 기구
ICBM(Inter Continental Ballistic Missile) 대륙 간 탄도미사일
IRBM(Intermediate Range Ballistic Missile) 중거리 탄도미사일
JSA(Joint Security Area) 공동경비구역
MBFR(Mutual and Balanced Force Reduction) (동 · 서 유럽) 상호균형 병력 감축
MCM(Military Committee Meeting) 한미군사위원회
MCRC(Master Control & Reporting Center) 중앙방공관제소
MDL(Military Demarcation Line) 군사분계선
MIRV(Multiple Independently-targeted Reentry Vehicle) 다탄두 미사일
MND(Ministry of National Defense) 국방부(한국)
MNF(Multi-National Forces) 다국적군
MRBM(Medium Range Ballistic Missile) 중거리 탄도미사일
MTCR(Missile Technology Control Regime) 미사일 기술통제 체제
NATO(North Atlantic Treaty Organization) 북대서양조약기구
NCND(Neither Confirm Nor Deny) 긍정도 부정도 하지 않는 것
NCW(Network Centric Warfare) 네트워크 중심전
NGO(Non-Governmental Organization) 비정부기구
NLL(Northern Limit Line) 북방한계선
NMD(National Missile Defense) 국가 미사일방어
NPT(Nuclear Non-Proliferation Treaty) 핵확산금지조약
NSC(National Security Council) 국가안전보장회의
NSS(National Security Strategy) 국가안보전략
OAS(Organization of American States) 미주 기구
OPCW(Organization for the Prohibition of Chemical Weapons) 화학무기금지기구
PKF(Peace keeping Forces) 평화유지군
PKO(Peace Keeping Operation) 평화유지활동
PLO(Palestine Liberation Organization) 팔레스타인 해방기구
OSCE(Organization for Security and Co-operation in Europe) 유럽안보협력기구
PSI(Proliferation Security Initiative) 대량살상무기 확산방지구상
QDR(Quadrennial Defense Report) 4개년 방위전략 보고서
R&D(Research and Development) 연구개발
RIMPAC(Rim of the Pacific Exercise) 환태평양 해군 합동 연습
RMA(Revolution in Military Affairs) 군사혁신

SLAT(Strategic Arms Limitation Talks) 전략무기제한회담
SLBM(Submarine-Launched Ballistic Missile) 잠수함 발사 탄도미사일
SCM(Security Consultative Meeting) 한미안보협의회의
SOFA(Status Of Forces Agreement) 주한미군지위협정
SPI(Security Policy Initiative) 한미안보정책구상
START(Strategic Arms Reduction Talks) 전략무기 감축회담
TMD(Theater Missile Defense) 전구 미사일 방어
UN(United nations) 국제연합
WMD(Weapons of Mass Destruction) 대량살상무기
WTO(Warsaw Treaty Organization) 바르샤바조약기구

부록 II
한일병합조약 전문

한국 황제폐하와 일본국 황제폐하는 양국 간의 특수하고 친밀한 관계를 회고하여 상호행복을 증진하며 동양의 평화를 영구히 확보코자 하는 바 이 목적을 달성하기 위하여서는 한국을 일본제국에 병합함만 같지 못한 것을 확신하여 이에 양국 간에 병합조약을 체결하기로 결하고 일본국황제폐하는 통감 자작사내정의 한국 황제폐하는 내각총리대신 이완용을 명기 전권위원으로 임명함.

이 전권위원은 회동협의한 후 좌의 제조를 협정함

1. 한국 황제폐하는 한국전부에 관한 일절의 통치권을 완전하고도 영구히 일본국황제폐하에게 양여함.
2. 일본국황제 폐하는 전 조에 게재한 양여를 수락하고 또 전연 한국을 일본국에 병합함을 승낙함.
3. 일본국황제 폐하는 한국 황제폐하 · 태황제폐하 · 황태자폐하와 그 후비 및 후예로 하여금 명기 지위에 응하여 상당한 존칭 · 위엄 그리고 명예를 향유케 하며 또 이를 보지하기에 충분한 세비를 공급할 것을 약함.
4. 일본 황제폐하는 전 조 이외의 한국 황족과 그 후예에 대하여 명기 상당한 명예와 대우를 향유케 하며 또 이를 유지하기에 필요한 자금을 공여할 것을 약함.
5. 일본국황제 폐하는 훈공 있는 한인으로서 특히 표창을 행함이 적당하다고 인정되는 자에 대하여 영작을 수여하고 또 은금을 여할것.
6. 일본국정부는 전기병합의 결과로서 전연 한국의 시정을 담임하고 동지에 시행하는 법규를 준수하는 한인의 신체와 재산에 대하여 충분한 보호를 하며 또 기 복리의 증진

을 도모할 것.

7. 일본국정부는 성의와 충실로 신제도를 존중하는 한인으로서 상당한 자격이 있는 자를 사정이 허하는 한에서 한국에 있는 제국관리로 등용할 것.
8. 본 조약은 일본국 황제폐하와 한국 황제폐하의 재가를 경한 것으로 공시일로부터 시행함.

우 증거로 양 전권위원은 본 조약에 기명 조인하는 것이다.

융희 4년 8월 22일 내각총리대신 이완용 인
명치 43년 8월 22일 통감 자작 사내정의 인

부록 Ⅲ 한미동맹 관련자료

Ⅲ-1. 한미상호방위조약 전문

1953. 10. 1. 워싱턴에서 서명

1954. 11. 18. 발표

본 조약의 당사국은 모든 국민과 모든 정부와 평화적으로 생활하고자 하는 희망을 재인식하며 또한 태평양지역에 있어서의 평화기구를 공고히 할 것을 희망하고 당사국 중 어느 일방이 태평양지역에 있어서 고립하여 있다는 환각을 어떠한 잠재적 침략자도 가지지 않도록 외부로부터의 무력공격에 대하여 그들 자신을 방위하고자 하는 공통의 결의를 공공연히 또한 정식으로 선언할 것을 희망하고 또한 태평양지역에 있어서 더욱 포괄적이고 효과적인 지역적 안전보장 조직이 발생될 때까지 평화와 안전을 유지하고자 집단적 방위를 위한 노력을 공고히 할 것을 희망하여 다음과 같이 합의한다.

제 1 조

당사국은 관련될지도 모르는 어떠한 국제적 분쟁이라도 국제적 평화와 안전과 정의를 위태롭게 하지 않는 방법으로 평화적 수단에 의하여 해결하고 또한 국제관계에 있어서 국제연합의 목적이나 당사국이 국제연합에 대하여 부담한 의무에 배치되는 방법으로 무력에 의한 위협이나 무력의 행사를 삼가할 것을 약속한다.

제 2 조

당사국 중 어느 일방의 정치적 독립 또는 안정이 외부로부터의 무력침공에 의하여 위협을 받고 있다고 어느 당사국이든지 인정할 때에는 언제든지 당사국은 서로 협의한다. 당사국은 단독적으로나 공동으로나 자조와 상호원조에 의하여 무력공격을 방지하기 위한 적절한 수단을 지속하여 강화시킬 것이며, 본 조약을 실행하고 그 목적을 추진할 적절한 조치를 협의와 합의하에 취할 것이다.

제 3 조

각 당사국은 타 당사국의 행정관리하에 있는 영토 또한 금후 각 당사국이 타 당사국의 행정관리 하에 합법적으로 들어갔다고 인정하는 영토에 있어서 타 당사국에 대한 태평양지역에 있어서의 무력공격을 자국의 평화와 안전을 위태롭게 하는 것이라고 인정하고 공통한 위험에 대처하기 위하여 각자의 헌법상의 수속에 따라 행동할 것을 선언한다.

제 4 조

상호합의에 의하여 결정된 바에 따라 미합중국의 육군, 해군과 공군을 대한민국의 영토내와 그 주변에 배치하는 권리를 대한민국은 이를 허여(許與)하고 미합중국은 이를 수락한다.

제 5 조

본 조약은 대한민국과 미합중국에 의하여 각자의 헌법상의 절차에 따라 비준되어야 하며, 그 비준서가 양국에 의하여 워싱턴에서 교환되었을 때에 효력을 발생한다.

제 6 조

본 조약은 무기한으로 유효하다. 어느 당사국이든지 타 당사국에 통고한 일년 후에 본 조약을 종지시킬 수 있다.

이상의 증거로서 하기 전권위원은 본 조약에 서명하였다.

본 조약은 1953년 10월 1일 워싱턴에서 한국문과 영문의 2통으로 작성되었다.

대한민국을 위하여 변영태
미합중국을 위하여 존 포스터 델레스

Ⅲ-2 한국에 대한 군사 및 경제원조에 관한 대한민국과 미합중국간의 합의의사록

1954년 11월 17일 서울에서 서명

1954년 11월 17일 발효

1955년 8월 12일 워싱턴에서 수정

1955년 8월 12일 수정발효

대한민국과 미합중국의 공동이익은 긴밀한 협조를 계속 유지하는데 있는바 이는 상호 유익함을 입증하였으며 자유세계가 공산침략에 대하여 투쟁하며 자유로운 생존을 계속하고자 하는 결의를 위하여 중요한 역할을 한 것이다.
따라서,

대한민국은 다음 사항을 이행할 의도를 가지고 있으며 또한 이를 그의 정책으로 삼는다.

1. 한국은 국제연합을 통한 가능한 노력을 포함하는 국토통일을 위한 노력에 있어서 미국과 협조한다.
2. 국제연합사령부가 대한민국의 방위를 위한 책임을 부담하는 동안 대한민국국군을 국제연합사령부의 작전지휘권하에 둔다. 그러나 양국의 상호적 및 개별적 이익이 변경에 의하여 가장 잘 성취될 것이라고 협의 후 합의되는 경우에는 이를 변경할 수 있다.
3. 경제적 안정에 배치하지 않고 이용할 수 있는 자원 내에서 효과적인 군사계획의 유지를 가능케 하는 부록 B에 규정된 바의 국군병력기준과 원칙을 수락한다.
4. 투자기업의 사유제도를 계속 장려한다.
5. 미국의 법률과 원조계획에 일반적으로 적용되는 관행에 부합하는 미국정부의원조자금의 관리를 위한 절차에 협조한다.
6. 부록 A에 제시된 것을 포함하여 경제계획을 유효히 실시함에 필요한 조치를 취한다.

대한민국이 실현하겠다고 선언한 조건에 기하여 미합중국은 다음 사항을 이행할 의도를 가지고 있으며 또한 이를 그의 정책으로 삼는다.

1. 1955회계년도에 총액 7억불에 달하는 계획적인 경제원조 및 직접적 군사원조로써 대한민국이 정치적, 경제적 및 군사적으로 강화되도록 원조하는 미국의 계획을 계속한다. 이 금액은 1955회계년도의 한국에 대한 원조액으로 기왕에 미국이 상상하였던 액

보다 1억불 이상을 초과하는 것이다. 이 총액 중 한국민간구호계획의 이월금과 국제연합 한국재건단에 대한 미국의 거출금을 포함하는 1955회계년도의 계획적인 경제원조금액은 약2억8천만 불에 달한다(1955회계년도의 실제지출은 약2억5천만 불로 예상된다).

2. 양국정부의 적당한 군사대표들에 의하여 작성될 절차에 따라 부록 B에 약술한 바와 같이 예비군제도를 포함한 증강된 대한민국의 군비를 지원한다.
3. 대한민국의 군비를 지원하기 위한 계획을 실시함에 있어서 대한민국의 적당한 군사대표들과 충분히 협의한다.
4. 대한민국에 대한 도발에 의하지 않는 침공이 있을 경우에는 미국의 헌법절차에 의거하여 침략자에 대하여 그 군사력을 사용한다.
5. 필요한 국회의 승인을 조건으로 하여 한국의 재건을 위한 경제계획을 계속 추진한다.

1954년 11월 17일 대한민국 서울에서

대한민국외무부장관 변 영 태

대한민국주재미합중국대사 에리스. 오. 브릭스

한미합의의사록부록 A

효과적인 경제계획을 위한 조치

대한민국은 경제계획을 효과적인 것으로 하기 위하여 다음 사항을 포함하는 필요한 조치를 취한다.

1. 환율에 관하여는, 대한민국정부의 공정환율과 대충자금환율을 180대1로 하고, 한국은행을 통하여 불화를 공매함으로써 조달되는 미국군의 환화차출금에 충당하기 위하여 공정환율과 상이한 현실적인 환율로 교환되는 불화교환에 관하여 미국이 제의한 절차에 동의하며, 일반적으로 원조물자도 유사한 환율에 의한 가격으로 한국경제에 도입함으로써 그러한 재원의 사용으로부터 한국경제와 한국예산에 대한 최대한도의 공헌을 얻도록 한다. 미국에 의한 환화차출에 관한 현존협정들의 운영은 전기한 조치가 실제에 있어서 양국정부에게 다 같이 만족하게 실시되는 한 이를 정지한다.
2. 미국이 현물로 공여하지 않은 원조계획을 위한 물자는 어떠한 비공산주의 국가에서든지 소요의 품질의 물자를 최저가격으로 구입할 수 있는 곳에서 구매하는데 동의한다(이는 세계적인 경제가격에 의한 가능한 최대한의 구매를 한국에서 행함을 목적으로 하는 것임).
3. 한국자신의 보유외화의 사용을 위한 계획에 관한 적절한 정보를 관계미국대표들에게 제공한다.
4. 한국예산을 균형화하고 계속하여 "인플레"를 억제하기 위한 현실적인 노력을 행한다(양국정부의 목적하는 바는 한국예산을 "인플레"를 억제할 수 있는 방식으로 발전시키는데 있다).

1954년 11월 17일자 합의의사록에 대한 수정

1954년11월17일에 서명된 대한민국정부와 미합중국정부간의 합의의사록 부록 A의 제1항은 1955년8월15일자로 다음과 같이 수정된다.
대한민국정부 및 그 기관의 모든 외환거래를 위한 환율로써 1955년8월15일자로 대한민국에 의하여 제정될 미화 1불대 5백환의 공정환율은 한국으로 물자 및 역무를 도입하기 위하여 공여되는 미국의 원조에 대하여 다음 것을 제외하고 적용된다.

(가) 미국원산인 석탄은 1956년6월30일에 종료될 회계연도기간 중 공정환율의 40%이상에 해당하는 환율로 가격을 정할 수 있다.
(나) 비료는 즉시 공정환율의 50%이상에 해당하는 환율로 가격을 정할 수 있으나 1956년

1월1일 이후에는 공정환율로 인상하여야 한다.

(다) 이윤을 목적으로 하지 않는 사업을 위한 투자형의 물품

(라) 구호물자

이윤을 목적으로 하는 사업을 위한 투자형물품에 대하여는 합동경제위원회가 차등환율 또는 보조금의 형식을 통하여 감율을 건의하지 않는 한 공정환율로 가격을 정한다.

공정환율은 미국군에 의한 환화구입에 적용된다.

미합중국정부는 한국의 안정된 경제상태를 발전시키기 위한 대한민국정부의 노력에 대하여 이 목적을 위하여 이용할 수 있는 자원의 범위내에서 협조한다. 이 점에 관하여 양국정부는 신속한 행동에 의하여 원조계획을 조속히 완성으로 이끌어야 한다는 목적에 대하여 특별한 관심을 경주한다.

1954년11월17일자의 합의의사록 부록 A에 대한 이 개정의 효력발생일자 이전에 존재하였던 미국에 의한 환화취득에 관한 협정들은 원합의의사록 부록 A의 제1항에서 원래 승인하였던 협정을 포함하여 전기한 조치가 실제에 있어서 양국정부에게 다 같이 만족하게 실시되는 한 이를 정지한다.

1955년 8월 12일 미국 워싱턴에서

대한민국정부를 위하여: 양 유 찬

미합중국정부를 위하여: 월터 에스 로버트슨

Ⅲ-3. SOFA 한미행정협정 전문

대한민국과 아메리카 합중국의 상호방위조약
제4조에 의한 시설과 구역 및 대한민국에서의 합중국 군대의 지위에 관한 협정

1966년 7월 9일 서울에서 서명
1967년 2월 9일 발효

아메리카 합중국은 1950년 6월 25일, 1950년 6월 27일 및 1950년 7월 7일의 국제 연합 안전보장이사회의 제결의와 1953년 10월 1일에 서명된 대한민국과 아메리카 합중국간의 상호방위 조약 제4조에 따라, 대한민국의 영역내 및 그 부근에 동 군대를 배치하였음에 비추어, 대한민국과 아메리카 합중국은 양국가간의 긴밀한 상호 이익의 유대를 공고히 하기 위하여, 시설과 구역 및 대한민국에서의 합중국 군대의 지위에 관한 본 협정을 아래와 같이 체결하였다.

제1조 정의(Definitions)

본 협정에 있어서,

(가) "합중국 군대의 구성원" 이라 함은 대한민국의 영역안에 있는 아메리카 합중국의 육군, 해군 또는 공군에 속하는 인원으로서 현역에 복무하고 있는 자를 말한다. 다만, 합중국 대사관에 부속된 합중국 군대의 인원과 개정된 1950년 1월 26일자 군사고문단 협정에 그 신분이 규정된 인원을 제외한다.

(나) "군속" 이라 함은 합중국의 국적을 가진 민간인으로서 대한민국에 있는 합중국 군대에 고용되거나 동 군대에 근무하거나 또는 동반하는 자를 말하나, 통상적으로 대한민국에 거주하는 자, 또는 제 15조 제1항에 규정된 자는 제외한다. 본 협정의 적용에 관한 한, 대한민국 및 합중국의 이중국적자로서 합중국에 의하여 대한민국에 들어온 자는 합중국 국민으로 간주한다.

(다) "가족" 이라 함은 다음의 자를 말한다.

(1) 배우자 및 21미만의 자녀,

(2) 부모 및 21세 이상의 자녀 또는 기타 친척으로서 그 생계비 반액 이상을 합중국 군대의 구성원 또는 군속에 의존하는 자.

제2조 시설과 구역 - 공여와 반환(Facilities and Areas - Grant and Return)

1. (가)합중국은 상호방위조약 제4조에 따라 대한민국 안의 시설과 구역의 사용을 공여받는다. 개개의 시설과 구역에 관한 제 협정은 본 협정 제28조 규정된 합동위원회를 통하여 양 정부가 이를 체결해야 한다. "시설과 구역" 은, 소재의 여하를 불문하고,

그 시설과 구역의 운영에 사용되는 현재의 설비, 비품 및 정착물을 포함한다.

(나)본 협정의 효력 발생 시에 합중국 군대가 사용하고 있는 시설과 구역 및 합중국 군대가 이러한 시설과 구역을 재사용할 때에 합중국의 군대가 이를 재사용한다는 유보권을 가진 채 대한민국에 반환한 시설과 구역은, 전기(前記) (가)항에 따라 양 정부 간에 합의된 시설과 구역으로 간주한다. 합중국 군대가 사용하고 있거나 재사용권을 가지고 있는 시설과 구역에 관한 기록은 본 협정의 효력 발생 후에도 합동위원회를 통하여 이를 보존한다.

2. 대한민국 정부와 합중국 정부는, 어느 일방 정부의 요청이 있을 때에는, 이러한 협정을 재검토하여야 하며, 또한 이러한 시설과 구역이나 그 일부를 대한민국에 반환하여야 할 것인지의 여부 또는 새로이 시설과 구역을 제공하여야 할 것인지의 여부에 대하여 합의할 수 있다.
3. 합중국이 사용하는 시설과 구역은 본 협정의 목적을 위하여 더 필요가 없게 되는 때에는 언제든지 합동위원회를 통하여 합의되는 조건에 따라 대한민국에 반환되어야 하며, 합중국은 그와 같이 반환한다는 견지에서 동 시설과 구역의 필요성을 계속 검토할 것에 동의한다.
4. (가)시설과 구역이 일시적으로 사용되지 않고 또한 대한민국 정부가 이러한 통고를 받은 때에는, 대한민국 정부는 잠정적으로 이러한 시설과 구역을 사용할 수 있거나 또는 대한민국 국민으로 하여금 사용시킬 수 있다. 다만, 이러한 사용은 합중국 군대에 의한 동 시설과 구역의 정상적인 사용 목적에 유해하지 않을 것이라는 것이 합동위원회에 의하여 양 정부간에 합의되는 경우에 한한다.

   (나) 합중국 군대가 일정한 기간에 한하여 사용할 시설과 구역에 관하여는, 합동위원회는 이러한 시설과 구역에 관한 협정중에 본 협정의 규정이 적용되지 아니하는 한계를 명기하여야 한다.

제3조 시설과 구역 – 보안조치(Facilities and Areas – Security Measures)

1. 합중국은 시설과 구역 안에서 이러한 시설과 구역의 설정, 운영, 경호 및 관리에 필요한 모든 조치를 취할 수 있다. 대한민국 정부는, 합중국 군대의 지원, 경호 및 관리를 위하여 동 시설과 구역에의 합중국 군대의 출입의 편의를 도모하기 위하여, 합중국 군대의 요청과 합동위원회를 통한 양 정부간의 합의에 따라, 동시설과 구역에 인접한 또는 그 주변의 토지, 영해 및 영공에 대하여, 관계 법령의 범위 내에서 필요한 조치를 취하여야 한다. 합중국은 또한 합동위원회를 통한 양 정부간의 협의에 따라 전기(前記)의 목적상 필요한 조치를 취할 수 있다.
2. (가) 합중국은, 대한민국의 영역으로의, 영역으로부터의 또는 영역 안의 항해, 항공, 통신 및 육상교통을 불필요하게 방해하는 방법으로 제1항에 규정된 조치를 취하지 아니할 것에 동의한다.

   (나) 전자파 방사 장치용 라디오 주파수 또는 이에 유사한 사항을 포함한 전기통신에

관한 모든 문제는 양 정부의 지정 통신당국 간의 약정에 따라 최대의 조정과 협력의 정신으로 신속히 계속 해결하여야 한다.

(다) 대한민국 정부는, 관계법령과 협정의 범위 내에서, 전자파 방사에 민감한 장치, 전기통신 장치, 또는 합중국의 군대가 필요로 하는 기타 장치에 대한 방해를 방지하거나 제거시키기 위한 모든 합리적인 조치를 취하여야 한다.

3. 합중국 군대가 사용하고 있는 시설과 구역에서의 운영은 공공 안전을 적절히 고려하여 수행되어야 한다.

제4조 시설과 구역 – 시설의 반환(Facilities and Areas – Return of Facilities)

1. 합중국 정부는, 본 협정의 종료 시나 그 이전에 대한민국 정부에 시설과 구역을 반환할 때에, 이들 시설과 구역이 합중국 군대에 제공되었던 당시의 상태로 동 시설과 구역을 원상 회복 하여야 할 의무를 지지 아니하며, 또한 이러한 원상회복 대신으로 대한민국 정부에 보상하여야 할 의무도 지지 아니한다.
2. 대한민국 정부는 본 협정의 종료 시나 그 이전의 시설과 구역의 반환에 있어서, 동 시설과 구역에 가하여진 어떠한 개량에 대하여 또는 시설과 구역에 잔류한 건물 및 공작물에 대하여 합중국 정부에 어떠한 보상도 행할 의무를 지지 아니한다.
3. 전 2항의 규정은, 합중국 정부가 대한민국 정부와의 특별한 약정에 의거하여 행할 수 있는 건설 공사에는 적용되지 아니한다.

제5조 시설과 구역 – 경비와 유지(Facilities and Areas – Cost and Maintenance)

1. 합중국은, 제2항에 규정된 바에 따라 대한민국이 부담하는 경비를 제외하고는, 본 협정의 유효 기간 동안 대한민국에 부담을 과하지 아니하고 합중국 군대의 유지에 따르는 모든 경비를 부담하기로 합의한다.
2. 대한민국은, 합중국에 부담을 과하지 아니하고, 본 협정의 유효 기간 동안 제2조 및 제3조에 규정된 비행장과 항구에 있는 시설과 구역처럼 공동으로 사용하는 시설과 구역을 포함한 모든 시설, 구역 및 통행권을 제공하고, 상당한 경우에는 그들의 소유자와 제공자에게 보상하기로 합의한다. 대한민국 정부는, 이러한 시설과 구역에 대한 합중국 정부의 사용을 보장하고, 또한 합중국 정부 및 그 기관과 직원이 이러한 사용과 관련하여 제기할 수 있는 제3자의 청구권으로부터 해를 받지 아니하도록 한다.

제6조 공익사업과 용역(Utilities and Services)

1. 합중국 군대는 대한민국 정부 또는 그 지방 행정 기관이 소유, 관리 또는 규제하는 모든 공익사업과 용역을 이용한다. “공익사업과 용역”이라 함은 수송과 통신의 시설 및 기관, 전기, 가스, 수도, 스팀, 전열, 전등, 동력 및 하수 오물 처리를 포함하되, 이것에만 한정하는 것은 아니다. 본 항에 규정된 공익사업과 용역의 이용은 합중국이

군용 교통 시설, 통신, 동력 및 합중국 군대의 운영에 필요한 기타 공익사업과 용역을 운영하는 권리를 침해하는 것은 아니다. 전기(前記) 권리는 대한민국 정부에 의한 동 정부의 공익사업과 용역의 운영과 합치하지 아니하는 방법으로 행사되어서는 아니 된다.
2. 합중국에 의한 이러한 공익사업과 용역의 이용은 어느 타이용자에게 부여된 것보다 불리하지 아니한 우선권, 조건 및 사용료나 요금에 따라야 한다.

제7조 접수국 법령의 존중(Respect of Local Law)

합중국 군대의 구성원, 군속과 제15조에 따라 대한민국에 거주하고 있는 자 및 그들의 가족은 대한민국 안에 있어서 대한민국의 법령을 존중하여야 하고, 또한 본 협정의 정신에 위배되는 어떠한 활동, 특히 정치적 활동을 하지 아니하는 의무를 진다.

제8조 출입국(Entry and Exit)

1. 본 조의 규정에 따를 것을 조건으로, 합중국은 합중국 군대의 구성원, 군속 및 그들의 가족인 자를 대한민국에 입국시킬 수 있다. 대한민국 정부는 양 정부 간에 합의될 절차에 따라 입국자와 출국자의 수 및 종별을 정기적으로 통고받는다.
2. 합중국 군대의 구성원은 여권 및 사증에 관한 대한민국 법령의 적용으로부터 면제된다. 합중국 군대의 구성원, 군속 및 그들의 가족은 외국인의 등록 및 관리에 관한 대한민국 법령의 적용으로부터 면제된다. 그러나, 대한민국 영역 안에서 영구적인 거소 또는 주소를 요구할 권리를 취득하는 것으로 인정되지 아니한다.
3. 합중국 군대의 구성원은 대한민국에 입국하거나 대한민국으로부터 출국함에 있어서, 다음의 문서를 소지하여야 한다.
   (가) 성명, 생년월일, 계급과 군번 및 군의 구분을 기재하고 사진을 첨부한 신분증명서 및
   (나) 개인 또는 집단의 합중국 군대의 구성원으로서 가지는 지위 및 명령받은 시행을 증명하는 개별적 또는 집단적 시행의 명령서.
   합중국 군대의 구성원은 대한민국에 있는 동안, 그들의 신분을 증명하기 위하여 전기(前記) 신분증명서를 소지하여야 하며, 동 신분증명서는 대한민국의 관계 당국이 요구하면 이를 제시하여야 한다.
4. 군속, 그들의 가족 및 합중국 군대의 구성원의 가족은 합중국 당국이 발급한 적절한 문서를 소지하여, 대한민국에 입국하거나 출국함에 있어서 또한 대한민국에 체류할 동안, 그들의 신분이 대한민국 당국에 의하여 확인되도록 하여야 한다.
5. 본조 제1항에 따라 대한민국에 입국한 자가 그 신분의 변경으로 인하여 전기(前記) 입국의 자격을 가지지 못하게 된 경우에는, 합중국 당국은 대한민국 당국에 이를 통고하여야 하며 또한 그자가 대한민국으로부터 퇴거할 것을 대한민국 당국이 요청한 경우에는 대한민국 정부의 부담에 의하지 아니하고 상당한 기간내에 대한민국으로부터 수송하는 것을 보장하여야 한다.

6. 대한민국 정부가 합중국 군대의 구성원 또는 군속을 그 영역으로부터 이송시킬 것을 요청하거나 합중국 군대의 전(前) 구성원 또는 전(前) 군속에 대하여, 또는 이러한 군대구성원, 군속, 전(前) 구성원 또는 전(前) 군속들의 가족에 대하여 추방 명령을 한 경우에는, 합중국 당국은 그 자를 자국의 영역안에 받아들이거나 그러하지 아니하면 그 자를 대한민국 영역 밖으로 내보내는 책임을 진다. 본 항의 규정은 대한민국의 국민이 아닌 합중국 군대의 구성원이나 군속의 자격으로, 또는 그러한 자가 될 목적으로 대한민국에 입국한 자 및 이러한 자의 가족에 대하여서만 적용한다.

제9조 통관과 관세(Customers and Duties)

1. 합중국 군대의 구성원, 군속 및 그들의 가족은, 본 협정에서 규정된 경우를 제외하고는, 대한민국 세관 당국이 집행하고 있는 법령에 따라야 한다.
2. 합중국 군대(동군대의 공인조달기관과 제13조에 규정된 비세출자금기관을 포함한다)가 합중국 군대의 공용을 위하거나 또는 합중국 군대, 군속 및 그들의 가족의 사용을 위하여 수입하는 모든 자재, 수용품 및 비품과 합중국 군대가 전용할 자재, 수용품 및 비품 또는 합중국 군대가 사용하는 물품이나 시설에 최종적으로 합체될 자재, 수용품 및 비품은 대한민국에의 반입이 허용된다. 이러한 반입에는 관세 및 기타의 과징금이 부과되지 아니한다. 전기(前記)의 자재, 수용품 및 비품은 합중국 군대(동 군대의 공인조달기관과 제13조에 규정된 비세출자금기관을 포함한다)가 수입한 것이라는 뜻의 적당한 증명서를 필요로 하거나, 또는 합중국 군대가 전용할 자재, 수용품 및 비품 또는 동 군대가 사용하는 물품이나 시설에 최종적으로 합체될 자재, 수용품 및 비품에 있어서는, 합중국 군대가 전기(前記)의 목적을 위하여 수령할 뜻의 적당한 증명서를 필요로 한다. 본 항에서 규정된 면제는 합중국 군대가 동 군대로부터 군수 지원을 받는 통합사령부 산하 주한 외국 군대의 사용을 위하여 수입한 자재, 수용품 및 비품에도 적용한다.
3. 합중국 군대의 구성원, 군속 및 그들의 가족에게 탁송되고 또한 이러한 자들의 사용에 제공되는 재산에는 관세 및 기타의 과징금을 부과한다. 다만, 다음의 경우에는 관세 및 기타의 과징금을 부과하지 아니한다.
   (가) 합중국 군대의 구성원이나 군속이 대한민국에서 근무하기 위하여 최초로 도착한 때에, 또한 그들의 가족이 이러한 군대의 구성원이나 군속과 동거하기 위하여 최초로 도착한 때에, 사용을 위하여 수입한 가구, 가정용품 및 개인용품,
   (나) 합중국 군대의 구성원이나 군속이 자기 또는 그들의 가족의 사용을 위하여 수입하는 차량과 부속품,
   (다) 합중국 군대의 구성원, 군속 및 그들의 가족의 사용을 위하여 합중국안에서 통상적으로 구입되는 종류의 합리적인 양의 개인용품 및 가정용품으로서, 합중국 군사우체국을 통하여 대한민국에 우송하는 것.

4. 제2항 및 제3항에서 허용한 면제는, 물품 수입의 경우에만 적용되며, 또한 당해 물품의 반입시에 관세와 내국 소비세가 이미 징수된 물품을 구입하는 경우에는, 세관 당국이 징수한 관세와 내국 소비세를 환불하는 것으로 해석되지 아니한다.
5. 세관 검사는 다음의 경우에는 이를 행하지 아니한다.
   (가) 휴가 명령이 아닌 명령에 따라 대한민국에 입국하거나 대한민국으로부터 출국하는 합중국 군대의 구성원,
   (나) 공용의 봉인이 있는 공문서 및 공용의 우편 봉인이 있고 합중국 군사 우편 경로에 있는 제1종 서장,
   (다) 합중국 군대에 탁송된 군사 화물.
6. 관세의 면제를 받고 대한민국에 수입된 물품은, 대한민국 당국과 합중국 당국이 상호 합의하는 조건에 따라 처분을 인정하는 경우를 제외하고는, 관세의 면제로 당해 물품을 수입하는 권리를 가지지 아니하는 자에 대하여 대한민국 안에서 이를 처분하여서는 아니된다.
7. 제2항 및 제3항에 의거하여 관세 및 기타의 과징금의 면제를 받고 대한민국에 수입된 물품은, 관세 및 기타의 과징금의 면제를 받고 재수출할 수 있다.
8. 합중국 군대는, 대한민국 당국과 협력하여 본 조의 규정에 따라 합중국 군대, 동군대의 구성원, 군속 및 그들의 가족에게 부여된 특권의 남용을 방지하기 위하여 필요한 조치를 취하여야 한다.
9. (가) 대한민국 당국과 합중국 군대는, 대한민국 정부의 세관당국이 집행하는 법령에 위반하는 행위를 방지하기 위하여, 조사의 실시 및 증거의 수집에 있어서 상호 협조하여야 한다.
   (나) 합중국 군대는, 대한민국 정부의 세관 당국에 의하여 또는 이에 대신하여 행하여지는 압류될 물품을 인도하도록 확보하기 위하여, 그의 권한 내의 모든 원조를 제공하여야 한다.
   (다) 합중국 군대는, 합중국 군대의 구성원이나 군속 또는 그들의 가족이 납부할 관세, 조세 및 벌금의 납부를 확보하기 위하여, 그의 권한내의 모든 원조를 제공하여야 한다.
   (라) 합중국 군대 당국은 세관 검사의 목적으로 군사상 통제하는 부두와 비행장에 파견된 세관 직원에게 가능한 모든 원조를 제공하여야 한다.
   (마) 합중국 군대에 속하는 차량 및 물품으로서, 대한민국 정부의 관세 또는 재무에 관한 법령에 위반하는 행위에 관련하여 대한민국 정부의 세관 당국이 압류한 것은, 관계부대 당국에 인도하여야 한다.

제10조 선박과 항공기의 기착(Access of Vessels and Aircraft)

1. 합중국에 의하여, 합중국을 위하여 또는 합중국의 관리 하에서 공용을 위하여 운항되는 합중국 및 외국의 선박과 항공기는 대한민국의 어떠한 항구 또는 비행장에도 입항

료 또는 착륙료를 부담하지 아니하고 출입할 수 있다. 본 협정에 의한 면제가 부여되지 아니한 화물 또는 여객이 이러한 선박 또는 항공기에 의하여 운송될 때에는, 대한민국의 관계 당국에 그 뜻을 통고하여야 하며, 그 화물 또는 여객의 대한민국에의 출입국은 대한민국의 법령에 따라야 한다.

2. 제1항에 규정된 선박과 항공기, 기갑 차량을 포함한 합중국 정부 소유의 차량 및 합중국 군대의 구성원, 군속 및 그들의 가족은, 합중국 군대가 사용하고 있는 시설과 구역에 출입하고, 이들 시설과 구역 간을 이동하고, 또한 이러한 시설과 구역 및 대한민국의 항구 또는 비행장 간을 이동할 수 있다. 합중국의 군용 차량의 시설과 구역에의 출입 및 이들 시설과 구역간의 이동에는 도로 사용료 및 기타의 과징금을 과하지 아니한다.
3. 제1항에 규정된 선박이 대한민국 항구에 입항하는 경우 통상적인 상태 하에서는 대한민국의 관계 당국에 대하여 적절한 통고를 하여야 한다. 이러한 선박은 강제 도선이 면제되나, 도선사를 사용하는 경우에는 적절한 (비)율의 도선료를 지급하여야 한다.

제11조 기상 업무(Meteorological Services)

대한민국 정부는 양국 정부의 관계 당국간의 약정에 따라 다음의 기상 업무를 합중국 군대에 제공함을 약속한다.

(가) 선박에 의한 관측을 포함한 지상 및 해상에서의 기상 관측,
(나) 정기적 개황과 가능하다면 과거의 자료도 포함한 기상 자료,
(다) 기상 정보를 보도하는 전기통신 업무,
(라) 지진 관측의 자료.

제12조 항공 교통 관제 및 운항 보조 시설(Air Traffic Control and Navigational Aids)

1. 모든 민간 및 군용 항공 교통 관제는 긴밀한 협조를 통하여 발달을 이룩하여야 하며, 또한 본 협성의 운영상 필요한 범위까지 통합되어야 한다. 이러한 협조 및 통합을 이룩하는데 필요한 절차 및 이에 대한 추후의 변경은 양 정부의 관계 당국 간에 성립되는 약정에 의하여 설정된다.
2. 합중국은 대한민국 전역과 그 영역에 선박 및 항공기의 운항 보조 시설(소요되는 바에 따라 시각형과 전자형)을 설치, 건립 및 유지할 권한을 가진다. 이러한 운항 보조 시설은 대한민국에서 사용되고 있는 체제에 대체로 합치하여야 한다. 운항 보조 시설을 설치한 대한민국 및 합중국의 당국은 동 보조 시설의 위치와 특징을 적절히 상호 통고하여야 하며, 또한 이들 보조 시설을 변경하거나 부가적인 운항 보조 시설을 설치하기에 앞서 가능한 한 사전 통고를 하여야 한다.

제13조 비세출자금기관(Non-appropriated Fund Organizations)

1. (가) 합중국 군 당국이 공인하고 규제하는 군 판매점, 식당, 사교클럽, 극장, 신문 및 기타 비세출자금기관은, 합중국 군대의 구성원, 군속 및 그들의 가족의 이용을 위하여, 합중국 군대가 설치할 수 있다. 이러한 제 기관은, 본 협정에 달리 규정하는 경우를 제외하고는, 대한민국의 규제, 면허, 수수료, 조세 또는 이와 유사한 관리를 받지 아니한다.
   (나) 합중국 군 당국이 공인하고 규제하는 신문이 일반 대중에 판매되는 때에는, 그 배포에 관한 한, 대한민국의 규제, 면허, 수수료, 조세 또는 이에 유사한 관리를 받는다.
2. 이러한 제 기관에 의한 상품 및 용역의 판매에는 본조 제1항 (나)에 규정된 바를 제외하고는, 대한민국의 조세를 부과하지 아니하나, 이러한 제 기관에 의한 상품 및 수용품의 대한민국 안에서의 구입에는, 양 정부 간에 달리 합의하지 아니하는 한, 이러한 상품 및 수용품의 다른 구입자가 부과 받는 대한민국의 조세를 부과한다.
3. 이러한 제 기관이 판매하는 물품은 대한민국 및 합중국의 당국이 상호 합의하는 조건에 따라 처분을 인정하는 경우를 제외하고는, 이러한 제 기관으로부터의 구입이 인정되지 아니한 자에 대하여 대한민국 안에서 이를 처분하여서는 아니 된다.
4. 본 조에 규정된 제 기관은, 합동위원회에서의 양 정부 대표간의 협의를 통하여 대한민국 조세 당국에 대한민국 세법이 요구하는 정보를 제공하여야 한다.

제14조 과세(Taxation)

1. 합중국 군대는 그가 대한민국 안에서 보유, 사용 또는 이전하는 재산에 대하여 조세 또는 이에 유사한 과징금을 부과 받지 아니한다.
2. 합중국 군대의 구성원, 군속 및 그들의 가족은, 이들이 제13조에 규정된 제 기관을 포함한 합중국 군대에서 근무하거나 고용된 결과로 취득한 소득에 대하여, 대한민국 정부 또는 대한민국에 있는 기타 과세 기관에 대하여 어떠한 대한민국의 조세도 납부할 의무를 부담하지 아니한다. 합중국 군대의 구성원, 군속 또는 그들의 가족이라는 이유만으로써 대한민국에 체류하는 자는 대한민국 밖에서의 원천으로부터 발생한 소득에 대하여, 대한민국 정부 또는 대한민국에 있는 어느 과세 기관에 대하여서도 어떠한 대한민국의 조세도 이를 납부할 의무를 부담하지 아니하며, 또한 이러한 자가 대한민국에 체류하는 기간은, 대한민국 조세의 부과 상, 대한민국에 거소나 주소를 가지는 기간으로 간주되지 아니한다. 본 조의 규정은 이러한 자에 대하여 본 항 첫 단에서 규정하고 있는 원천 이외의 대한민국의 원천에서 발생한 소득에 대하여, 대한민국 조세의 납부 의무를 면제하지 아니하며, 또한 합중국의 소득세 때문에 대한민국에 주소가 있다고 신립(申立)하는 합중국 시민에 대하여는 소득에 대한 대한민국 조세의 납부를 면제하지 아니한다.

3. 합중국 군대의 구성원, 군속 및 그들의 가족은 그들이 단지 일시적으로 대한민국에 체류한 것에 기인하여, 대한민국에 소재하는 동산 또는 무체재산권의 보유, 사용 및 이들 상호간의 이전 또는 사망에 의한 이전에 대하여는 대한민국에서의 과세로부터 면제받는다. 다만, 이러한 면제는 대한민국 안에서 투자를 위하거나 사업을 행하기 위하여 보유한 재산 또는 대한민국에서 등록된 어떠한 무체재산권에도 적용되지 아니한다.

제15조 초청계약자(Invited Contractors)

1. (가) 합중국의 법률에 따라 조직된 법인, (나)통상적으로 합중국에 거주하는 그의 고용원 및 (다)전기(前記)한 자의 가족을 포함하여 합중국 군대 또는 동 군대로부터 군수지원을 받는 통합사령부 산하 주한 외국군대를 위한 합중국과의 계약 이행만을 위하여 대한민국에 체류하고 또한 합중국 정부가 하기(下記) 제2항의 규정에 따라 지정한 자는, 본 조에 규정된 경우를 제외하고는 대한민국의 법령에 따라야 한다.
2. 전기(前記) 제1항에 규정된 지정은 대한민국 정부와의 협의에 의하여 이루어져야 하고 또한 안정상의 고려, 관계 업자의 기술상의 적격요건, 합중국의 표준에 합치하는 자재 또는 용역의 결여 또는 합중국의 법령상의 제한 때문에 공개경쟁입찰을 실시할 수 없는 경우에만 행하여져야 한다. 그 지정은 다음의 경우에는 합중국 정부는 이를 철회하여야 한다.
   (가) 합중국 군대 또는 동 군대로부터 군수 지원을 받는 통합사령부 산하 주한 외국군대를 위한 합중국과의 계약의 종료되는 때,
   (나) 이러한 자가 합중국 군대 또는 동 군대로부터 군수지원을 받는 통합사령부 산하 주한 외국 군대 관계의 사업 활동 이외의 사업 활동에 종사하고 있는 사실이 입증되는 때,
   (다) 이러한 자가 대한민국에서 위법한 활동에 종사하는 사실이 입증되는 때.
3. 이러한 자는, 그의 신분에 관한 합중국 관계당국의 증명이 있는 때에는, 본 협정상의 다음의 이익이 부여된다.
   (가) 제10조 제2항에 규정된 출입 및 이동,
   (나) 제8조의 규정에 따른 대한민국에의 입국,
   (다) 합중국 군대의 구성원, 군속 및 그들의 가족에 대하여 제9조 제3항에 규정된 관세 및 기타 과징금의 면제,
   (라) 합중국 정부에 의하여 인정되는 때에는, 제13조에 규정된 기관의 용역 이용,
   (마) 합중국 군대의 구성원, 군속 및 그들의 가족에 대하여 제18조 제2항에 규정된 것,
   (바) 합중국 정부에 의하여 인정되는 때에는, 제19조에 규정된 바에 따른 군표의 사용,
   (사) 제20조에 규정된 우편 시설의 이용,
   (아) 공익사업과 용역에 관하여, 제6조에 의하여 합중국 군대에 부여되는 우선권, 조건, 사용료나 요금에 따르는 공익사업과 용역의 이용,
   (자) 고용 조건 및 사업과 법인의 면허와 등록에 관한 대한민국 법령의 적용으로부터

의 면제.

4. 이러한 자의 도착, 출발 및 대한민국에 있는 동안의 거소는 합중국 군대가 대한민국 당국에 이를 수시로 통고하여야 한다.
5. 이러한 자가 제1항에 규정된 계약이행만을 위하여 보유하고 사용하며 또한 이전하는 감가상각자산(가옥을 제외한다)에 대하여는, 합중국 군대의 권한있는 대표의 증명이 있는 때에는, 대한민국의 조세 및 이에 유사한 과징금을 부과하지 아니한다.
6. 이러한 자는, 합중국 군대의 권한 있는 대표의 증명이 있는 때에는, 그들이 단지 일시적으로 대한민국에 체류한 것에 기인하여 대한민국에 소재하는 동산 또는 무체 재산권의 보유, 사용, 사망에 의한 이전 또는 본 협정에 따라 면제받는 권리를 가지는 개인 또는 기관에의 이전에 대하여 대한민국에서의 과세로부터 면제된다. 다만, 이러한 면제는 대한민국 내에서 투자를 위하거나 기타의 사업을 행하기 위하여 보유한 재산 또는 대한민국에서 등록된 어떠한 무체재산권에도 적용되지 아니한다.
7. 이러한 자는, 본 협정에 규정된 어느 것의 시설이나 구역의 건설, 유지 또는 운영에 관한 합중국 정부와의 계약에 의하여 발생하는 소득에 대하여, 대한민국 정부 또는 대한민국에 있는 기타의 과세기관에 소득세 또는 법인세를 납부할 의무를 지지 아니한다. 이러한 합중국과의 계약의 이행과 관련하여, 대한민국에 체류하는 자는 대한민국 밖의 원천으로부터 발생하는 소득에 대하여 대한민국 정부 또는 대한민국에 있는 과세 기관에 어떠한 대한민국 조세도 납부할 의무를 지지 아니하며, 또한 이러한 자가 대한민국에 체류하는 기간은 대한민국 조세의 부과상 대한민국에 거소나 주소를 가지는 기간으로 간주되지 아니한다. 본 항의 규정은 이러한 자에 대하여, 본 항의 첫 단에 규정된 원천 이외의 대한민국의 원천으로부터 발생하는 소득에 대하여 소득세 또는 법인세의 납부를 면제하는 것이 아니며, 또한 합중국의 소득세 때문에 대한민국 거소가 있다고 신고하는 자에 대하여는 대한민국의 조세납부를 면제하지 아니한다.
8. 대한민국 당국은 대한민국 안에서 발생한 범죄로서 대한민국 법령에 의하여 처벌할 수 있는 범죄에 관하여 이러한 자에 대하여 재판권을 행사할 권리를 가진다. 대한민국의 방위에 있어서의 이러한 자의 역할을 인정하여 그들은 제22조 제5항, 제7항 (나), 제9항 및 동관계 합의 의사록의 규정에 따라야 한다. 대한민국 당국이 재판권을 행사하지 아니하기로 결정하는 경우에는 대한민국 당국은 조속히 합중국 군당국에 통고하여야 한다. 합중국 군당국은 이러한 통고를 접수하면 합중국 법령에 의하여 부여된 바에 따라 전기(前記)의 자에 대하여 재판권을 행사할 권리를 가진다.

제16조 현지 조달(Local Procurement)

1. 합중국은 본 협정의 목적을 위하거나 본 협정에 인정되는 바에 따라 대한민국 안에서 공급 또는 제공될 자재, 수용품, 비품 및 용역(건축공사를 포함한다)의 조달을 위하여 계약자, 공급자 또는 용역을 제공하는 자의 선택에 관하여 제한을 받지 아니하고 계약할 수 있다. 이러한 자재, 수용품, 비품 및 용역은 양 정부의 관계 당국 간에 합의되

는 바에 따라 대한민국 정부를 통하여 조달될 수 있다.

2. 합중국 군대의 유지를 위하여 현지에서 공급될 필요가 있는 자재, 수용품, 비품 및 용역으로서 그 조달이 대한민국의 경제에 악영향을 미칠 우려가 있는 것은 대한민국의 관계 당국과의 조정 하에, 또한 요망되는 경우에는, 대한민국의 관계 당국을 통하거나 그 원조를 얻어 조달되어야 한다.
3. 공인 조달기관을 포함한 합중국 군대가 대한민국 안에서 공용을 위하여 조달하는 자재, 수용품, 비품 및 용역 또는 합중국 군대의 최종 소비 사용을 위하여 조달하는 자재, 수용품, 비품 및 용역은 동 합중국 군대가 사전에 적절한 증명서를 제시하면 다음의 대한민국 조세가 면제된다.

   (가) 물품세,

   (나) 통행세,

   (다) 석유류세,

   (라) 전기가스세,

   (마) 영업세.

   양국 정부는 본조에 명시하지 아니한 대한민국의 현재 또는 장래의 조세로서, 합중국 군대에 의하여 조달되거나 최종적으로 사용되기 위한 자재, 수용품, 비품 및 용역의 총 구입가격의 상당한 부분 및 용이하게 판별할 수 있는 부분을 이루는 것이라고 인정되는 것에 관하여 본 조의 목적에 합치하는 면세 또는 감세를 인정하기 위한 절차에 관하여 합의한다.
4. 합중국 군대의 구성원, 군속 및 그들의 가족은, 본 조를 이유로 하여, 대한민국 안에서 부과할 수 있는 물품 및 용역의 개인적 구입에 대하여 조세 또는 이에 유사한 공과금의 면제를 향유하는 것은 아니다.
5. 제3항에 규정된 조세의 면제를 받아 대한민국에서 구입한 물품은, 대한민국 당국과 합중국 당국이 상호간에 합의하는 조건에 따라 처분을 인정하는 경우를 제외하고는, 당해 물품을 면세로 구입하는 권리를 가지지 아니하는 자에 대하여 대한민국 안에서 이를 처분하여서는 아니 된다.

제17조 노무(Labor)

1. 본 조에 있어서

   (가) "고용주"라 함은, 합중국 군대(비세출 자금기관을 포함한다) 및 제15조 제1항에 규정된 자를 말한다.

   (나) "고용원"이라 함은, 고용주가 고용한 군속이나 제15조에 규정된 계약자의 고용원이 아닌 민간인을 말한다. 다만, (1) 한국노무단(KSC)의 구성원 및 (2)합중국 군대의 구성원, 군속 또는 그들의 가족의 개인이 고용한 가사 사용인은 제외된다. 이러한 고용원은 대한민국 국민이어야 한다.
2. 고용주는 그들의 인원을 모집하고 고용하며 관리할 수 있다. 대한민국 정부의 모집사

무기관은 가능한 한 이용된다. 고용주가 고용원을 직접 모집하는 경우에는, 고용주는 노동행정상 필요한 적절한 정보를 대한민국 노동청에 제공한다.

3. 본 조의 규정과 합중국 군대의 군사상 필요에 배치되지 아니하는 한도 내에서, 합중국 군대가 그들의 고용원을 위하여 설정한 고용조건, 보상 및 노사관계는 대한민국의 노동법령의 제 규정에 따라야 한다.

4. (가) 고용주와 고용원이나 승인된 고용원 단체간의 쟁의로서, 합중국 군대의 불평처리 또는 노동관계 절차를 통하여 해결될 수 없는 것은, 대한민국 노동법령중 단체행동에 관한 규정을 고려하여, 다음과 같이 해결되어야 한다.
   (1) 쟁의는 조정을 위하여 대한민국 노동청에 회부되어야 한다.
   (2) 그 쟁의가 전기(前記) (1)에 규정된 절차에 의하여 해결되지 아니한 경우에는, 그 문제는 합동위원회에 회부되며, 또한 합동위원회는 새로운 조정에 노력하고 그가 지정하는 특별위원회에 그 문제를 회부할 수 있다.
   (3) 그 쟁의가 전기(前記)의 절차에 의하여 해결되지 아니한 경우에는, 합동위원회는, 신속한 절차가 뒤따를 것이라는 확증하에, 그 쟁의를 해결한다. 합동위원회의 결정은 구속력을 가진다.
   (4) 어느 승인된 고용원 단체 또는 고용원이 어느 쟁의에 대한 합동위원회의 결정에 불복하거나, 또는 해결 절차의 진행중 정상적인 업무 요건을 방해하는 행동에 종사함은 전기(前記)단체의 승인 철회 및 고용원의 해고에 대한 정당한 사유로 간주된다.
   (5) 고용원 단체나 고용원은 쟁의가 전기(前記) (2)에 규정된 합동위원회에 회부된 후, 적어도 70일의 기간이 경과되지 아니하는 한, 정상적인 업무 요건을 방해하는 어떠한 행동에도 종사하여서는 아니된다.

   (나) 고용원 또는 고용원 단체는 노동쟁의가 전기(前記) 절차에 의하여 해결되지 아니하는 경우에는 계속 단체행동권을 가진다. 다만, 합동위원회가 이러한 행동이 대한민국의 공동방위를 위한 합중국 군대의 군사작전을 심히 방해한다고 결정하는 경우에는 제외한다. 합동위원회에서 이 문제에 관하여 합의에 도달할 수 없을 경우에는 그 문제는 대한민국 정부의 관계관과 아메리카 합중국 외교사절간의 토의를 통한 재검토의 대상이 될 수 있다.

   (다) 본 조의 적용은, 전쟁, 적대행위 또는 전쟁이나 적대행위가 절박한 상태와 같은 국가 비상시에는, 합중국 군 당국과의 협의 하에 대한민국 정부가 취하는 비상조치에 따라 제한된다.

5. (가) 대한민국이 노동력을 배정할 경우에는, 합중국 군대는 대한민국 국군이 가지는 것보다 불리하지 아니한 배정특권이 부여되어야 한다.

   (나) 전쟁, 적대행위 또는 전쟁이나 적대행위가 절박한 상태와 같은 국가비상 시에는, 합중국 군대의 임무에 긴요한 기술을 습득한 고용원은, 합중국 군대의 요청에 따라, 상호협의를 통하여 대한민국의 병역이나 또는 기타 강제 복무가 연기되어야 한다. 합중국 군대는 긴요하다고 인정되는 고용원의 명단을 대한민국에 사전에

제공하여야 한다.

6. 군속은 그들의 임용과 고용 조건에 관하여 대한민국의 제 법령에 따르지 아니한다.

제18조 외환관리(Foreign Exchange Controls)

1. 합중국 군대의 구성원, 군속 및 그들의 가족은 대한민국 정부의 외환 관리에 따라야 한다.
2. 전항의 규정은, 합중국 "불" 또는 "불" 증권(dollar instruments)으로서, 합중국의 공급인 것 또는 합중국 군대의 구성원 및 군속이 본 협정과 관련하여 근무하거나 고용된 결과로서 취득한 것, 또는 이러한 자와 그들의 가족이 대한민국 밖의 원천으로부터 취득한 것의 대한민국으로의 또는 대한민국으로부터의 이전을 막는 것으로 해석되지 아니한다.
3. 합중국 당국은 전항에 규정된 특권의 남용 또는 대한민국의 외환 관리의 회피를 방지하기 위한 필요한 조치를 취하여야 한다.

제19조 군표(Military Payment Certificates)

1. (가) "불" 로 표시된 합중국 군표는 합중국에 의하여 인가받은 자가 그들 상호간의 거래를 위하여 사용할 수 있다. 합중국 정부는, 합중국의 규칙이 허용하는 경우를 제외하고는, 인가받은 자가 군표를 사용하는 거래에 종사하는 것을 금지하도록 보장하기 위한 적당한 조치를 취한다. 대한민국 정부는 인가받지 아니한 자가 군표를 사용하는 거래에 종사하는 것을 금지하기 위한 필요한 조치를 취하며 또한 합중국 당국의 원조를 얻어, 군표의 위조 또는 위조 군표의 사용에 관여하는 자로서 대한민국 당국의 재판권에 따르는 자를 체포하고 처벌할 것을 약속한다.
   (나) 합중국 당국은, 합중국의 법률이 허용하는 한도까지, 인가받지 아니한 자에 대하여 군표를 행사하는 합중국 군대의 구성원, 군속 및 그들의 가족을 체포하고 처벌할 것에 합의하며, 또한 대한민국 안에서 허용되지 아니하는 사용의 결과로서, 합중국이나 그 기관이 이러한 인가를 받지 아니한 자 또는 대한민국 정부나 그 기관에 대하여 어떠한 의무도 부담시키지 아니할 것에 합의한다.
2. 합중국은, 군표를 관리하기 위하여, 합중국의 감독하에 합중국에 의하여 군표 사용을 인가받은 자의 사용을 위한 시설을 유지하고 운영하는 일정한 아메리카의 금융기관을 지정할 수있다. 군용 은행시설의 유지를 인가받은 금융기관은, 이러한 시설을 당해 기관의 대한민국의 상업금융업체로부터 장소적으로 분리하여 설치하고 유지할 것이며, 이러한 시설을 유지하고 운영하는 것을 유일의 임무로 하는 직원을 둔다. 이러한 시설은 합중국 통화에 의한 은행 계정을 유지하고 또한 이러한 계정과 관련된 모든 금융거래(본 협정 제18조 제2항에 규정된 범위 내에서의 자금의 영수 및 송금을 포함한다)를 행하는 것이 허용된다.

제20조 군사우체국(Military Post Offices)

합중국은 대한민국에 있는 합중국 군사 우체국간 및 이러한 군사 우체국과 기타 합중국 우체국간에 있어서의 우편물의 송달을 위하여 합중국 군대가 사용하고 있는 시설 및 구역안에 합중국 군대의 구성원, 군속 및 그들의 가족이 이용하는 합중국 군사 우체국을 설치하고 운영할 수 있다.

제21조 회계 절차(Accounting Procedures)

대한민국 정부와 합중국 정부는 본 협정으로부터 발생하는 금융 거래에 적용할 수 있도록 회계 절차를 위한 약정을 체결할 것을 합의한다.

제22조 형사재판권(Criminal Jurisdiction)

1. 본 조의 규정에 따를 조건으로,
   (가) 합중국 군 당국은, 합중국 군대의 구성원, 군속 및 그들의 가족에 대하여, 합중국 법령이 부여한 모든 형사 재판권 및 징계권을 대한민국 안에서 행사할 권리를 가진다.
   (나) 대한민국 당국은, 합중국 군대의 구성원, 군속 및 그들의 가족에 대하여 대한민국의 영역안에서 범한 범죄로서 대한민국 법령에 의하여 처벌할 수 있는 범죄에 관하여 재판권을 가진다.
2. (가) 합중국 군 당국은 합중국 군대의 구성원이나 군속 및 그들의 가족에 대하여 합중국 법령에 의하여서는 처벌할 수 있으나, 대한민국 법령에 의하여서는 처벌할 수 없는 범죄(합중국의 안전에 관한 범죄를 포함한다.)에 관하여 전속적 재판권을 행사할 권리를 가진다.
   (나) 대한민국 당국은 합중국 군대의 구성원이나 군속 및 그들의 가족에 대하여 대한민국 법령에 의하여서는 처벌할 수 있으나, 대한민국 법령에 의하여서는 처벌할 수 없는 범죄(대한민국의 안전에 관한 범죄를 포함한다.)에 관하여 전속적 재판권을 행사할 권리를 가진다.
   (다) 본 조 제2항 및 제3항의 적용상, 국가의 안전에 관한 범죄라 함은 다음의 것을 포함한다.
      (1) 당해국에 대한 반역,
      (2) 방해 행위(sabotage), 간첩행위 또는 당해국의 공무상 또는 국방상의 비밀에 관한 법령의 위반.
3. 재판권을 행사할 권리가 경합하는 경우에는, 다음의 규정이 적용된다.
   (가) 합중국 군 당국은, 다음의 범죄에 관하여는, 합중국 군대의 구성원이나 군속 및 그들의 가족에 대하여 재판권을 행사할 제1차적 권리를 가진다.
      (1) 오로지 합중국의 재산이나 안전에 대한 범죄, 또는 오로지 합중국 군대의 타

구성원이나 군속 또는 그들의 가족의 신체나 재산에 대한 범죄,

(2) 공무 집행 중의 작위 또는 부작위(act or omission)에 의한 범죄.

(나) 기타의 범죄에 관하여는 대한민국 당국이 재판권을 행사할 제1차적 권리를 가진다.

(다) 제1차적 권리를 가지는 국가가 재판권을 행사하지 아니하기로 결정한 때에는, 가능한 한 신속히 타방 국가 당국에 그 뜻을 통고하여야 한다. 제1차적 권리를 가지는 국가의 당국은, 타방 국가가 이러한 권리 포기를 특히 중요하다고 인정하는 경우에 있어서, 그 타방 국가의 당국으로부터 그 권리포기의 요청이 있으면, 그 요청에 대하여 호의적 고려를 하여야 한다.

4. 본 조의 전기(前記) 제 규정은 합중국 군당국이 대한민국의 국민인 자 또는 대한민국에 통상적으로 거주하고 있는 자에 대하여 재판권을 행사할 권리를 가진다는 것을 뜻하지 아니한다. 다만, 그들이 합중국 군대의 구성원인 경우에는 그러하지 아니한다.

5. (가) 대한민국 당국과 합중국 군당국은, 대한민국 영역안에서 합중국 군대의 구성원, 군속 또는 그들의 가족을 체포함에 있어서 그리고 다음의 규정에 따라 그들을 구금할 당국에 인도함에 있어서, 상호 조력하여야 한다.

(나) 대한민국 당국은 합중국 군당국에 합중국 군대의 구성원, 군속 또는 그들의 가족의 체포를 즉시 통고하여야 한다. 합중국 군당국은, 대한민국이 재판권을 행사할 제1차적 권리를 가지는 경우에 있어서, 합중국 군대의 구성원, 군속 또는 그들의 가족의 체포를 대한민국 당국에 즉시 통지하여야 한다.

(다) 대한민국이 재판권을 행사할 합중국 군대의 구성원, 군속 또는 그들의 가족인 피의자의 구금은, 그 피의자가 합중국 군당국의 수중에 있는 경우에는, 모든 재판 절차가 종결되고 또한 대한민국 당국이 구금을 요청할 때까지, 합중국 군당국이 계속 이를 행한다. 그 피의자가 대한민국의 수중에 있는 경우에는, 그 피의자는, 요청이 있으면, 합중국 군당국에 인도되어야 하며 모든 재판 절차가 종결되고 또한 대한민국 당국이 구금을 요청할 때까지, 합중국 군 당국이 계속 구금한다. 피의자가 합중국 군 당국의 구금 하에 있는 경우에는, 합중국 군 당국은 어느 때든지 대한민국 당국에 구금을 인도할 수 있으며, 또한 특정 사건에 있어서 대한민국 당국이 행할 수 있는 구금 인도의 요청에 대하여 호의적 고려를 하여야 한다. 합중국 군 당국은, 수사와 재판을 위한 요청이 있으면 즉시 대한민국 당국으로 하여금 이러한 피의자 또는 피고인에 대한 수사와 재판을 할 수 있게 하여야 하며, 또한 이러한 목적을 위하고 사법 절차의 진행에 대한 장애를 방지하기 위하여 모든 적절한 조치를 취하여야 한다. 합중국 군 당국은 대한민국 당국이 행한 구금에 관한 특별한 요청에 대하여 충분히 고려하여야 한다. 대한민국 당국은, 합중국 군 당국이 합중국 군대의 구성원, 군속 또는 가족인 피의자의 구금을 계속함에 있어서 동 당국으로부터 조력을 요청하면, 이 요청에 대하여 호의적 고려를 하여야 한다.

(라) 제2항 (다)에 규정된 오로지 대한민국의 안전에 대한 범죄에 관한 피의자는 대한민국 당국의 구금하에 두어야 한다.

6. (가) 대한민국 당국과 합중국 군 당국은, 범죄에 대한 모든 필요한 수사의 실시 및 증거의 수집과 제출(범죄에 관련된 물건의 압수 및 상당한 경우에는 그의 인도를 포함한다.)에 있어서 상호 조력하여야 한다. 그러나. 이러한 물건은 인도를 하는 당국이 정하는 기간 내에 환부할 것을 조건으로 인도할 수 있다.
   (나) 대한민국 당국과 합중국 군 당국은 재판권을 행사할 권리가 경합하는 모든 사건의 처리를 상호 통고하여야 한다.
7. (가) 사형의 판결은, 대한민국의 법령이 같은 경우에 사형을 규정하고 있지 아니한 때에는 합중국 군당국이 대한민국 안에서 이를 집행하여서는 아니 된다.
   (나) 대한민국 당국은 합중국 군 당국이 본 조의 규정에 따라 선고한 자유형을 대한민국 영역 안에서 집행함에 있어서 합중국 군 당국으로부터 조력을 요청하면 이 요청에 대하여 호의적 고려를 하여야 한다. 대한민국 당국은 또한 대한민국 법원이 선고한 구금형에 복역하고 있는 합중국 군대의 구성원, 군속 또는 그들의 가족의 구금 인도를 합중국 당국이 요청하면, 이 요청에 대하여 호의적 고려를 하여야 한다. 이와 같이 구금이 합중국 군 당국에 인도된 경우에는, 합중국은 구금형의 복역이 종료되거나 또는 이러한 구금으로부터의 석방이 대한민국 관계 당국의 승인을 받을 때까지 합중국의 적당한 구금 시설 안에서 그 개인의 구금을 계속할 의무를 가진다.
   이러한 경우에, 합중국 당국은 대한민국 당국에 관계 정보를 정규적으로 제공하여야 하며, 또한 대한민국 정부 대표는 대한민국 법원이 선고한 형을 합중국과의 구금 시설 안에서 복역하고 있는 합중국 군대의 구성원, 군속 또는 가족과 접견할 권리를 가진다.
8. 피고인이 본 조의 규정에 따라 대한민국 당국이나 합중국 군당국 중의 어느 일방 당국에 의하여 재판을 받은 경우에 있어서, 무죄 판결을 받았을 때, 또는 유죄 판결을 받고 복역중에 있거나 복역을 종료하였을 때 또는 그의 형이 감형되었거나 집행 정지되었을 때 또는 사면되었을 때에는, 그 피고인은 타방 국가 당국에 의하여 대한민국의 영역안에서 동일한 범죄에 대하여 이중으로 재판받지 아니한다. 그러나, 본 항의 어떠한 규정도, 합중국 군당국이 합중국 군대의 구성원을 그 자가 대한민국 당국에 의하여 재판을 받은 범죄를 구성한 작위나 부작위에 의한 군기 위반에 대하여, 재판하는 것을 막는 것은 아니다.
9. 합중국 군대의 구성원, 군속 또는 그들의 가족은, 대한민국의 재판권에 의하여 공소가 제기되는 때에는 언제든지 다음의 권리를 가진다.
   (가) 지체없이 신속한 재판을 받을 권리,
   (나) 공판전에 자신에 대한 구체적인 공소 사실의 통지를 받을 권리,
   (다) 자신에 불리한 증인과 대면하고 그를 신문할 권리,
   (라) 증인이 대한민국의 관할 내에 있는 때에는, 자신을 위하여 강제적 절차에 의하여 증인을 구할 권리,
   (마) 자신의 변호를 위하여 자기가 선택하는 변호인을 가질 권리 또는 대한민국에서

그 당시에 통상적으로 행하여지는 조건에 따라 비용을 요하지 아니하거나 또는 비용의 보조를 받는 변호인을 가질 권리,

(바) 피고인이 필요하다고 인정하는 때에는, 유능한 통역인의 조력을 받을 권리,

(사) 합중국의 정부 대표와 접견 교통할 권리 및 자신의 재판에 그 대표를 입회시킬 권리.

10. (가) 합중국 군대의 정규 편성부대 또는 편성대는 본 협정 제2조에 따라 사용하는 시설이나 구역에서 경찰권을 행사할 권리를 가진다. 합중국 군대의 군사 경찰은 동 시설 및 구역 안에서 질서 및 안전의 유지를 보장하기 위하여 모든 적절한 조치를 취할 수 있다.

(나) 이러한 시설 및 구역 밖에서는 전기(前記)의 군사 경찰은, 반드시 대한민국 당국과의 약정에 따를 것을 조건으로 하고 또한 대한민국 당국과의 연결 하에, 행사되어야 하며, 그 행사는 합중국 군대의 구성원간의 규율과 질서의 유지 및 그들의 안전보장을 위하여 필요한 범위 내에 국한된다.

11. 상호방위조약 제2조가 적용되는 적대행위가 발생할 경우에는, 형사재판권에 관한 본 협정의 규정은 즉시 그 적용이 정지되고 합중국 군당국은 합중국 군대의 구성원, 군속 및 그들의 가족에 대한 전속적 재판권을 행사할 권리를 가진다.

12. 본 조의 규정은 본 협정의 효력 발생전에 범한 어떠한 범죄에도 적용되지 아니한다. 이러한 사건에 대하여는, 1950년 7월 12일자 대전에서 각서 교환으로 효력이 발생된 대한민국과 합중국간의 협정의 규정을 적용한다.

제23조 청구권(Claims)

1. 각 당사국은, 자국이 소유하고 자국의 군대가 사용하는 재산에 대한 손해에 관하여, 다음의 경우에는 타방 당사국에 대한 모든 청구권을 포기한다.

(가) 손해가 타방 당사국 군대의 구성원 또는 고용원에 의하여 그의 공무집행 중에 일어난 경우, 또는

(나) 손해가 타방 당사국이 소유하고, 동국의 군대가 사용하는 차량, 선박 또는 항공기의 사용으로부터 일어난 경우, 다만, 손해를 일으킨 차량, 선박, 또는 항공기가 공용을 위하여 사용되고 있었을때, 또는 손해가 공용을 위하여 사용되고 있는 재산에 일어났을 때에만 한한다.

해난 구조에 관한 일방 당사국의 타방 당사국에 대한 청구권은, 이를 포기한다. 다만, 구조된 선박이나 선하가, 타방 당사국이 소유하고 동국의 군대가 공용을 위하여 사용중이던 경우에 한한다.

2. (가) 제1항에 규정된 손해가 어느 일방 당사국이 소유하는 기타 재산에 일어난 경우에는 양 정부가 달리 합의하지 아니하는 한, 본 항 (나)의 규정에 따라 선정되는 일인의 중재인이 타방 당사국의 책임 문제를 결정하고 또한 손해액을 사정한다. 이 중재인은 또한 동일 사건으로부터 발생하는 어떠한 반대의 청구도 재정한다.

(나) 전기(前記) (가)에 규정된 중재인은 양 정부 간의 합의에 의하여, 사법관계의 상급 지위에 있거나 또는 있었던 대한민국 국민 중에서 이를 선정한다.

(다) 중재인이 행한 재정은 양 당사국에 대하여 구속력이 있는 최종적인 것이다.

(라) 중재인이 재정한 모든 배상금은 본 조 제5항 (마)의 (1), (2) 및 (3)의 규정에 따라 이를 분담한다.

(마) 중재인의 보수는 양 정부간의 합의에 의하여 정하여지며, 양 정부가 중재인의 임무 수행에 따르는 필요한 비용과 함께 균등한 비율로 분담하여 이를 지급한다.

(바) 각 당사국은 이러한 어떠한 경우에도 일천사백 합중국불($1,400) 또는 대한민국 통화로 이에 해당되는 액수(청구가 제기된 때에 제18조의 합의의사록에 규정된 환율에 의한다.) 이하의 금액에 대하여는 각기 청구권을 포기한다.

3. 본 조 제1항 및 제2항의 적용상, 선박에 관하여 "당사국의 소유"라 함은, 그 당사국이 나용선 계약에 의하여 임차한 선박, 나선 조건으로 징발한 선박 또는 나포한 선박을 포함한다.(다만, 손실의 위험 또는 책임이 당해 당사국 이외의 자에 의하여 부담되는 한에 있어서는 그러하지 아니하다.)

4. 각 당사국은 자국 군대의 구성원이 그의 공무 집행에 종사하고 있었을 때에 입은 부상이나 사망에 관한 타방 당사국에 대한 모든 청구권을 포기한다.

5. 공무 집행중의 합중국 군대의 구성원이나 고용원(대한민국 국민이거나 대한민국에 통상적으로 거주하는 고용원을 포함한다)의 작위 또는 부작위, 또는 합중국 군대가 법률상 책임을 지는 기타의 작위, 부작위 또는 사고로서, 대한민국 안에서 대한민국 정부 이외의 제3자에 손해를 가한 것으로부터 발생하는 청구권(계약에 의한 청구권 및 본 조 제6항이나 제7항의 적용을 받는 청구권은 제외된다)은, 대한민국이 다음의 규정에 따라 이를 처리한다.

(가) 청구는 대한민국 군대의 행동으로부터 발생하는 청구권에 관한 대한민국의 법령에 따라 제기하고 심사하여 해결하거나 또는 재판한다.

(나) 대한민국은 전기(前記)한 어떠한 청구도 해결할 수 있으며, 또한 합의되거나 재판에 의하여 결정된 금액의 지급은 대한민국이 "원" 화로써 이를 행한다.

(다) 이러한 지급(합의에 의한 해결에 따라 행하여지거나 또는 대한민국의 관할법원에 의한 판결에 따라 행하여지거나를 불문한다)이나 또는 지급을 인정하지 아니한다는 전기(前記) 법원에 의한 최종적 판결은 양 당사국에 대하여 구속력이 있는 최종적인 것이다.

(라) 대한민국이 지급한 각 청구는, 그 명세 및 하기 (마)의 (1) 및 (2)의 규정에 의한 분담안과 함께, 합중국의 관계 당국에 통지한다. 2개월 이내에 회답이 없는 경우에는, 그 분담안은 수락된 것으로 간주한다.

(마) 전기(前記) (가) 내지 (라)의 규정 및 제2항의 규정에 따라 청구를 충족시키는데 소요된 비용은, 양 당사국이 다음과 같이 분담한다.

(1) 합중국만이 책임이 있는 경우에는, 재정되어 합의되거나 또는 재판에 의하여 결정된 금액은 대한민국이 그의 25%를, 합중국이 그의 75%를 부담하는 비율

로 이를 분담한다.

(2) 대한민국과 합중국이 손해에 대하여 책임이 있는 경우에는, 재결되어 합의되거나 또는 재판에 의하여 결정된 금액은 양 당사국이 균등히 이를 분담한다. 손해가 대한민국 군대나 합중국 군대에 의하여 일어나고 그 손해를 이들 군대의 어느 일방 또는 쌍방의 책임으로 특정할 수 없는 경우에는 재정되어 합의되거나 또는 재판에 의하여 결정된 금액은, 대한민국과 합중국이 균등히 이를 분담한다.

(3) 손해배상책임, 배상금액 및 비율에 의한 분담안에 대하여 양국 정부가 인정한 각 사건에 관하여 대한민국이 6개월 기간에 지급한 금액의 명세서는, 변상 요구서와 함께, 매 6개월마다 합중국 관계 당국에 이를 송부한다. 이러한 변상은 가능한 최단시일내에 "원" 화로써 하여야 한다. 본 항에 규정된 양국 정부의 인정은, 제2항 (다) 및 제5항 (다)에 각각 규정되어 있는 중재인에 의한 어떠한 결정이나 또는 대한민국의 관할법원에 의한 판결을 침해하여서는 안 된다.

(바) 합중국 군대 구성원이나 고용원(대한민국의 국적을 가지거나 대한민국에 통상적으로 거주하는 고용원을 포함한다.)은 그들의 공무집행으로부터 일어난 사항에 있어서는 대한민국 안에서 그들에 대하여 행하여진 판결의 집행 절차에 따르지 아니한다.

(사) 본 항의 규정은, 전기(前記) (마)의 규정이 본 조 제2항에 규정된 청구권에 적용되는 범위를 제외하고는 선박의 항해나 운용 또는 화물의 선적, 운송이나 양륙에서 발생하거나 또는 이와 관련하여 발생하는 청구권에 대하여는 적용되지 아니한다. 다만, 본 조 제4항이 적용되지 아니하는 사망이나 부상에 대한 청구권에 관하여는 그러하지 아니하다.

6\. 대한민국 안에서 불법한 작위 또는 부작위로서, 공무 집행중에 행하여진 것이 아닌 것으로부터 발생한 합중국 군대의 구성원 또는 고용원(대한민국의 국민인 고용원 또는 대한민국에 통상적으로 거주하는 고용원을 제외한다)에 대한 청구권은, 다음의 방법으로 이를 처리한다.

(가) 대한민국 당국은, 피해자의 행동을 포함한 당해 사건에 관한 모든 사정을 고려하여, 공평하고 공정한 방법으로 청구를 심사하고 청구인에 대한 배상금을 사정하며, 그 사건에 관한 보고서를 작성한다.

(나) 그 보고서는 합중국 관계 당국에 송부되며, 합중국 당국은 지체없이 보상금 지급의 제의 여부를 결정하고, 또한 제의를 하는 경우에는 그 금액을 결정한다.

(다) 보상금 지급의 제의가 행하여진 경우, 청구인이 그 청구를 완전히 충족하는 것으로서 이를 수락하는 때에는 합중국 당국은 직접 지급하여야 하며 또한 그 결정 및 지급한 금액을 대한민국 당국에 통고한다.

(라) 본 항의 규정은, 청구를 완전히 충족시키는 지급이 행하여지지 아니하는 한, 합중국 군대의 구성원 또는 고용원에 대한 소송을 수리할 대한민국 법원의 재판권

에 영향을 미치는 것은 아니다.

7. 합중국 군대 차량의 허가받지 아니한 사용으로부터 발생하는 청구권은, 합중국 군대가 법률상 책임을 지는 경우를 제외하고는, 본 조 제6항에 따라 이를 처리한다.
8. 합중국 군대의 구성원 또는 고용원의 불법적인 작위나 부작위가 공무집행 중에 행하여진 것인지의 여부 또는 합중국 군대의 차량 사용이 허가 받지 아니한 것인지의 여부에 관하여 분쟁이 발생한 경우에는, 그 문제는 본 조 제2항 (나)의 규정에 따라 선임된 중재인에게 회부하며, 이 점에 관한 동 중재인의 재정은 최종적이며 확정적이다.
9. (가) 합중국은, 대한민국 법원의 민사재판권에 관하여, 합중국 군대의 구성원 또는 고용원의 공무 집행으로부터 발생하는 문제에 있어서 대한민국 안에서 그들에 대하여 행하여진 판결의 집행 절차에 관한 경우, 또는 청구를 완전히 충족시키는 지급을 한 후의 경우를 제외하고는, 합중국 군대의 구성원 또는 고용원에 대한 대한민국 법원의 재판권으로부터의 면제를 주장하여서는 아니된다.
   (나) 합중국 군대가 사용하고 있는 시설과 구역 안에 대한민국 법률에 의거한 강제집행에 따른 사유동산(합중국 군대가 사용하고 있는 동산을 제외한다.)이 있을 때에는, 합중국 당국은, 대한민국 법원의 요청에 따라. 이러한 재산이 대한민국 당국에 인도되도록 그의 권한 내의 모든 원조를 제공한다.
   (다) 대한민국 당국과 합중국 당국은 본 조의 규정에 의거한 청구의 공평한 처리를 위한 증거의 수집에 있어서 협력하여야 한다.
10. 합중국 군대에 의한 또는 동 군대를 위한 자재, 수용품, 비품 및 용역의 조달에 관한 계약으로부터 발생하는 분쟁으로서 그 계약 당사자에 의해서 해결되지 아니하는 것은, 조정을 위하여 합동위원회에 회부할 수 있다. 다만, 본 항의 규정은 계약 당사자가 가질 수 있는 민사소송을 제기할 권리를 침해하지 아니한다.
11. 본조 제2항 및 제5항의 규정은 비전투 행위에 부수하여 발생한 청구에 대하여서만 적용한다.
12. 합중국 군대에 파견 근무하는 대한민국 증원 군대(카츄샤)의 구성원은 본 조의 적용상, 합중국 군대의 구성원으로 간주한다.
13. 본조의 규정은 본 협정의 효력 발생 전에 발생한 청구권에는 적용하지 아니한다. 이러한 청구권은 합중국 당국이 이를 처리하고 해결한다.

제24조 차량과 운전면허(Vehicle and Driver s Licenses)

1. 대한민국은 합중국이나 그 하부 행정 기관이 합중국 군대의 구성원, 군속 및 그들의 가족에 대하여 발급한 운전허가증이나 운전 면허증 또는 군의 운전 허가증을 운전시험 또는 수수료를 과하지 아니하고 유효한 것으로 승인한다.
2. 합중국 군대 및 군속의 공용 차량은 명확한 번호표 또는 이를 용이하게 식별할 수 있는 개별적인 기호를 붙여야 한다.
3. 대한민국 정부는 합중국 군대의 구성원, 군속 또는 그들의 가족의 사용 차량을 면허하

고 등록한다. 이러한 차량 소유자의 성명 및 동 차량의 면허와 등록을 시행함에 있어서 대한민국 법령이 요구하는 기타 관계 자료는 합중국 정부 직원이 합동위원회를 통하여 대한민국 정부에 이를 제공한다. 면허 감찰 발급의 실비를 제외하고는, 합중국 군대의 구성원, 군속 및 그들의 가족은 대한민국에서 차량의 면허, 등록 또는 운행에 관련된 모든 수수료 및 과징금의 납부가 면제되며, 또한 제14조의 규정에 따라 이에 관련된 모든 조세의 납부가 면제된다.

제25조 보안 조치(Security Measures)

대한민국과 합중국은 합중국 군대, 그 구성원, 군속, 제15조에 따라 대한민국에 체류하는 자, 그들의 가족 및 그들의 재산의 안전을 보장하는데 수시로 필요한 조치를 취함에 있어서 협력한다. 대한민국 정부는 대한민국 영역 안에서 합중국의 설비, 비품, 재산, 기록 및 공무상의 정보의 적의한 보안과 보호를 보장하기에 필요한 입법 조치와 기타 조치를 취하며, 또한 제22조에 따라 대한민국 관계 법률에 의거하여 범법자의 처벌을 보장하기로 동의한다.

제26조 보건과 위생(Health and Sanitation)

합중국 군대, 군속 및 그들의 가족을 위한 의료 지원을 제공하는 합중국의 권리와 병행하여, 질병의 관리와 예방 및 기타 공중보건, 의료, 위생과 수의 업무의 조정에 관한 공동 관심사는 제28조에 따라 설치된 합동위원회에서 양국 정부의 관계 당국이 이를 해결한다.

제27조 예비역의 훈련(Enrollment and Training of Reservists)

합중국은 대한민국에 체류하는 적격의 합중국 시민을 대한민국에서 예비역 군대로 편입시키고 훈련시킬 수 있다.

제28조 합동 위원회(Joint Committee)

1. 달리 규정한 경우를 제외하고는, 본 협정의 시행에 관한 상호 협의를 필요로 하는 모든 사항에 관한 대한민국 정부와 합중국 정부간의 협의 기관으로서 합동위원회를 설치한다. 특히, 합동위원회는 본 협정의 목적을 수행하기 위하여 합중국의 사용에 소요되는 대한민국 안의 시설과 구역을 결정하는 협의 기관으로서 역할한다.
2. 합동위원회는 대한민국 정부 대표 1명과 합중국 정부 대표 1명으로 구성하고, 각 대표는 1명 또는 그 이상의 대리인과 직원단을 둔다. 합동위원회는 그 자체의 절차 규칙을 정하고, 또한 필요한 보조기관과 사무기관을 설치한다. 합동위원회는 대한민국 정부 또는 합중국 정부 중의 어느 일방 정부 대표의 요청이 있을 때에는 어느 때라도 즉시 회합할 수 있도록 조직되어야 한다.

3. 합동위원회가 어떠한 문제를 해결 할 수 없을 때에는, 동 위원회는 이 문제를 적절한 경로를 통하여 그 이상이 검토를 강구하기 위하여 각기 정부에 회부하여야 한다.

제29조 협정의 효력 발생(Entry into Force of Agreement)

1. 본 협정은, 대한민국 정부가 합중국 정부에 대하여 동 협정이 대한민국이 국내법상의 절차에 따라 승인되었다는 서면 통고를 한 날로부터 3개월만에 효력을 발생한다.
2. 대한민국 정부는 본 협정의 규정을 시행하는데 필요한 모든 입법상 및 예산상의 조치를 입법기관에 구할 것을 약속한다.
3. 제22조 제12항에 따를 것을 조건으로, 본 협정은 동 협정의 효력 발생과 동시에, 1950년 7월 12일자 대전에서 각서 교환으로 효력이 발생된 재판관할권에 관한 대한민국 정부와 합중국 정부간의 협정을 폐기하고 이에 대치한다.
4. 1952년 5월 24일자 대한민국과 통합사령부간의 경제 조정에 관한 협정 제3조 제13항은, 본 협정의 범위내에서, 합중국 군대의 구성원, 군속, 초청계약자 또는 그들의 가족에게는 적용되지 아니한다.

제30조 협정의 개정(Revision of Agreement)

어느 일방 정부든지, 본 협정의 어느 조항에 대한 개정을 어느 때든지 요청할 수 있으며, 이 경우에 양국 정부는 적절한 경로를 통한 교섭을 개시하여야 한다.

제31조 협정의 유효 기간(Duration of Agreement)

본 협정 및 본 협정의 합의된 개정은, 양 정부간의 합의에 따라 그 이전에 종결되지 아니하는 한, 대한민국과 합중국 간의 상호방위조약이 유효한 동안, 효력을 가진다.

이상의 증거로서, 하기(下記) 서명자는, 그들 각자의 정부로부터 정당한 권한을 위임받아 본 협정에 서명하였다.

한국어와 영어로 본서 2통을 작성하였다. 양 본은 동등히 정문이나, 해석에 상위가 있을 경우에는 영어본에 따른다.

1966년 7월 9일 서울에서 작성하였다.

대한민국정부를 위하여: 이 동 원 민 복 기

아메리카 합중국을 위하여: 딘 러스크 윈드롭 지. 브라운

부록 Ⅳ
북한 핵문제 관련자료

Ⅳ-1. 북한 핵개발 일지

1. 1990년 이전

◎ 1953.3 : 북한, 소련과 원자력 평화적 이용 협정 체결
◎ 1962 : 북한, 영변에 원자력 연구소 설치
◎ 1963.6 :북한, 소형 연구용 원자로 IRT-2000 소련으로부터 도입
◎ 1974.9 : 북한, 국제원자력기구(IAEA) 가입
◎ 1985.12.12 : 북한, 핵비확산조약(NPT) 가입
◎ 1990.11.16 : 주유엔 北 대사, 주한미군 핵과 동시사찰시 IAEA 사찰 수락

2. 1991-1994년

◎ 1991.12.31 : 남북한, 한반도비핵화 공동선언 합의
◎ 1992.1.30 : 북-IAEA 전면적 안전조치협정에 서명
◎ 1992.3~93.1 : 남북한, 핵통제공동위원회 진행
◎ 1992.5.23~6.5 : IAEA, 북한에 대한 임시사찰 실시
◎ 1993.2.10 : IAEA, 미신고시설 2곳 특별사찰 수락 촉구결의안 채택
◎ 1993.3.12 : 북한, NPT탈퇴 선언
◎ 1993.5.11 : 유엔 안보리, NPT 탈퇴철회 및 NPT 의무이행 촉구 결의(제825호) 채택
◎ 1993.6.11 : 북미, 1단계 고위급회담 타결, '북미공동성명' 발표
◎ 1994.6.13 : 북한, IAEA 탈퇴선언 제출

◎ 1994.7.8 : 북한 김일성 주석 사망
◎ 1994.10.21 : 북미, 제네바 3차 고위급 회담서 기본합의문 서명
◎ 1994.11.1 : 북한, 핵 활동 동결 선언

3. 1995-2002년 9월

◎ 1995.12.15 : 북-한반도에너지개발기구(KEDO) 경수로 공급협정 체결
◎ 1997.7.28 : KEDO, 금호사무소 개설 및 부지 공사 착수
◎ 1999.3.16 : 북미, 금창리 지하시설 사찰 타결
◎ 1999.5.18~24 : 미국, 금창리 방문단 현장 방문(핵시설과 무관 결론)
◎ 1999.5.25 : 윌리엄 페리 미 대통령 특사 방북(9월 페리보고서 발간)
◎ 2000.2.2 : 북한, 경수로 지연 제네바합의 파기 경고
◎ 2002.9.16 : 도널드 럼즈펠드 국방장관, '북 핵무기 보유' 주장

4. 2002년 10월 이후

◎ 2002.10.3~5 : 제임스 켈리 미 대통령 특사, 북한 방문 및 북한의 우라늄농축 핵 프로그램 시인 주장
◎ 2002.11.14 : KEDO, 대북중유지원 중단 발표
◎ 2002.11.29 : IAEA 성례 이사회, 북핵 결의문 채택
◎ 2002.12.12 : 북한, 핵 동결 해제 발표(영변 원자로 봉인 제거 및 감시카메라작동중지, IAEA 사찰관 철수)
◎ 2003.1.10 : 북한, 정부 성명 통해 NPT 탈퇴 선언
◎ 2003.2.12 : IAEA 특별이사회, 북핵문제 안보리 보고 결의안 채택
◎ 2003.8.27-29 : 제1차 북핵 6자회담 베이징에서 개최
◎ 2003.10.2 : 북한, 폐연료봉 재처리 완료 및 핵 억제력 강화 방향으로 용도 변경 가능성 경고
◎ 2003.10.20 : 부시 대통령, 다자 틀 내 대북 안전보장 제의
◎ 2004.5.22 : 북일 정상회담 평양서 개최
◎ 2005.2.10 : 북한, 핵무기 보유 선언
◎ 2005.5.11 : 북한, 영변 5MW 원자로에서 폐연료봉 8천개 인출 완료 발표
◎ 2005.9.13-19 : 제4차 6자회담 베이징서 개최(북한의 모든 핵무기와 현존 핵계획 포기 등 공동성명 채택)
◎ 2006.1.18 : 북미중, 6자회담 수석대표 베이징서 회동. 북, '선(先) 금융제재해제' 요구
◎ 2006.6.1 : 북한 외무성, 언론 통해 미국 6자회담 수석대표 초청 및 미측 거부.
◎ 2006.7.5 : 북한, 대포동 2호 등 미사일 발사.
◎ 2006.7.16 : 유엔 안보리 북한 미사일 결의(제 1695호) 만장일치로 통과. 북측은 즉각 거부.

◎ 2006.8.18 : 미 ABC방송, 북한의 지하핵실험 준비설 제기.

◎ 2006.10.3 : 북한, 핵실험 계획 발표

◎ 2006.10.6 : 유엔 안보리, 북한 핵실험 포기촉구 의장성명 발표

◎ 2006.10.9 : 북한, 핵실험 실시 발표

◎ 2006. 10.6 : 유엔 안전보장이사회, 북 핵실험 포기 촉구 의장성명 채택

◎ 2006. 10.9 : 북 핵실험 강행

◎ 2006. 10.14 : 유엔 안보리 대북 제재 결의안(1718호) 가결

◎ 2006. 10.17 : 미국, 북한 핵실험 공식 확인

◎ 2006. 10.27 : 한국, '한반도 수역에서 PSI 불참' 입장 발표

◎ 2007. 02. 08 ~ 13 : 제5차 6자회담 3단계 회의 베이징에서 개최.(60일내 영변 핵시설을 폐쇄, IAEA 사찰단 복귀를 수용할 경우, 중유 5만 톤 상당의 에너지 지원합의)

◎ 2007. 10.11~19 : 미 북핵 불능화팀 방북

◎ 2008. 10.11 : 미, 북한 테러지원국 해제

◎ 2009. 1.30 : 북 조평통 성명, 남북한 정치 군사적 합의사항의 무효와와 북방한계선 폐기 발표

◎ 2009. 3.24 : 북한 외무성 대변인 담화, 미사일 발사 관련 '안보리' 제재시 6자회담 파탄 위협 경고

◎ 2009. 4.14 : 유엔 안전보장이사회, 로켓 발사 규탄 의장성명 채택
북 외무성, "6자회담 절대 불참, 자위적 핵 강화, 영변 핵시설 복구" 천명

◎ 2009. 4.15 : 미 국무부 "6자회담 포기 없다" 발표

◎ 2009.4.16 : 북, IAEA 영변 핵시설 검증팀 추방 조치

◎ 2009. 4.25 : 유엔 안보리, 북한기업 및 은행 3곳 제재 결정
북 외무성 "폐연료봉 재처리 작업 시작" 언급

◎ 2009. 4.27 : 보즈워스 특별 대표, "대북 제재 완화 계획 없어" 언급

◎ 2009. 4.29 : 북 외무성, "핵실험, 대륙간탄도미사일 발사, 경수로 발전소 건설, 핵연료 자체 생산 보장 위한 기술 개발 시작" 발표

◎ 2009. 5.25 : 북 풍계리에서 2차 핵실험 실시 및 단거리 미사일 발사(2발)

◎ 2009. 5.26 : 한국 PSI가입 발표

Ⅳ-2. 한반도 비핵화공동선언

- 1992년 2월 19일 발효 -

남과 북은 한반도를 비핵화 함으로써 핵전쟁 위험을 제거하고 우리나라의 평화와 평화통일에 유리한 조건과 환경을 조성하며 아시아와 세계의 평화와 안전에 이바지하기 위하여 다음과 같이 선언한다.

1. 남과 북은 핵무기의 시험, 제조, 생산, 접수, 보유, 저장, 배비, 사용을 하지 아니한다.
2. 남과 북은 핵에너지를 오직 평화적 목적에만 이용한다.
3. 남과 북은 핵 재처리 시설과 우라늄농축시설을 보유하지 아니한다.
4. 남과 북은 한반도의 비핵화를 검증하기 위하여 상대측이 선정하고 쌍방이 합의하는 대상들에 대하여 남북 핵통제공동위원회가 규정하는 절차와 방법으로 사찰을 실시한다.
5. 남과 북은 이 공동선언의 이행을 위하여 공동선언이 발효된 후 1개월 동안 남북핵통제공동위원회를 구성 · 운영한다.
6. 이 공동선언은 남과 북이 각기 발효에 필요한 절차를 거쳐 그 문본을 교환한 날 부터 효력을 발생한다.

1992년 1월 20일

남북 고위급 회담 남측대표단 수석대표 대한민국 국무총리 정원식
북남 고위급 회담 북측대표단 단장 조선민주주의 인민공화국 정무원 총리 연형묵

Ⅳ-3. 제네바 북·미 핵 기본 합의문

미합중국(이하 미국으로 호칭)대표단과 조선민주주의 인민공화국(이하 북한으로 호칭)대표단은 1994년 9월 23일부터 10월 21일까지 제네바에서 한반도 핵문제의 전반적 해결을 위한 협상을 가진다.

양측은 핵이 없는 한반도의 평화와 안전을 확보하기 위해서는 1994년 8월 12일 미국과 북한간의 합의발표문에 포함된 목표의 달성과 1993년 6월 11일 미국과 북한간 공동발표문상의 원칙의 준수가 중요함을 재확인하였다. 양측은 핵문제 해결을 위해 다음과 같은 조치들을 취하기로 결정한다.

1. 양측은 북한의 흑연감속원자로 및 관련시설을 경수로원자로 발전소로 대체하기 위해 협력한다.

   가. 미국 대통령의 1994년 10월 20일자 보장서한에 의거하여, 미국은 2003년을 목표시한으로 총 발전용량 약2,000메가와트의 경수로를 북한에 제공하기 위한 조치를 주선할 책임을 진다.

   - 미국은 북한에 제공할 수로의 재원조달 및 공급을 담당할 국제 컨소시엄을 미국의 주도하에 구성한다. 미국은 동 국제 컨소시엄을 대표하여 경수로 사업을 위한 북한과의 주 접촉선 역할을 수행한다.
   - 미국은 국제 컨소시엄을 대표하여 본 합의문 서명후 6개월 내에 북한과 경수로 제공을 위한 공급계약을 체결할 수 있도록 최선의 노력을 경주한다. 계약관련 합의는 본 합의문 서명 후 가능한 조속한 시일내 개시한다.
   - 필요한 경우 미국과 북한은 핵에너지의 평화적 이용 분야에 있어서 협력을 위한 양자협정을 체결한다.

   나. 1994년 10월 20일자 대체에너지 제공관련 미국 대통령의 보장서한에 의거 미국은 국제 컨소시엄을 대표하여 북한의 흑연감속원자로 동결에 따라 상실될 에너지를 첫 번째 경수로 완공시까지 보전하기 위한 조치를 주선한다.

   - 대체 에너지는 난방과 전력생산을 위한 중유로 공급된다.
   - 중유의 공급은 본 합의문 서명 후 3개월내 개시되고 양측간 합의된 공급 일정에 따라 연간 50만톤 규모까지 공급된다.

   다. 경수로 및 대체에너지 제공에 대한 보장서한 접수 즉시 북한은 흑연감속원자로 및 관련시설을 동결하고, 궁극적으로 이를 해체한다.

   - 북한의 흑연감속원자로 및 관련시설의 동결은 본 합의문 서명 후 1개월내 완전 이행한다. 동 1개월 동안 및 전체 동결기간 중 국제원자력기구 (IAEA)가 이러한 동결상태를 감시하는 것이 허용되며, 이를 위해 북한은 국제원자력기구에 대해 전적인 협력을 제공한다.

- 북한의 흑연감속원자로 및 관련시설의 해체는 경수로사업이 완료될 때 완료된다.
- 미국과 북한은 5메가와트 실험용 원자로에서 추출된 사용후 연료봉을 경수로 건설기간 동안 안전하게 보관하고, 북한 내에서 재처리하지 않는 안전한 방법으로 동 연료가 처리될 수 있는 방안을 강구하기 위해 상호 협력한다.

라. 본 합의 후 가능한 조속한 시일내에 미국과 북한의 전문가들은 두 종류의 전문가 협의를 가진다.

- 한쪽의 협의에서 전문가들은 대체에너지와 흑연감속원자로의 경수로의 대체와 관련된 문제를 협의한다.
- 다른 한쪽의 협의에서전문가들은 사용후 연료 보관 및 궁극적 처리를 위한 구체적 조치를 협의한다.

2. 양측은 정치적, 경제적 관계의 완전 정상화를 추구한다.

가. 합의 후 3개월내 양측은 통신 및 금융거래에 대한 제한을 포함한 무역 및 투자제한을 완화시켜 나간다.

나. 양측은 전문가급 협의를 통해 영사 및 여타 기술적 문제가 해결된 후에 쌍방의 수도에 연락사무소를 개설한다.

다. 미국과 북한은 상호 관심사항에 대한 진전이 이루어짐에 따라 양국 관계를 대사급으로 격상시켜 나간다.

3. 양측은 핵이 없는 한반도의 평화와 안전을 위해 함께 노력한다.

가. 미국은 북한에 대한 핵무기 불위협 또는 불사용에 관한 공식 보장을 제공한다.

나. 북한은 한반도 비핵화 공동선언을 이행하기 위한 조치를 일관성 있게 취한다.

다. 본 합의문이 대화를 촉진하는 분위기를 조성해 나가는 데 도움을 줄 것이기 때문에 북한은 남·북대화에 착수한다.

4. 양측은 국제적 핵 비확산체제 강화를 위해 함께 노력한다.

가. 북한은 핵비확산조약(NPT) 당사국으로 잔류하며, 동 조약상의 안전조치 협정 이행을 허용한다.

나. 경수로 제공을 위한 공급계약 체결 즉시, 동결대상이 아닌 시설에 대하여 북한과 국제원자력 기구간 안전조치 협정에 따라 임시 및 일방사찰이 재개된다. 경수로 공급계약 체결시까지, 안전조치의 연속성을 위해 국제원자력기구가 요청하는 사찰은 동결대상이 아닌 시설에서 계속된다.

다. 경수로 사업의 상당부분이 완료될 때, 그러나 주요 핵심부품의 인도 이전에, 북한은 북한내 모든 핵물질에 관한 최초 보고서의 정확성과 안전성을 검증하는 것과 관련하여 국제원자력 기구와의 협의를 거쳐 국제원자력기구가 필요하다고 판단하는 모든 조치를 취하는 것을 포함하여 국제원자력기구 안전조치협정(INFCIRC/403)을 완전히 이행한다.

1994년 10월 21일

미 합 중 국 수 석 대 표
미 합 중 국 본 부 대 시
로 버 트 갈 루 치

조선민주주의인민공화국수석대표
조선민주주의 인민공화국 외교부 제1부부장
강 석 주

Ⅳ-4. 9.19 공동성명 전문

제4차 6자회담 공동성명 (2005.9.19, 베이징)

제4차 6자회담이 베이징에서 중화인민공화국, 조선민주주의인민공화국, 일본, 대한민국, 러시아연방, 미합중국이 참석한 가운데 2005년 7월 26일부터 8월 7일까지 그리고 9월 13일부터 19일까지 개최되었다.
우다웨이 중화인민공화국 외교부 부부장, 김계관 조선민주주의인민공화국 외무성 부상, 사사에 켄이치로 일본 외무성 아시아대양주 국장, 송민순 대한민국 외교통상부 차관보, 알렉세예프 러시아 외무부 차관, 그리고 크리스토퍼 힐 미합중국 국무부 동아태 차관보가 각 대표단의 수석대표로 동 회담에 참석하였다. 우다웨이 부부장은 동 회담의 의장을 맡았다.
한반도와 동북아시아 전반의 평화와 안정이라는 대의를 위해, 6자는 상호 존중과 평등의 정신하에, 지난 3회에 걸친 회담에서 이루어진 공동의 이해를 기반으로, 한반도의 비핵화에 대해 진지하면서도 실질적인 회담을 가졌으며, 이러한 맥락에서 다음과 같이 합의하였다.

1. 6자는 6자회담의 목표가 한반도의 검증가능한 비핵화를 평화적인 방법으로 달성하는 것임을 만장일치로 재확인하였다.
   조선민주주의인민공화국은 모든 핵무기와 현존하는 핵계획을 포기할 것과, 조속한 시일 내에 핵확산금지조약(NPT)과 국제원자력기구(IAEA)의 안전조치에 복귀할 것을 공약하였다.
   미합중국은 한반도에 핵무기를 갖고 있지 않으며, 핵무기 또는 재래식 무기로 조선민주주의인민공화국을 공격 또는 침공할 의사가 없다는 것을 확인하였다.
   대한민국은 자국 영토 내에 핵무기가 존재하지 않는다는 것을 확인하면서, 1992년도 「한반도의 비핵화에 관한 남.북 공동선언」에 따라, 핵무기를 접수 또는 배비하지 않겠다는 공약을 재확인하였다.
   1992년도 「한반도의 비핵화에 관한 남.북 공동선언」은 준수, 이행되어야 한다.
   조선민주주의인민공화국은 핵에너지의 평화적 이용에 관한 권리를 가지고 있다고 밝혔다.
   여타 당사국들은 이에 대한 존중을 표명하였고, 적절한 시기에 조선민주주의인민공화국에 대한 경수로 제공 문제에 대해 논의하는데 동의하였다.
2. 6자는 상호 관계에 있어 국제연합헌장의 목적과 원칙 및 국제관계에서 인정된 규범을 준수할 것을 약속하였다.
   조선민주주의인민공화국과 미합중국은 상호 주권을 존중하고, 평화적으로 공존하며,

각자의 정책에 따라 관계정상화를 위한 조치를 취할 것을 약속하였다.

조선민주주의인민공화국과 일본은 평양선언에 따라, 불행했던 과거와 현안사항의 해결을 기초로 하여 관계 정상하를 위한 조치를 취할 섯을 약속하였다.

3. 6자는 에너지, 교역 및 투자 분야에서의 경제협력을 양자 및 다자적으로 증진시킬 것을 약속하였다.

   중화인민공화국, 일본, 대한민국, 러시아연방 및 미합중국은 조선민주주의인민공화국에 대해 에너지 지원을 제공할 용의를 표명하였다.

   대한민국은 조선민주주의인민공화국에 대한 2백만 킬로와트의 전력공급에 관한 2005.7.12자 제안을 재확인하였다.

4. 6자는 동북아시아의 항구적인 평화와 안정을 위해 공동 노력할 것을 공약하였다.

   직접 관련 당사국들은 적절한 별도 포럼에서 한반도의 항구적 평화체제에 관한 협상을 가질 것이다. 6자는 동북아시아에서의 안보협력 증진을 위한 방안과 수단을 모색하기로 합의하였다.

5. 6자는 '공약 대 공약', '행동 대 행동' 원칙에 입각하여 단계적 방식으로 상기 합의의 이행을 위해 상호조율된 조치를 취할 것을 합의하였다.

6. 6자는 제5차 6자회담을 11월초 북경에서 협의를 통해 결정되는 일자에 개최하기로 합의하였다.

Ⅳ-5 2.13 합의 전문

9.19 공동성명 이행을 위한 초기조치

Ⅰ. 참가국들은 2005년 9월 19일 공동성명의 이행을 위해 초기 단계에서 각국이 취해야 할 조치에 관하여 진지하게 생산적인 협의를 하였다. 참가국들은 한반도 비핵화를 조기에 평화적으로 달성하기 위한 공동의 목표와 의지를 재확인하였으며 공동성명상의 공약을 성실히 이행할 것이라는 점을 재확인하였다. 참가국들은 '행동 대 행동' 원칙에 따라 단계적으로 공동성명을 이행하기 위해 상호 조율된 조치를 취하기로 합의했다.

Ⅱ. 참가국들은 초기단계에 다음과 같은 조치를 병렬적으로 취하기로 합의했다.

1. 조선민주주의인민공화국은 궁극적인 포기를 목적으로 재처리 시설을 포함한 영변 핵시설을 폐쇄.봉인하고 IAEA와의 합의에 따라 모든 필요한 감시 및 검증 활동을 수행하기 위해 IAEA 요원을 복귀토록 초청한다.

2. 조선민주주의인민공화국은 9.19 공동성명에 따라 포기하도록 돼있는 사용후 연료봉으로부터 추출된 플루토늄을 포함, 성명에 명기된 모든 핵프로그램의 목록을 여디 참가국들과 협의한다.

3. 조선민주주의인민공화국과 미국은 양자간 현안을 해결하고 전면적 외교관계로 나아가기 위한 양자대화를 개시한다. 미국은 조선민주주의인민공화국을 테러지원국 지정으로부터 해제하기 위한 과성을 개시히고, 조선민주주의인민공화국에 대한 대적성국 교역법 적용을 종료시키기 이한 과정을 진전시켜 나간다.

4. 조선민주주의인민공화국과 일본은 불행한 과거와 미결 관심사안의 해결을 기반으로 평양선언에 따라 양국 관계 정상화를 취해 나가는 것을 목표로 양자대화를 개시한다.

5. 참가국은 9.19 공동성명의 1조와 3조를 상기하면서 조선민주주의인민공화국에 대한 경제.에너지.인도적 지원에 협력하기로 합의했다.

이와 관련, 참가국들은 초기단계에서 조선민주주의인민공화국에 대한 긴급 에너지 지원을 제공하기로 합의했다.

중유 5만톤 상당의 긴급 에너지 지원의 최초 운송은 60일 이내에 개시된다.

참가국들은 상기 초기조치들이 향후 60일 이내에 이행되며 이러한 목표를 향하여 상호 조율된 조치를 취한다는데 합의했다.

Ⅲ. 참가국들은 초기조치를 이행하고 공동성명의 완전한 이행을 목표로 다음과 같은 실무그룹(Working Group)을 설치하는데 합의했다.

- 1. 한반도 비핵화
- 2. 미.북 관계정상화
- 3. 일.북 관계정상화
- 4. 경제 및 에너지 협력
- 5. 동북아 평화.안보 체제

실무그룹들은 각자의 분야에서 9.19공동성명의 이행을 위한 구체적 계획을 협의하고 수립한다. 실무그룹들은 각각의 작업 진전에 관해 6자회담 수석대표회의에 보고한다. 원칙적으로 한 실무그룹의 진전은 다른 실무그룹의 진전에 영향을 주지 않는다. 5개 실무그룹에서 만들어진 계획은 상호조율된 방식으로 전체적으로 이행될 것이다.

참가국들은 모든 실무그룹 회의를 향후 30일 이내에 개최하는데 합의했다.

Ⅳ. 초기조치 기간 및 조선민주주의인민공화국의 모든 핵프로그램에 대한 완전한 신고와 흑연감속로 및 재처리시설을 포함하는 모든 현존하는 핵시설의 불능화를 포함하는 다음 단계 기간 중, 조선민주주의인민공화국에 최초 선적분인 중유 5만톤 상당의 지원을 포함한 중유 100만톤 상당의 경제.에너지.인도적 지원이 제공된다.

상기 지원에 대한 세부사항은 경제 및 에너지 협력 실무그룹의 협의와 적절한 평가를 통해 결정된다.

Ⅴ. 초기조치가 이행되는 대로 6자는 9.19 공동성명의 이행을 확인하고 동북아 안보협력 증진방안 모색을 위한 장관급회담을 신속하게 개최한다.

Ⅵ. 참가국들은 상호신뢰를 증진시키기 위한 긍정적인 조치를 취하고 동북아에서의 지속적인 평화와 안정을 위한 공동노력을 할 것을 재확인하였다. 직접 관련 당사국들은 적절한 별도 포럼에서 한반도의 항구적 평화체제에 관한 협상을 갖는다.

Ⅶ. 참가국들은 실무그룹의 보고를 청취하고 다음 단계 행동에 관한 협의를 위해 제6차 6자회담을 2007년 3월 19일에 개최하기로 합의하였다.』

대북 지원부담의 분담에 관한 합의의사록

중국, 미국, 러시아, 한국은 각국 정부의 결정에 따라 Ⅱ조 5항 및 Ⅳ조에 규정된 조선민주주의인민공화국에 대한 지원 부담을 평등과 형평의 원칙에 기초하여 분담할 것에 합의하고, 일본이 자국의 우려사항이 다뤄지는 대로 동일한 원칙에 따라 참여하기를 기대하며 또 이 과정에서 국제사회의 참여를 환영한다

2007년 2월 13일

국가안보의 이해

인쇄일 : 2010년 2월 22일
발행일 : 2010년 2월 26일
펴낸곳 : 노드미디어
발행인 : 박승합
주 소 : 서울시 용산구 갈월동 11-50
전 화 : 02-754 1883
팩 스 : 02-753-1867
홈페이지 : http://www.nodemedia.net
http://www.nodemedia.co.kr
출판사 등록번호 : 제 3-163호
출판사 등록일 : 1998년 1월 21일

지은이 : 조남진

ISBN : 978-89-8458-224-8-93550

정가 28,000원 원